W0025280

José Saramago

Die Stadt der Blinden

José Saramago Die Stadt der Blinden *Roman*

Deutsch von
Ray-Güde Mertin

Büchergilde Gutenberg

Die Originalausgabe erschien 1995
unter dem Titel «Ensaio sobre a Cegueira»
bei Editorial Caminho, Lissabon
Redaktion Miriam Mandelkow

Lizenzausgabe für die Büchergilde Gutenberg,
Frankfurt am Main und Wien,
mit freundlicher Genehmigung
des Rowohlt Verlags, Reinbek

Umschlaggestaltung Ines v. Ketelhodt, Oberursel
Satz aus der Garamond (Linotronic 500)
Gesamtherstellung Clausen & Bosse, Leck
Printed in Germany 1998
ISBN 3 7632 4857 9

Für Pilar
Für meine Tochter Violante

Wer schauen kann, der sehe.
Wer sehen kann, der betrachte.

Buch der Ratschläge

Das gelbe Licht leuchtete auf. Zwei der Autos vorn beschleunigten, bevor die Ampel auf Rot wechselte. Am Fußgängerübergang erschien das grüne Männchen. Die wartenden Passanten begannen die Straße zu überqueren, sie traten auf die weißen, auf den schwarzen Asphalt gemalten Streifen, nichts ähnelt einem Zebra weniger, dennoch werden sie so genannt. Die Autofahrer hielten ihre Autos ungeduldig zurück, voller Spannung mit dem Fuß auf der Kupplung, vor und zurück, wie nervöse Pferde, die die Peitsche in der Luft spüren. Die Fußgänger haben schon die Straße überquert, doch die Ampel, die den Autos den Weg freigeben soll, wird noch einige Sekunden auf sich warten lassen, es wird behauptet, daß diese eigentlich so unbedeutende Verzögerung, wenn wir sie mit den Tausenden von Ampeln in der Stadt multiplizieren und mit dem stets aufeinanderfolgenden Wechsel der drei Farben jeder einzelnen Ampel, eine der Hauptursachen für den Verkehrsstau ist.

Endlich leuchtete das grüne Licht auf, die Autos fuhren abrupt an, doch sofort bemerkte man, daß nicht alle zugleich losgefahren waren. Das erste in der mittleren Reihe steht, da muß es irgendein technisches Problem geben, vielleicht ist das Gaspedal locker, oder die Schaltung sitzt fest, oder etwas am hydraulischen System ist defekt, die Bremsen sind blockiert, ein Fehler in der Stromversorgung, oder es ist einfach das Benzin ausgegangen, es wäre nicht das erste Mal, daß so etwas vorkommt. Die Gruppe von Fußgängern, die sich erneut auf dem Bürgersteig angesammelt hat, sieht, wie der Fahrer des stehenden Wagens hinter der Windschutzscheibe aufgeregt gestikuliert, während die Autos hinter ihm wütend hupen. Einige Fahrer sind schon auf die Straße gesprungen, bereit, das stehengebliebene Auto auf die Seite zu schieben, damit es den Verkehr nicht mehr behindert, sie klopfen heftig gegen die geschlossenen Scheiben, der Mann im Auto wendet ihnen das Gesicht zu, zur einen, dann zur anderen Seite, man sieht, daß er etwas ruft, an der Bewegung seiner Lippen sieht man, daß er ein Wort wiederholt, nicht eins, nein, in Wirklichkeit drei, wie man erfahren wird, wenn endlich jemand die Tür öffnen kann, Ich bin blind.

Darauf würde man nicht kommen. Flüchtig betrachtet, sehen in diesem Augenblick die Augen des Mannes gesund aus, die Iris zeichnet sich klar ab, leuchtend, der weiße Augapfel ist kompakt wie Porzellan. Die Augenlider sind aufgerissen, das Gesicht in Falten, die Augenbrauen jäh zusammengezogen, alles, jeder kann es sehen, durch Angst verzerrt. Mit einer plötzlichen Bewegung wird all das, was zu sehen war, hinter den beiden geballten Fäusten des Mannes verborgen, als wollte er noch im Inneren seines Hirns das letzte Bild festhalten, ein rotes, rundes Licht an einer Ampel. Ich bin blind, ich bin blind, wiederholte er verzweifelt, während man ihm aus dem Auto half, und die Tränen, die jetzt über sein Gesicht liefen, machten seine Augen, von denen er behauptete, sie seien tot, noch glänzender. Das geht vorbei, das geht bestimmt vorbei, manchmal sind es bloß die Nerven, sagte eine Frau. Die Ampel hatte schon wieder die Farbe gewechselt, einige neugierige Passanten näherten sich der Gruppe, und die Fahrer von hinten, die nicht wußten, was los war, protestierten gegen das, was sie für einen üblichen Verkehrsunfall hielten, eine kaputte Ampel, eine verbeulte Stoßstange, nichts, was dieses Durcheinander rechtfertigte, Ruft die Polizei, riefen sie, schafft die Trümmer beiseite. Der Blinde flehte, Bitte, kann mich jemand nach Hause bringen. Die Frau, die vorher von den Nerven gesprochen hatte, meinte, man müsse eine Ambulanz rufen, den armen Mann ins Krankenhaus bringen, aber der Blinde sagte, nein, nein, das wolle er nicht, er wolle nur, daß man ihn bis zur Tür des Gebäudes bringe, in dem er wohnte, Das ist hier ganz in der Nähe, man würde mir einen großen Gefallen tun. Und das Auto, fragte eine Stimme. Wieder eine andere Stimme antwortete, Der Schlüssel steckt noch, man kann es auf den Bürgersteig schieben. Das ist nicht notwendig, sagte eine dritte Stimme, ich kümmere mich um das Auto und begleite diesen Herrn nach Hause. Man hörte beifälliges Gemurmel. Der Blinde spürte, daß man ihn am Arm nahm, Kommen Sie, kommen Sie mit, sagte dieselbe Stimme. Man half ihm, sich auf den Beifahrersitz zu setzen, legte ihm den Sicherheitsgurt an, Ich sehe nichts, ich sehe nichts, murmelte er weinend, Sagen Sie mir, wo Sie wohnen, bat der andere. Durch die Fenster des Wagens spähten gierige, auf Neuigkeiten erpichte Gesichter. Der Blinde hob die Hände vor die Augen und bewegte sie, Nichts, als wäre ich mitten in einem Nebel, als wäre ich in ein milchiges Meer gefallen, Aber Blindheit ist nicht so, sagte der andere, Blindheit, heißt es, ist doch schwarz, Aber ich sehe alles weiß, Vielleicht hatte die gute Frau ja recht, es kann etwas mit den Nerven sein, die Nerven sind wirklich teuflisch, Ich weiß sehr wohl, was es ist, ein Unglück, ein Unglück, Sagen Sie mir bitte, wo Sie wohnen, gleichzeitig hörte man, wie der Motor ansprang. Stotternd, als hätte das fehlende Augenlicht sein Gedächtnis geschwächt, gab der Blinde eine Adresse an, dann sagte er, Ich weiß nicht, wie ich Ihnen danken soll, der andere antwortete, Na, ist schon gut, heute Sie, morgen ich, wir wissen nicht, was uns noch bevorsteht, Sie haben recht, wer hätte gedacht, heute morgen, als ich meine Wohnung verließ, daß mich ein solcher Schlag treffen würde. Er wunderte sich, daß sie noch immer standen, Warum fahren wir nicht, fragte er, Die Ampel steht auf Rot, Oh, sagte der Blinde und begann erneut zu weinen. Von jetzt an würde er nie mehr wissen, wann die Ampel auf Rot stand.

Wie der Blinde gesagt hatte, lag die Wohnung in der Nähe. Aber die Bürgersteige waren alle mit Autos zugeparkt, sie fanden keine Lücke, um den Wagen abzustellen, deshalb mußten sie in einer der Seitenstraßen einen Platz suchen. Da der Gehsteig dort sehr schmal und die Tür auf der Beifahrerseite wenig mehr als eine Handbreit von der Hauswand entfernt war, mußte der Blinde vorher aussteigen, damit er nicht mühsam vom Beifahrersitz auf den Fahrersitz hinüberrutschen mußte, behindert durch den Schaltknüppel und das Lenkrad. Hilflos stand er mitten auf der Straße und fühlte, wie ihm der Boden unter den Füßen wegkippte, er versuchte, die Panik zu bezwingen, die ihm in der Kehle aufstieg. Er bewegte die Hände nervös vor seinem Gesicht, als würde er schwimmen in jenem milchigen Meer, wie er es genannt hatte, aber da öffnete sich sein Mund schon zu einem Hilfeschrei, als im letzten Augenblick die Hand des anderen ihn leicht am Arm berührte, Beruhigen Sie sich, ich führe Sie. Sie gingen sehr langsam, der Blinde hatte Angst hinzufallen, und so schlurfte er mit den Füßen über den Boden, doch dadurch stolperte er über die Unebenheiten auf der Straße, Haben Sie Geduld, wir sind schon fast da, murmelte der andere, und kurz darauf fragte er, Ist jemand bei Ihnen zu Hause, der sich um Sie kümmern kann, und der Blinde antwortete, Ich weiß nicht, meine Frau wird noch nicht von der Arbeit zurück sein, ausgerechnet heute bin ich etwas früher gegangen, und dann passiert mir so was, Sie werden sehen, es ist nichts, ich habe noch nie gehört, daß jemand so plötzlich erblindet, Und ich war so stolz darauf, daß ich keine Brille trug, nie habe ich eine gebraucht, Nun, da sehen Sie's. Sie waren an der Tür des Gebäudes angelangt, zwei Frauen aus der Nachbarschaft beobachteten sie neugierig, da kommt der Nachbar, am Arm geführt, aber keine von beiden kam darauf zu fragen, Ist Ihnen etwas ins Auge gekommen, das fiel ihnen nicht ein, und so konnte er ihnen auch nicht antworten, Ja, ein milchiges Meer. Bereits im Gebäude sagte der Blinde, Vielen Dank, entschuldigen Sie die Unannehmlichkeiten, die ich Ihnen gemacht habe, hier komme ich schon zurecht, Nun, ich werde mit Ihnen hinaufgehen, ich kann Sie hier nicht einfach stehenlassen. Sie zwängten sich in den schmalen Aufzug, In welchem Stockwerk wohnen Sie, Im dritten, Sie glauben gar nicht, wie dankbar ich Ihnen bin, danken Sie mir nicht, heute sind Sie es, Ja, Sie haben recht, und morgen Sie. Der Fahrstuhl hielt, sie traten ins Treppenhaus. Möchten Sie, daß ich Ihnen helfe, die Tür zu öffnen, Danke, das kann ich, glaube ich, noch. Er nahm ein kleines Schlüsselbund aus der Tasche, tastete die Schlüssel ab, einen nach dem anderen, an den Zähnen entlang, und sagte, Dieser muß es sein, und während er mit den Fingerspitzen der linken Hand das Schloß abtastete, versuchte er, die Tür zu öffnen, Nein, dieser nicht, Lassen Sie mich mal sehen, ich helfe Ihnen. Die Tür ging beim dritten Versuch auf. Nun fragte der Blinde nach drinnen, Bist du da. Niemand antwortete, und er, Wie ich gesagt habe, sie ist noch nicht zu Hause. Mit den Händen vor sich her tastend, ging er in den Flur, dann wandte er sich vorsichtig um, richtete das Gesicht dorthin, wo er den anderen vermutete, Wie kann ich Ihnen bloß danken, sagte er, Ich habe nur meine Pflicht getan, erwiderte der barmherzige Samariter, Danken Sie mir nicht, und fügte hinzu, Soll ich Ihnen helfen, sich hier niederzulassen, soll ich Ihnen Gesellschaft leisten, bis Ihre Frau kommt. Dieser Eifer erschien dem Blinden plötzlich verdächtig, natürlich würde er einen Unbekannten nicht in seine Wohnung hineinlassen, schließlich könnte der in eben diesem Moment dabeisein, sich auszudenken, wie er den unglücklichen, hilflosen Blinden fesseln und knebeln könnte, um dann alle Wertsachen mitzunehmen. Nicht notwendig, bemühen Sie sich nicht, sagte er, ich komme zurecht, und wiederholte, während er die Tür langsam schloß, Nicht nötig, nicht nötig.

Er atmete erleichtert auf, als er den Fahrstuhl nach unten fahren hörte. Mit einer mechanischen Geste, ohne daran zu denken, in welchem Zustand er sich befand, schob er die Klappe auf dem Guckloch an der Tür beiseite und schaute hinaus. Es war, als gäbe es eine weiße Wand auf der anderen Seite. Er fühlte den Metallring an der Augenbraue, seine Wimpern streiften die winzige Linse, aber er konnte nichts sehen, das undurchsichtige Weiß bedeckte alles. Er wußte, daß er zu Hause war, er erkannte die Wohnung an ihrem Geruch, an der Atmosphäre, an der Stille, er konnte die Möbel und Gegenstände erkennen, wenn er sie berührte und leicht mit den Fingern darüber strich, es war aber auch so, als würde sich alles in einer seltsamen Dimension ohne Richtung auflösen, ohne Anhaltspunkte, ohne Norden und Süden, ohne Unten oder Oben. Wie vermutlich jeder Mensch hatte auch er manchmal in seiner Jugend das Spiel gespielt, Wenn ich blind wäre, und war nach fünf Minuten mit geschlossenen Augen zu dem Ergebnis gekommen, daß Blindheit ohne jeden Zweifel ein schreckliches Unglück darstellte, jedoch einigermaßen erträglich sein könnte, wenn das Opfer eines solchen Schicksalschlages genügend Erinnerung bewahrt hätte, nicht nur an Farben, sondern auch an Formen und Ausmaße, an Oberflächen und Umrisse, natürlich nur, wenn solche Blindheit nicht von Geburt an bestand. Er hatte schließlich sogar gedacht, daß die Dunkelheit, in der die Blinden lebten, im Grunde nichts anderes sei als ein Mangel an Licht und daß das, was wir Blindheit nennen, nur Wesen und Dinge überdeckte, sie jedoch hinter diesem schwarzen Schleier intakt ließ. Jetzt aber war er eingetaucht in ein derart leuchtendes, derart vollkommenes Weiß, das mehr verschlang, als daß es absorbierte, nicht nur Farben, sondern selbst Wesen und Dinge und sie auf diese Weise in doppeltem Sinne unsichtbar machte.

Als er sich auf das Wohnzimmer zubewegte, und obwohl er dies vorsichtig und langsam tat, indem er mit der Hand zögernd an der Wand entlangfuhr, stieß er eine Blumenvase um, die er dort nicht erwartet hatte. Er hatte sie vergessen, oder seine Frau hatte sie dorthin gestellt, als sie zur Arbeit ging, in der Absicht, sie später an einen geeigneten Platz zu stellen. Er beugte sich hinab, um den Schaden zu begutachten. Das Wasser hatte sich über den gebohnerten Fußboden ausgebreitet. Er wollte die Blumen aufheben, dachte aber nicht an die Scherben, und ein langer, sehr feiner Glassplitter bohrte sich in seinen Finger, so daß ihm vor Schmerzen die Tränen kamen, vor Schmerzen und vor Verlassenheit, wie einem Kind, blind vom Weiß inmitten einer Wohnung, die am ausgehenden Nachmittag schon dunkel wurde. Ohne die Blumen loszulassen, während er fühlte, wie das Blut herabtropfte, drehte er sich, um ein Taschentuch aus der Tasche zu ziehen, und so gut er konnte, umwickelte er damit den Finger. Dann ging er tastend und stolpernd um die Möbel herum, vorsichtig, damit er sich nicht in den Teppichen verhedderte, zum Sofa, auf dem er und seine Frau immer zum Fernsehen saßen. Er setzte sich, legte die Blumen auf seine Beine und wickelte ganz vorsichtig das Taschentuch ab. Das Blut fühlte sich klebrig an, es verwirrte ihn, er dachte, vielleicht, weil er es nicht sehen konnte, sein Blut hätte sich in eine farblose, klebrige Masse verwandelt, in etwas, das ihm zwar gehörte, aber dennoch wie eine Drohung gegen ihn wirkte. Vorsichtig ertastete er mit der unversehrten Hand den schmalen Glassplitter, der so scharf war wie ein winziger Dolch, bildete mit den Nägeln von Daumen und Zeigefinger eine Pinzette und zog den Splitter ganz heraus. Er umwickelte den verletzten Finger wieder mit dem Taschentuch, ganz fest, um das Blut abzubinden, und lehnte sich völlig erschöpft im Sofa zurück. Einige Minute später, nicht selten wählt der Körper, um sich gehenzulassen, gewisse Augenblicke der Angst und Verzweiflung, statt sich ausschließlich von der Logik leiten zu lassen, nach der doch alle seine Nerven wach und angespannt sein müßten, überfiel ihn eine Art Mattigkeit, es war mehr Schläfrigkeit als Müdigkeit, jedoch genauso schwer. Sofort träumte er den Traum von dem Spiel, Wenn ich blind wäre, er träumte, daß er die Augen viele Male öffnete und schloß und daß jedesmal, als kehrte er von einer Reise zurück, alle Formen und Farben fest und unverändert auf ihn warteten und die Welt so war, wie er sie kannte. Unter dieser beruhigenden Gewißheit nahm er jedoch einen dumpf bohrenden Zweifel wahr, vielleicht war es ein trügerischer Traum, ein Traum, aus dem er früher oder später erwachen würde, ohne in diesem Augenblick zu wissen, welche Wirklichkeit auf ihn wartete. Dann, wenn ein solches Wort einen Sinn hat, bezogen auf eine Mattigkeit, die nur wenige Sekunden anhielt, denn er befand sich schon in jenem Zustand des Halbschlafs, der das Erwachen vorbereitet, dachte er ernsthaft darüber nach, daß es nicht gut war, in dieser Ungewißheit zu verharren, wache ich auf oder nicht, wache ich auf oder nicht, es kommt immer ein Augenblick in dem man einfach etwas wagen muß, Was tue ich eigentlich hier mit diesen Blumen auf meinen Beinen und mit geschlossenen Augen, als hätte ich Angst, sie zu öffnen, Was tust du da, schläfst mit diesen Blumen auf deinen Beinen, fragte seine Frau.

Sie hatte keine Antwort abgewartet. Demonstrativ hatte sie die Reste der Vase eingesammelt, den Boden trockengewischt und dabei vor sich hin gebrummelt, ohne ihren Ärger verhehlen zu wollen, Das hättest ruhig du machen können, statt dich da hinzulegen und zu schlafen, als hättest du damit nichts zu tun. Er sagte nichts, er schützte seine Augen hinter den geschlossenen Lidern, und plötzlich erregte ihn ein Gedanke, Wenn ich jetzt die Augen öffne und sehe, fragte er sich, voll ängstlicher Hoffnung. Die Frau kam näher, sah das blutbefleckte Taschentuch, ihre schlechte Laune verflog sofort, Du Ärmster, wie ist denn das passiert, fragte sie mitleidig, während sie den improvisierten Verband entfernte. Nun wollte er seine

Frau mit aller Kraft vor sich knien sehen, er wußte, dort war sie, und schon in der Gewißheit, daß er sie nicht sehen würde, öffnete er die Augen, Na endlich bist du wach, mein Murmeltier, sagte sie lächelnd. Es herrschte Schweigen, dann sagte er, Ich bin blind, ich sehe dich nicht. Die Frau schimpfte, Laß doch solche dummen Spielereien, es gibt Dinge, mit denen man nicht scherzen darf, Wenn es doch nur ein Scherz wäre, die Wahrheit ist, daß ich wirklich blind bin, ich sehe nichts, Bitte mach mir keine Angst, schau mich an, hier, ich bin hier, das Licht ist an, Ich weiß, daß du da bist, ich höre dich, ich berühre dich, ich nehme an, daß du das Licht angemacht hast, aber ich bin blind. Sie begann zu weinen, klammerte sich an ihn, Das ist nicht wahr, sag doch, daß es nicht wahr ist. Die Blumen waren auf den Boden gerutscht, über das blutbefleckte Taschentuch, das Blut begann wieder von dem verwundeten Finger zu tropfen, und als wollte er mit anderen Worten sagen, wenigstens das kleinere Übel, murmelte er, Ich sehe alles weiß, und ein trauriges Lächeln trat auf sein Gesicht. Seine Frau setzte sich neben ihn, umarmte ihn fest, küßte ihn behutsam auf die Stirn, auf das Gesicht, sanft auf die Augen, Du wirst schon sehen, das geht vorbei, du warst nicht krank, niemand erblindet einfach so, von einem Augenblick zum anderen, Vielleicht, Erzähl mir, wie es passiert ist, was du gefühlt hast, wann, wo, nein, noch nicht, warte, wir müssen zuerst mit einem Augenarzt sprechen, kennst du einen, Nein, ich nicht, wir tragen beide keine Brille, Und wenn ich dich ins Krankenhaus bringe, Für Augen, die nicht sehen, gibt es sicher keinen Notdienst, Du hast recht, am besten gehen wir zu einem Arzt, ich werde im Telefonbuch nachsehen, zu einem, der hier in der Nähe ist. Sie erhob sich und fragte noch, Merkst du irgendeinen Unterschied, Nein, keinen, sagte er, Achtung, ich werde das Licht ausschalten, und du sagst mir, ob du etwas merkst, jetzt, Nichts, Was, nichts, Nichts, ich sehe immer dasselbe Weiß, für mich ist es, als gäbe es keine Nacht.

Er hörte, wie seine Frau rasch die Seiten des Telefonbuchs umblätterte, sie schniefte dabei, um die Tränen zurückzuhalten, und seufzte, schließlich sagte sie, Dieser hier müßte der richtige sein, hoffentlich kann er uns nehmen, sie wählte die Nummer, fragte, ob dort die Praxis sei, ob der Herr Doktor da sei, sie mit ihm sprechen könne, Nein, nein, der Doktor kennt mich nicht, es geht um einen sehr dringenden Fall, ja, bitte, ich verstehe, dann sage ich es Ihnen, aber ich bitte Sie, es dem Doktor zu sagen, mein Mann ist nämlich plötzlich erblindet, ja, ja, so wie ich es Ihnen sage, plötzlich, nein, nein, er ist kein Patient des Doktors, mein Mann trägt auch keine Brille, nein, er hat nie eine getragen, ja, er konnte hervorragend sehen, wie ich, ich sehe auch gut, ach so, ja vielen Dank, ich warte, ich warte, ja Herr Doktor, ja plötzlich, er sagt, er sieht alles weiß, ich habe keine Ahnung, wie das gekommen ist, ich hatte nicht einmal Zeit, ihn danach zu fragen, ich bin gerade nach Hause gekommen und habe ihn in diesem Zustand angetroffen, soll ich ihn fragen, oh, ja, ich bin Ihnen so dankbar, Herr Doktor, wir fahren sofort los, sofort. Der Blinde stand auf, Warte, sagte seine Frau, laß mich erst diesen Finger verbinden, sie verschwand für einen Augenblick, kam mit einer Flasche Wasserstoffsuperoxyd und einer anderen mit Jodtinktur, mit Watte und einer kleinen Schachtel Heftpflaster zurück. Während sie ihn verband, fragte sie, Wo hast du das Auto hingestellt, und plötzlich, Aber hör mal, in dem

Zustand konntest du doch gar nicht fahren, oder warst du schon zu Hause, als, Nein, es war auf der Straße, als ich an einer roten Ampel hielt, da hat mir jemand geholfen und mich hergebracht, das Auto steht in der Seitenstraße, Gut, dann laß uns hinuntergehen, warte an der Tür, ich hole das Auto, wo hast du die Schlüssel hingetan, Ich weiß nicht, er hat sie mir nicht wiedergegeben, Wer er, Der Mann, der mich nach Hause gebracht hat, es war ein Mann, Du hast sie sicher irgendwo hingelegt, ich werde nachsehen, Es lohnt nicht zu suchen, er ist nicht hereingekommen, Aber die Schlüssel müssen doch irgendwo sein, Wahrscheinlich hat er nicht daran gedacht und sie mitgenommen, ohne sich dessen bewußt zu sein, Das hat uns gerade noch gefehlt, Dann nimm deine Schlüssel, wir werden schon sehen, Gut, gehen wir, gib mir die Hand. Der Blinde sagte, Wenn das so bleibt, mach ich Schluß mit dem Leben, Bitte sag nicht solchen Unsinn, das Unglück ist schon groß genug, Ich bin es, der blind ist, nicht du, du weißt ja gar nicht, wie das ist, Der Arzt bringt dich bestimmt in Ordnung, du wirst schon sehen, Ja, das werde ich.

Sie gingen hinunter. Unten im Flur an der Treppe schaltete die Frau das Licht an und flüsterte ihm ins Ohr, Warte hier auf mich, wenn ein Nachbar kommt, sprich ganz natürlich mit ihm, sag, daß du auf mich wartest, wenn jemand dich anschaut, wird niemand darauf kommen, daß du nicht sehen kannst, wir brauchen wirklich keine Auskunft über unser Leben zu geben, Gut, aber bleib nicht so lange weg. Seine Frau lief schnell hinaus. Kein Nachbar kam herein oder ging hinaus. Aus Erfahrung wußte der Blinde, daß die Treppe nur beleuchtet war, wenn man den automatischen Zähler hörte, deshalb drückte er jedesmal auf den Schalter, wenn es still wurde. Das Licht, dieses Licht, war für ihn zu einem Geräusch geworden. Er verstand nicht, warum seine Frau so lange brauchte, die Straße war gleich nebenan, achtzig oder hundert Meter entfernt, Wenn wir uns sehr verspäten, wird der Arzt fort sein, dachte er. Unwillkürlich hob er das linke Handgelenk und blickte darauf, um die Uhrzeit abzulesen. Er preßte die Lippen aufeinander, als hätte er einen plötzlichen Schmerz verspürt, und dankte dem Schicksal, daß in diesem Augenblick kein Nachbar auftauchte, denn beim ersten Wort, das dieser an ihn gerichtet hätte, wäre er auf der Stelle in Tränen ausgebrochen. Ein Auto hielt auf der Straße, Na endlich, dachte er, aber dann wunderte er sich gleich über das Geräusch des Motors, Das ist ein Diesel, das ist ein Taxi, sagte er, und drückte noch einmal auf den Lichtschalter. Seine Frau kam zurück, nervös, verwirrt, Dein netter kleiner Beschützer, diese gute Seele, hat unser Auto gestohlen, Unmöglich, vielleicht hast du nicht richtig hingesehen, O doch, das habe ich, ich sehe sehr gut, die letzten Worte rutschten ihr heraus, ohne daß sie es wollte, Du hattest mir gesagt, daß das Auto in der Nebenstraße steht, fügte sie hinzu, und dort ist es nicht, oder ihr habt es in einer anderen Straße abgestellt, Nein, nein, in dieser, ich bin ganz sicher, Nun, dann ist es verschwunden, In diesem Fall, die Schlüssel, Er hat deine Verwirrung ausgenutzt, deine Verzweiflung, und uns bestohlen, Und ich wollte ihn nicht in die Wohnung lassen, aus Angst, aber wenn er bei mir geblieben wäre, bis du kamst, dann hätte er das Auto nicht stehlen können, Komm, das Taxi wartet auf uns, ich schwöre dir, daß ich ein Jahr meines Lebens dafür geben würde, damit dieser Halunke auch erblindet, Sprich nicht so laut, Und damit ihm alles, was er hat, geklaut wird, Vielleicht taucht er ja auf, Na sicher, morgen klopft er bei uns an und sagt, er sei zerstreut gewesen, dann wird er sich entschuldigen und artig fragen, ob es dir bessergeht.

Sie schwiegen, bis sie zur Arztpraxis kamen. Sie versuchte, nicht an den Diebstahl des Autos zu denken, drückte liebevoll die Hände ihres Mannes zwischen den ihren, während er, mit gesenktem Kopf, damit der Chauffeur ihm durch den Rückspiegel nicht in die Augen sehen konnte, sich unaufhörlich fragte, wie es möglich war, daß gerade ihn ein so großes Unglück ereilt hatte, Warum ich. An seine Ohren drangen die Geräusche des Verkehrs, die eine oder andere lautere Stimme, als das Taxi hielt, so ist es manchmal, auch wenn wir noch schlafen und die Geräusche von draußen schon den Schleier des Unbewußten streifen, der uns noch umhüllt wie ein weißes Laken. Wie ein weißes Laken. Er schüttelte seufzend den Kopf, seine Frau berührte ihn leicht im Gesicht, als wollte sie sagen, Nur ruhig, ich bin hier, und er ließ seinen Kopf auf ihre Schulter sinken, ohne sich darum zu kümmern, was der Fahrer wohl dachte, Wenn du in meiner Lage wärst, könntest du auch nicht fahren, dachte er kindisch, und ohne über die Absurdität dieses Gedankens nachzudenken, beglückwünschte er sich dafür, daß er inmitten seiner Verzweiflung noch in der Lage gewesen war, einen logischen Schluß zu formulieren. Als er das Taxi verließ, seine Frau half ihm unauffällig, schien er ruhig, doch als sie die Praxis betraten, wo er erfahren würde, wie es um ihn stand, fragte er sie leise mit zitternder Stimme, Wie werde ich nachher wohl dastehen, und schüttelte den Kopf wie jemand, der nichts mehr erhofft.

Die Frau sagte der Sprechstundenhilfe im Empfangszimmer, daß sie diejenige sei, die vor einer halben Stunde wegen ihres Mannes angerufen habe, und sie wurden beide in einen kleinen Raum geführt, in dem auch andere Patienten warteten. Dort saß ein alter Mann mit einer schwarzen Klappe auf einem Auge, ein Junge, der offenbar schielte, in Begleitung einer Frau, die wohl seine Mutter war, eine junge Frau mit dunkler Brille und zwei andere ohne besondere sichtbare Merkmale, aber kein Blinder, Blinde gehen nicht zum Augenarzt. Die Frau führte ihren Mann zu einem freien Stuhl, und da es sonst keinen Platz mehr gab, blieb sie neben ihm stehen, Wir werden warten müssen, flüsterte sie ihm ins Ohr. Er merkte, warum, er hatte die Stimmen der anderen gehört, die dort waren, und jetzt bedrückte ihn ein anderer Gedanke, er überlegte, je mehr Zeit verginge, bis der Arzt ihn untersuchte, um so schlimmer würde die Blindheit werden, also unheilbar, ohne Gegenmittel. Er bewegte sich unruhig auf dem Stuhl, er wollte die Bedenken seiner Frau mitteilen, doch in diesem Augenblick öffnete sich die Tür, und die Sprechstundenhilfe sagte, Sie bitte, kommen Sie bitte, und richtete sich an die anderen Patienten, Das ist eine Anordnung vom Herrn Doktor, der Fall dieses Herrn ist sehr dringend. Die Mutter des schielenden Jungen protestierte, Recht sei Recht, sie sei vorher dran und warte schon über eine Stunde. Die anderen Patienten stimmten ihr leise zu, aber keiner, auch sie selbst nicht, hielt es für klug, länger zu protestieren, damit man den Arzt nicht verärgerte und die Unverschämtheit mit einer noch längeren Wartezeit bezahlen müßte, was durchaus vorkommt. Der Alte mit dem verdeckten Auge war großzügig, Lassen Sie ihn doch, der Ärmste, dem geht es schlechter als jedem von uns hier. Der Blinde hörte ihn nicht mehr, denn sie betraten schon das Sprechzimmer, und seine Frau sagte, Vielen Dank für Ihre Güte, Herr Doktor, wissen Sie, mein Mann, dann aber unterbrach sie sich, in Wahrheit wußte sie nicht, was wirklich vorgefallen war, sie wußte nur, daß ihr Mann blind war und man ihnen das Auto gestohlen hatte. Der Arzt sagte, Setzen Sie sich bitte, er selbst half dem Patienten dabei, und dann, während er seine Hand berührte, wandte er sich direkt an ihn, Erzählen Sie mal, was Ihnen zugestoßen ist. Der Blinde berichtete, daß er im Auto auf das Umschalten der roten Ampel gewartet hatte und plötzlich nichts mehr sehen konnte, daß einige Menschen ihm zu Hilfe gekommen waren und eine ältere Frau, der Stimme nach zu urteilen, sagte, es sei vielleicht etwas mit den Nerven, und daß dann ein Mann ihn nach Hause begleitet hatte, weil er selbst sich nicht helfen konnte, Ich sehe alles weiß, Herr Doktor. Den Diebstahl des Autos erwähnte er nicht.

Der Arzt fragte ihn, Vorher haben Sie so etwas noch nie gehabt, ich meine, so wie jetzt oder etwas Ähnliches, Noch nie, Herr Doktor, ich trage nicht einmal eine Brille, Und Sie sagen, es sei plötzlich geschehen, Ja, Herr Doktor, Wie ein Licht, das erlischt, Eher wie ein Licht, das angeht, Haben Sie in den vergangenen Tagen irgendeine Veränderung an den Augen bemerkt, Nein, Herr Doktor, Gibt oder gab es einen Fall von Blindheit in Ihrer Familie, Bei den Verwandten, die ich kannte oder von denen ich gehört habe, nicht, Leiden Sie an Diabetes, Nein, Herr Doktor, An Syphilis, Nein, Herr Doktor, Oder zu hohem Blutdruck in den Arterien oder im Gehirn, Im Gehirn weiß ich nicht, und sonst habe ich nichts, in der Firma werden wir immer untersucht, Haben Sie gestern oder heute einen heftigen Schlag auf den Kopf erhalten, Nein, Herr Doktor, Wie alt sind Sie, Achtunddreißig, Na gut, dann schauen wir uns mal diese Augen an. Der Blinde öffnete sie ganz weit, wie um die Untersuchung zu erleichtern, doch der Arzt nahm seinen Arm und setzte ihn hinter ein Gerät, unter dem man sich, mit einiger Phantasie, das neue Modell eines Beichtstuhls vorstellen konnte, bei dem die Augen die Wörter ersetzt haben und wo der Beichtvater unmittelbar in die Seele des Sünders blickt, Stützen Sie hier Ihr Kinn auf, sagte er, halten Sie die Augen geöffnet, nicht bewegen. Die Frau trat zu ihrem Mann, legte ihm die Hand auf die Schulter und sagte, Du wirst sehen, es wird alles wieder gut. Der Arzt fuhr von seiner Seite mit dem Gerät auf und ab, drehte an Schrauben mit feinster Einstellung und begann mit der Untersuchung. Er fand nichts auf der Hornhaut, der Bindehaut, an der Iris, auf der Netzhaut, nichts am Glaskörper, am «Blinden Fleck» oder am Sehnerv, einfach gar nichts. Er lehnte sich zurück, rieb sich die Augen und begann die Untersuchung noch einmal von vorn, wortlos, und als er sie beendet hatte, zeichnete sich Verblüffung auf seinem Gesicht ab, Ich finde nichts, Ihre Augen sind vollkommen. Seine Frau legte voller Freude die Hände zusammen und rief aus, Ich habe es dir doch gesagt, ich habe doch gesagt, daß alles wieder gut wird. Ohne auf sie einzugehen, fragte der Blinde, Kann ich das Kinn wegnehmen, Herr Doktor, Natürlich, entschuldigen Sie, Wenn meine Augen vollkommen sind, wie Sie sagen, warum bin ich dann blind, Das kann ich Ihnen im Augenblick noch nicht sagen, wir werden noch genauere Untersuchungen, Analysen, eine Echographie und ein Enzephalogramm vornehmen müssen, Meinen Sie, es hat etwas mit dem Gehirn zu tun,

Schon möglich, glaube ich aber nicht, Und doch sagen Sie, daß Sie an meinen Augen nichts finden, So ist es, Das verstehe ich nicht, Ich will damit sagen, daß Sie in der Tat blind sind, Ihre Blindheit im Augenblick jedoch unerklärlich ist, Bezweifeln Sie, daß ich blind bin, Aber nein, das Problem liegt darin, daß dies ein seltsamer Fall ist, ich selbst habe in meinem ganzen Leben als Arzt so etwas noch nicht gesehen, und ich wage zu behaupten, in der ganzen Geschichte der Augenheilkunde ist so etwas noch nicht vorgekommen, Glauben Sie, es gibt eine Heilung für mich, Da ich keinerlei Beschädigung irgendwelcher Art oder erblich bedingte Verbildungen bei Ihnen finde, müßte meine Antwort im Prinzip ja sein, Aber allem Augenschein nach ist es nicht so, Ich sage das nur aus Vorsicht, weil ich Ihnen keine Hoffnungen machen möchte, die sich dann als unbegründet herausstellen, Ich verstehe, Nun gut, Und soll ich mich einer Behandlung unterziehen, ein Medikament nehmen, Vorläufig werde ich Ihnen nichts geben, ich müßte blindlings irgend etwas verschreiben, Welch passender Ausdruck, bemerkte der Blinde. Der Arzt tat so, als hätte er das nicht gehört, er erhob sich von dem Drehstuhl, auf dem er während der Untersuchung gesessen hatte, und im Stehen schrieb er auf einem Rezeptblock die Untersuchungen und Laboranalysen auf, die er als notwendig erachtete. Er gab den Zettel der Frau, Bitte, nehmen Sie das und kommen Sie mit Ihrem Mann wieder, wenn Sie die Ergebnisse haben, sollte sich bis dahin etwas an seinem Zustand ändern, rufen Sie mich an, Und für die Sprechstunde, Herr Doktor, Zahlen Sie bitte bei der Sprechstundenhilfe draußen. Er begleitete sie zur Tür, stammelte etwas Tröstliches wie Wir werden das schon hinkriegen, nur nicht verzweifeln, und als er wieder allein war, betrat er das kleine Bad neben seinem Sprechzimmer und betrachtete sich eine lange Minute im Spiegel, Was das wohl ist, murmelte er, dann kehrte er in das Zimmer zurück und rief die Sprechstundenhilfe, Lassen Sie den nächsten herein.

In dieser Nacht träumte der Blinde, er sei blind.

Als er dem Blinden seine Hilfe anbot, hatte der Mann, der später das Auto stahl, keinerlei böswillige Absicht, ganz im Gegenteil, er war lediglich einem Gefühl der Großzügigkeit und Nächstenliebe gefolgt, zwei der besten menschlichen Eigenschaften, wie jedermann weiß, die man sogar bei Straftätern findet, die viel gefühlloser sind als dieser, ein einfacher kleiner Autoklauer ohne Aussicht auf berufliches Fortkommen, der von den wahren Herren des Geschäfts ausgebeutet wird, denn sie sind es, die die Not der Armen ausnutzen. Wenn man es recht betrachtet, besteht kein so großer Unterschied zwischen der Hilfe für einen Blinden, dem man anschließend das Auto stiehlt, und der Sorge um einen hinfälligen, alten Menschen, weil man ein Auge auf sein Erbe hat. Erst als er schon nahe der Wohnung des Blinden war, kam ihm ganz selbstverständlich diese Idee, genauso, könnte man sagen, als ob er beschlossen hätte, ein Los zu kaufen, weil er einen Lotterieverkäufer sah, ohne einen Tip zu haben, nur um zu sehen, was die unberechenbare Fortuna ihm bringen würde, etwas oder gar nichts, andere würden sagen, er folgte einem in seiner Persönlichkeit bereits angelegten Impuls. Skeptiker, und es gibt ihrer viele, und sie sind unbeirrbar, behaupten zwar, nicht immer mache die Gelegenheit den Dieb, sie komme ihm aber sicher sehr zustatten. Was uns betrifft, erlauben wir uns die Überlegung, daß, wenn der Blinde das zweite Angebot des, wie wir nun wissen, falschen Samariters in jenem letzten Augenblick angenommen hätte, als die Hilfsbereitschaft vielleicht noch im Vordergrund stand, wir meinen das Angebot, ihm Gesellschaft zu leisten, bis seine Frau nach Hause käme, die moralische Verantwortung aufgrund des solcherart ausgesprochenen Vertrauens der kriminellen Anwandlung Einhalt geboten und das Lichte, Edle zum Vorschein gebracht hätte, das man immer auch in den verlorensten Seelen anzutreffen vermag. Volkstümlicher ausgedrückt, mit einem alten wie immer lehrreichen Sprichwort, kam der Blinde vom Regen in die Traufe.

Das moralische Gewissen, das von so vielen ungerührt verletzt und von ebenso vielen verschmäht wird, gibt es und hat es immer gegeben, es ist keine Erfindung der Philosophen aus grauer Vorzeit des Quartärs, als die Seele noch kaum mehr war als eine verschwommene Idee. Im Lauf der Zeit, des Zusammenlebens und der genetischen Veränderungen haben wir das Gewissen schließlich in die Farbe des Blutes und das Salz der Tränen getan, und als sei das noch nicht genug, haben wir aus den Augen eine Art nach innen gerichteten Spiegel gemacht, mit dem Ergebnis, daß sie häufig genau das direkt durchblicken lassen, was wir mit Worten hatten verbergen wollen. Dem sei hinzugefügt, daß sich bei einfachen Gemütern zur Reue über eine Missetat oft uralte Ängste aller Art gesellen, so daß die Strafe für den Übeltäter, ohne Wenn und Aber, oft doppelt so hoch wird wie verdient. So verwundert es nicht, wenn in diesem Fall ein Teil jener Ängste und ein Teil des schlechten Gewissens den Dieb plagten, sobald er das Auto startete. Es konnte natürlich nicht beruhigend wirken, auf dem Platz eines Menschen zu sitzen, der dieses selbe Lenkrad mit seinen Händen in dem Augenblick gehalten hatte, als er erblindete, durch diese Windschutzscheibe geblickt hatte und plötzlich nichts mehr sah, man braucht nicht viel Phantasie, um sich auszumalen, wie das widerliche, gemeine Ungetüm der Furcht von derlei Gedanken geweckt wird und den Kopf hebt. Doch es war auch die Reue, verschärfter Ausdruck eines Gewissens, wie zuvor gesagt, oder, um es suggestiver zu beschreiben, ein Gewissen mit Zähnen zum Beißen, das ihm das hilflose Bild des Blinden vor Augen führte, als er die Tür schloß, Nicht nötig, nicht nötig, hatte der Arme gesagt, und von da ab würde er nicht einen Schritt mehr ohne Hilfe tun können.

Der Dieb achtete nun besonders aufmerksam auf den Verkehr, um derart erschreckende Gedanken aus seinem Kopf zu verscheuchen, denn er wußte wohl, daß er sich nicht den geringsten Fehler, nicht die geringste Ablenkung erlauben konnte. Überall war Polizei, es brauchte ihn nur einer anzuhalten, Bitte Ihren Führerschein und die Fahrzeugpapiere, wieder Gefängnis, das Leben war hart. Er achtete genau auf die Ampeln, auf keinen Fall bei Rot weiterfahren, Gelb beachten und geduldig auf Grün warten. Dann bemerkte er, daß er die Ampeln geradezu besessen beobachtete. Also fuhr er nun so, daß er immer grüne Welle hatte, auch wenn er deshalb beschleunigen oder umgekehrt langsamer fahren mußte und so die Fahrer hinter ihm verärgerte. Schließlich war er so verwirrt und derart angespannt, daß er das Auto in einer Nebenstraße, in der es, wie er wußte, keine Ampeln gab, fast ohne hinzuschauen gekonnt einparkte. Er fühlte sich am Rande eines Nervenzusammenbruchs, genau mit diesen Worten hatte er gedacht, Hier bin ich, am Rande eines Nervenzusammenbruchs. Er erstickte fast im Auto. Er ließ die Fenster auf beiden Seiten herunter, draußen war kaum ein

Luftzug, der das Wageninnere gekühlt hätte. Was tue ich nur, fragte er. Der Schuppen, in den er den Wagen hätte fahren müssen, war weit, in einem Dorf außerhalb der Stadt, und in seinem Zustand würde er nie dorthin kommen, Dann erwischt mich ein Polizist, oder ich habe einen Unfall, und das ist noch schlimmer, murmelte er. Am besten wäre es also, dachte er, auszusteigen und ein wenig zu entspannen, vielleicht krieg ich meinen Kopf dann klar, wenn der Mann erblindet ist, muß mir nicht das gleiche passieren, das ist nicht wie eine Grippe, die man sich einfängt, ich lauf einmal um den Block, und dann geht's mir wieder besser. Er ging los, es lohnte nicht einmal, das Auto abzuschließen, er würde gleich zurück sein. Er war noch keine dreißig Schritte gegangen, als er erblindete.

Der letzte Patient, der behandelt wurde, war der nette alte Mann, der so freundliche Worte über den armen Teufel gefunden hatte, der plötzlich erblindet war. Er war nur gekommen, um den Termin für eine Operation auszumachen, er hatte den Star auf dem einzigen noch verbliebenen Auge, die schwarze Augenklappe bedeckte etwas nicht Vorhandenes, es hatte nichts mit dem jetzigen Fall zu tun, Das sind Beschwerden, die mit dem Alter kommen, hatte der Arzt vor einiger Zeit zu ihm gesagt, wenn es soweit ist, operieren wir, und danach werden Sie die Welt, in der Sie gelebt haben, kaum mehr wiedererkennen. Als der Alte mit der schwarzen Augenklappe fortging und die Sprechstundenhilfe sagte, es seien keine Patienten mehr im Wartezimmer, nahm der Arzt die Karteikarte des Mannes, der blind in seine Praxis gekommen war, las sie einmal, zweimal, überlegte ein paar Minuten und rief schließlich einen Kollegen an, mit dem er folgendes Gespräch führte, Stell dir vor, heute hatte ich einen ganz seltsamen Fall, einen Mann, der vollkommen das Sehvermögen verloren hat, von einem Augenblick zum anderen, die Untersuchung zeigte keinerlei sichtbare Verletzung noch irgendwelche angeborenen Merkmale der Deformierung, er sagt, er sieht alles weiß, eine Art dichtes, milchiges Weiß, das sich ihm an die Augen heftet, ich versuche auf bestmögliche Weise, seine Beschreibung wiederzugeben, ja, natürlich ist das subjektiv, nein, der Mann ist jung, achtunddreißig Jahre alt, kennst du irgendeinen ähnlichen Fall, hast du etwas gelesen oder gehört, das dachte ich mir schon, im Augenblick weiß ich keine Lösung dafür, um Zeit zu gewinnen, habe ich ihn gebeten, sich einigen Untersuchungen zu unterziehen, ja, in den nächsten Tagen können wir ihn uns einmal gemeinsam ansehen, nach dem Abendessen werde ich mich in die Bücher vertiefen, mir die Bibliographie ansehen, vielleicht finde ich eine Spur, ja, das weiß ich, Agnosie, psychische Blindheit, das könnte es sein, aber dann wäre es der erste Fall mit solchen Merkmalen, denn es besteht kein Zweifel, daß der Mann wirklich blind ist, und Agnosie, das wissen wir ja, ist die Unfähigkeit, das zu erkennen, was man sieht, ja, ja, gut, daran habe ich auch gedacht, die Möglichkeit, daß es sich um eine Amaurose handelt, aber erinnere dich doch, was ich dir am Anfang gesagt habe, diese Blindheit ist weiß, es ist genau das Gegenteil einer Amaurose, denn das bedeutet totale Finsternis, es sei denn, es gibt eine Art weiße Amaurose, eine Art weiße Finsternis sozusagen, ja, ja, ich weiß, das ist noch nie dagewesen, morgen rufe ich dich wieder an, ich werde ihm sagen, daß wir beide ihn untersuchen wollen. Nach dieser Unterhaltung lehnte sich der Arzt im Stuhl zurück, saß für ein paar Minuten so da, dann erhob er sich und legte mit müden, langsamen Bewegungen den Kittel ab, ging ins Bad, um sich die Hände zu waschen, doch diesmal befragte er nicht den Spiegel im metaphysischen Sinne, Was kann das sein, der Wissenschaftler meldete sich nun, die Tatsache, daß Agnosie und Amaurose in der Literatur und in der Praxis genau bestimmt und beschrieben waren, bedeutete nicht, daß nicht auch Varianten auftauchen könnten, Mutationen, wenn das Wort angemessen ist, und dieser Tag schien gekommen. Es gibt tausend Gründe, warum das Gehirn sich verschließt, das ist es und nichts weiter, wie ein später Besuch, der die eigene Haustür verschlossen findet. Der Augenarzt war literarisch interessiert und um passende Zitate nicht verlegen.

Abends nach dem Essen sagte er zu seiner Frau, Heute habe ich einen seltsamen Fall in der Praxis gehabt, es könnte sich um eine Variante psychischer Blindheit oder der Amaurose handeln, aber es gibt keinen Hinweis darauf, daß so etwas je aufgetreten ist, Was sind das für Krankheiten, diese Amaurose und die andere, fragte die Frau. Der Arzt gab eine für einen Laien verständliche Erklärung, die ihre Neugierde befriedigte, dann ging er zum Bücherregal und nahm einige Fachbücher heraus, einige ältere aus der Zeit seines Studiums und einige neuere, darunter Titel, die gerade erschienen waren, zu deren Lektüre er bisher kaum Zeit gefunden hatte. Er überflog die Inhaltsverzeichnisse, und dann las er methodisch alles, was er über Agnosie und Amaurose finden konnte, mit dem unbehaglichen Eindruck, daß er wie ein Eindringling in ein Gebiet vordrang, das nicht seines war, dem geheimnisvollen Territorium der Neurochirurgie, von dem er nur sehr wenig wußte. Spät in der Nacht legte er die Bücher, in denen er gelesen hatte, beiseite, rieb sich die Augen und lehnte sich im Stuhl zurück. In diesem Augenblick wurde ihm die Alternative überdeutlich. Wenn es sich um eine Agnosie handelte, dann würde der Patient jetzt das sehen, was er immer gesehen hatte, das heißt, es hätte keinerlei Minderung des Sehvermögens gegeben, das Gehirn hätte sich einfach unfähig gezeigt, einen Stuhl zu erkennen, wo ein Stuhl stand, das bedeutet, es würde normal auf die durch den Augennerv übermittelten Lichtimpulse reagieren, aber, um allgemeine Begriffe für nicht fachkundige Menschen zu benutzen, es hätte die Fähigkeit verloren zu wissen, was es wußte, und mehr noch, dies auszudrücken. Was die Amaurose anging, da gab es keinen Zweifel. In diesem Fall müßte der Patient alles schwarz sehen, mit der Einschränkung natürlich, die das Wort sehen bedeutet, wenn wir von absoluter Finsternis sprechen. Der Blinde hatte kategorisch versichert, daß er, man gestatte auch hier das Wort, ein einheitliches, dichtes Weiß sah, als sei er mit offenen Augen in ein milchiges Meer getaucht. Eine weiße Amaurose war, abgesehen vom etymologischen Widerspruch, auch eine neurologische Unmöglichkeit, da das Gehirn, das die Bilder, die Formen und Farben der Wirklichkeit nicht wahrnehmen könnte, nicht zugleich sozusagen alles mit einem Weiß, einem anhaltenden Weiß, wie auf einem weißen Gemälde ohne Farbtöne, also Farben, Formen und Bilder, bedecken konnte, die eben diese Wirklichkeit einem normalen Sehvermögen vermitteln würden, so problematisch es sein mag, von normalem Sehvermögen zu sprechen. In dem deutlichen Bewußtsein, daß er sich ganz offensichtlich in einer Sackgasse befand, die keinen Ausweg bot, wiegte der Arzt niedergeschlagen den Kopf und blickte um sich. Seine Frau hatte sich schon zurückgezogen, er erinnerte sich vage daran, daß sie für einen Augenblick zu ihm gekommen war und ihm einen Kuß auf sein Haar gegeben hatte, Ich gehe ins Bett, muß sie gesagt haben, das Haus war jetzt ganz still, auf dem Tisch lagen Bücher verstreut, Was ist das wohl, dachte er, und plötzlich überkam ihn Angst, als würde er selbst im nächsten Augenblick erblinden und wüßte es schon. Er hielt den Atem an und wartete. Nichts geschah. Es geschah eine Minute später, als er die Bücher zusammenräumte, um sie ins Regal zu stellen. Erst bemerkte er, daß er seine Hände nicht mehr sah, und dann wußte er, daß er erblindet war.

Das Leiden der jungen Frau mit der dunklen Brille war nicht schwerwiegend, sie hatte nur eine ganz einfache Konjunktivitis, und die vom Arzt verschriebene Medizin würde sie in wenigen Tagen heilen, Sie wissen schon, in dieser Zeit nehmen Sie die Brille nur zum Schlafen ab. Diesen Scherz benutzte er schon seit Jahren, vielleicht war er schon von Generation zu Generation unter Augenärzten weitergegeben worden und verfehlte nie sein Ziel, der Arzt lachte, wenn er dies sagte, der Patient lachte, wenn er dies hörte, und in diesem Fall lohnte es sich, denn die junge Frau hatte hübsche Zähne und zeigte sie auch. Aus angeborener Misanthropie oder aufgrund zu vieler Enttäuschungen im Leben könnte ein gewöhnlicher Skeptiker, der Einzelheiten aus dem Leben dieser Frau kennt, andeuten, daß dieses hübsche Lächeln nur ein berufsbedingter Kunstgriff sei, eine böswillige, überflüssige Bemerkung, denn dieses Lächeln war schon vor nicht allzu ferner Zeit so gewesen, als die Frau noch ein Fräulein, ein kaum mehr gebräuchliches Wort, und die Zukunft ein versiegelter Brief war, wobei die Neugier, ihn zu öffnen, erst geboren werden mußte. Vereinfachend könnte man diese Frau der Kategorie der sogenannten Prostituierten zuordnen, doch die Komplexität gesellschaftlicher Beziehungen, der täglichen sowie der nächtlichen, der vertikalen ebenso wie der horizontalen, der hier beschriebenen Zeit, läßt es ratsam erscheinen, jegliche Tendenz zu unumstößlichen definitiven Urteilen zu mäßigen, eine Schwäche, von der wir uns vielleicht aus übertriebener Selbstgefälligkeit nie werden befreien können. Auch wenn Juno noch so umwölkt ist, ginge man doch zu weit, wollte man in der Luft schwebende Wassertropfen mit einer griechischen Göttin verwechseln. Kein Zweifel, diese Frau geht für Geld ins Bett, man könnte sie also ohne Umschweife als eine Prostituierte bezeichnen, da aber gewiß ist, daß sie dies nur dann tut, wenn sie es möchte und mit wem sie es möchte, sollte man sie mit aller Vorsicht eher von dieser Gruppe, als Ganzes verstanden, ausnehmen. Sie hat, wie jeder normale Mensch, einen Beruf, und wie jeder normale Mensch nutzt sie auch die Stunden, die ihr bleiben, um dem Körper einige Freuden zu verschaffen und ihre Bedürfnisse, die besonderen und die allgemeinen, hinreichend zu befriedigen. Wenn man sie nicht auf eine simple Definition reduzieren möchte, dann muß man schließlich von ihr sagen, daß sie so lebt, wie es ihr beliebt, und darüber hinaus Vergnügen daran findet.

Es war dunkel geworden, als sie die Praxis verließ. Sie nahm die Brille nicht ab, die Straßenbeleuchtung störte sie, besonders die Reklamelichter. Sie betrat eine Apotheke, um das vom Arzt verschriebene Medikament zu kaufen, und beschloß, sich nicht angesprochen zu fühlen, als der Angestellte, der sie bediente, kundtat, wie unfair es sei, daß gewisse Augen durch dunkle Gläser verdeckt seien, eine Beobachtung, die nicht nur an sich schon unverschämt war und von einer Hilfskraft in einer Apotheke stammte, man stelle sich das vor, sondern auch ihrer Überzeugung zuwiderlief, daß eine dunkle Brille ihr die Aura eines besonderen Geheimnisses verlieh, das das Interesse vorbeigehender Männer wecken und das sie gegebenenfalls erwidern könnte, wenn nicht wie heute jemand auf sie wartete, ein Treffen, von dem sie mit Grund Gutes erwartete, sowohl, was die materielle Befriedigung, als auch, was andere Befriedigungen anging. Sie kannte den Mann, mit dem sie zusammensein würde, er hatte sich nichts daraus gemacht, als sie sagte, daß sie die Brille nicht abnehmen könne, eine Anordnung, die ihr der Arzt zwar noch nicht gegeben hatte, die er aber kurios fand, das war etwas Neues. Als sie die Apotheke verließ, rief die junge Frau ein Taxi und gab den Namen eines Hotels an. Im Sitz zurückgelehnt, genoß sie schon im voraus, wenn diese Formulierung angebracht ist, die verschiedenen, vielfältigen Gefühle sinnlichen Vergnügens, vom ersten umsichtigen Berühren der Lippen und der ersten intimen Liebkosung bis zu den aufeinanderfolgenden Explosionen eines Orgasmus, der sie erschöpft und glücklich zurücklassen würde, so als werde sie, unberufen, auf einem leuchtenden, kreisenden Feuerrad gekreuzigt. Wir haben also allen Grund zu schließen, daß die junge Frau mit der dunklen Brille, wenn ihr Partner seine Pflicht gekonnt erfüllt hat, in zeitlicher und in technischer Hinsicht, immer schon im voraus und in doppelter Höhe dessen bezahlt, was sie im Anschluß erhalten wird. Bei diesen Überlegungen fragte sie sich, zweifellos weil sie gerade den Arzt bezahlt hatte, ob es nicht ein guter Zeitpunkt wäre, schon ab heute den Preis zu erhöhen, was sie mit schalkhaftem Euphemismus als eine ihr zustehende Entlohnung zu beschreiben pflegte.

Sie ließ das Taxi einen Block vorher anhalten, mischte sich unter die Menschen, die in derselben Richtung liefen, als würde sie sich von ihnen forttragen lassen, anonym und ohne jede erkennbare Schuld. Sie betrat das Hotel wie selbstverständlich, durchschritt die Eingangshalle bis zur Bar. Sie war einige Minuten zu früh, deshalb mußte sie warten, der Zeitpunkt des Treffens war genau vereinbart worden. Sie bestellte ein Erfrischungsgetränk, das sie in aller Ruhe zu sich nahm, ohne irgend jemanden anzusehen, denn sie wollte nicht mit einer Frau auf Männerjagd verwechselt werden. Etwas später ging sie, wie eine Touristin, die in ihr Zimmer hinaufgeht, nachdem sie einen Nachmittag in den Museen verbracht hat, auf den Fahrstuhl zu. Wer wüßte nicht, daß die Tugend immer Steine auf dem so harten Weg zur Vervollkommnung findet, doch die Sünde und das Laster sind so begünstigt vom Glück, daß sie eben ankam und sich schon die Türen des Fahrstuhls vor ihr öffneten. Zwei Gäste traten heraus, ein älteres Paar, sie trat ein, drückte auf den Knopf des dritten Stocks, dreihundertzwölf war die Nummer, die sie erwartete, hier ist es, sie klopfte diskret an die Tür, zehn Minuten später war sie nackt, nach fünfzehn stöhnte sie, nach achtzehn flüsterte sie Liebesworte, die sie nicht mehr vorzutäuschen brauchte, nach zwanzig geriet sie außer sich, nach einundzwanzig fühlte sie, wie ihr Körper vor Lust zerbarst, nach zweiundzwanzig schrie sie, Jetzt, jetzt, und als sie wieder zu Bewußtsein gelangte, sagte sie, erschöpft und glücklich, Ich sehe noch immer alles weiß.

Den Autodieb brachte ein Polizist nach Hause. Der umsichtige, mitfühlende Beamte konnte nicht wissen, daß er einen verstockten Delinquenten am Arm führte, nicht, um ihn an der Flucht zu hindern, wie dies bei anderen Gelegenheiten der Fall gewesen wäre, sondern einfach, damit der arme Mann nicht stolperte und hinfiel. Wir können uns hingegen leicht vorstellen, wie die Frau des Diebes erschrak, als sie die Tür öffnete und einen uniformierten Polizisten vor sich sah, der, so schien es ihr, einen entlaufenen Häftling führte, dem etwas Schlimmeres als die Gefangennahme zugestoßen sein mußte, nach seinem traurigen Gesichtsausdruck zu urteilen. Für einen Augenblick dachte die Frau, ihr Mann sei in flagranti ertappt worden und der Polizist wolle die Wohnung durchsuchen, eine Vorstellung, die andererseits, so paradox das erscheinen mochte, eher beruhigend war, wenn man bedachte, daß der Mann nur Autos stahl, Gegenstände, die aufgrund ihrer Größe nicht unter einem Bett versteckt werden können. Die Ungewißheit hielt nicht lange an, der Polizist sagte, Dieser Herr ist blind, kümmern Sie sich um ihn, und die Frau, die hätte erleichtert sein müssen, weil der Beamte schließlich nur als Begleiter mitgekommen war, bemerkte, welches Unglück ihre Wohnung heimsuchte, als ein in Tränen aufgelöster Ehemann ihr in die Arme fiel und erzählte, was wir schon wissen.

Die junge Frau mit der dunklen Brille wurde ebenfalls von einem Polizisten nach Hause gebracht, zu ihren Eltern, doch die pikanten Umstände, unter denen die Blindheit in ihrem Fall aufgetreten war, eine nackte Frau in einem Hotel, die schreiend die Hotelgäste aufschreckte, während der Mann, der mit ihr zusammen war, zu entkommen versuchte, indem er sich hastig die Hosen anzog, mäßigten in gewisser Weise die offensichtliche Dramatik der Situation. Die Blinde, die vor Scham zerging, ein durchaus nachvollziehbares Gefühl, auch wenn falsche Moralwächter und vorgebliche Tugendbolde noch so murren über bezahlte Liebesübungen, denen sie sich hingab, traute sich kaum, nach den schrillen Schreien, die sie ausgestoßen hatte, als sie begriff, daß der Verlust des Augenlichtes keine neue, unvorhergesehene Folge der Lust war, zu weinen und zu klagen, während sie, unsanft und mehr schlecht als recht bekleidet, geradezu gewaltsam aus dem Hotel geschafft wurde. In einem Ton, der sarkastisch hätte sein können, wäre er nicht einfach grob gewesen, wollte der Polizist wissen, nachdem er sie gefragt hatte, wo sie wohnte, ob sie Geld für das Taxi hatte, In solchen Fällen zahlt der Staat nicht, sagte er, eine Maßnahme, der man, nebenbei bemerkt, eine gewisse Logik nicht absprechen kann, handelt es sich doch um Menschen einer Gruppe, die keine Steuer auf ihre unmoralischen Einkünfte entrichtet. Sie nickte zustimmend, aber da sie blind war, dachte sie, der Polizist hätte ihre Geste nicht gesehen, und murmelte, Ja, ich habe Geld, und mehr zu sich selbst fügte sie hinzu, Wenn ich doch bloß keins hätte, Worte, die uns unangebracht erscheinen mögen, die uns aber, wenn wir den Windungen des menschlichen Geistes folgen, wo keine kurzen und geraden Wege bestehen, schließlich absolut klar erscheinen, denn was sie sagen wollte, war einfach, daß sie wegen ihres schlechten Gebarens, ihrer Unmoral, bestraft worden war, das war es. Sie hatte ihrer Mutter gesagt, sie würde zum Abendessen nicht zu Hause sein, und nun würde sie sehr rechtzeitig erscheinen, sogar noch vor ihrem Vater.

Was sich mit dem Augenarzt zutrug, war anders, nicht nur, weil er zu Hause war, als die Blindheit ihn überkam, sondern weil er sich als Arzt nicht einfach mit verschränkten Armen der Verzweiflung hingeben würde, wie jene es tun, die ihren Körper nur dann spüren, wenn er schmerzt. Selbst in einer Situation wie dieser, voller Angst, vor sich eine ruhelose Nacht, war er noch in der Lage, sich daran zu erinnern, was Homer in der Ilias geschrieben hatte, einem Gedicht über Tod und Leid, mehr als alles andere, Ein Arzt, für sich genommen, steht für einige Männer, Wörter, die wir nicht als einen Ausdruck der Quantität verstehen dürfen, sondern eher der Qualität, wie sich gleich herausstellen wird. Er hatte den Mut, sich hinzulegen, ohne seine Frau zu wecken, nicht einmal, als sie im Halbschlaf murmelte, sich im Bett regte, um ihn näher bei sich zu fühlen. Stunden über Stunden lag er wach, wenn er ein wenig schlief, geschah dies aus purer Erschöpfung. Er wünschte sich, die Nacht möge nicht enden, damit er, dessen Beruf es war, das Leid der Augen anderer zu heilen, nicht sagen mußte, Ich bin blind, doch gleichzeitig wollte er, daß das Tageslicht schnell kam, genau mit diesen Worten dachte er es, Das Tageslicht, obwohl er wußte, daß er es nicht sehen würde. In Wahrheit konnte ein blinder Augenarzt nicht viel von Nutzen sein, aber es war seine Aufgabe, die Gesundheitsbehörde zu benachrichtigen, zu informieren über das, was sich zu einer nationalen Katastrophe ausweiten konnte, nicht mehr und nicht weniger als eine bisher unbekannte Art von Blindheit, die allem Anschein nach in höchstem Maße ansteckend war und die sich ohne vorherige krankhafte Merkmale wie Entzündung, Infektion oder Degeneration manifestierte, wie er selbst an dem Blinden hatte feststellen können, der ihn in der Praxis aufgesucht hatte, oder wie er es in seinem eigenen Fall bestätigen konnte, eine leichte Kurzsichtigkeit, ein leichter Astigmatismus, alles so leicht, daß er beschlossen hatte, noch keine Brille zu tragen. Augen, die nichts mehr sahen, Augen, die vollständig blind waren, sich jedoch in perfektem Zustand befanden, ohne irgendeine Schädigung, alt oder neu, zugezogen oder angeboren. Er erinnerte sich an die minutiöse Untersuchung, die er bei dem Blinden vorgenommen hatte, wie gesund die verschiedenen Teile des Auges im Ophthalmoskop ausgesehen hatten, ohne Anzeichen krankhafter Veränderungen, ein recht seltener Befund für einen Achtunddreißigjährigen, selbst für einen Jüngeren. Jener Mann dürfte nicht blind sein, und er vergaß für Augenblicke, daß er es selbst schon war, so weit kann ein Mensch sich verleugnen, und das ist nicht erst heute so, denken wir an das, was Homer gesagt hat, auch wenn er es scheinbar mit anderen Worten ausgedrückt hatte.

Er tat so, als schliefe er, als seine Frau aufstand. Er spürte den Kuß, den sie ihm auf die Stirn gab, ganz sanft, als wollte sie ihn nicht aus einem, wie sie dachte, tiefen Schlaf wecken, vielleicht dachte sie, Der Ärmste, er ist spät ins Bett gekommen, hat den außergewöhnlichen Fall dieses blinden Mannes studiert. Allein, als würde er langsam von einer dichten Wolke erdrosselt, die ihm auf die Brust drückte und durch die Nase eindrang, um ihn von innen her blind zu machen, ließ der Arzt ein kurzes Stöhnen vernehmen, und zwei Tränen,

Sie sind sicher weiß, dachte er, liefen über seine Schläfen, auf beiden Seiten seines Gesichtes, jetzt verstand er die Angst seiner Patienten, wenn sie ihm sagten, Herr Doktor, ich glaube, ich verliere die Sehkraft. Kleine häusliche Geräusche drangen ins Zimmer, seine Frau würde gleich kommen, um nachzusehen, ob er noch schlief, es war schon an der Zeit, ins Krankenhaus zu fahren. Er erhob sich vorsichtig, tastend suchte er den Morgenmantel, zog ihn an, ging ins Bad, urinierte. Dann drehte er sich zum Spiegel um, diesmal fragte er nicht, Was kann das sein, er sagte nicht, Es gibt tausend Gründe dafür, daß das menschliche Gehirn sich verschließt, er streckte nur die Hände aus, bis er das Glas berührte, er wußte, daß sein Abbild dort war und ihn anschaute, das Abbild sah ihn, doch er sah sein Abbild nicht. Er hörte, wie seine Frau das Zimmer betrat, Oh, du bist schon auf, sagte sie, und er antwortete, Ja. Gleich darauf fühlte er sie an seiner Seite, Einen schönen guten Morgen, mein Schatz, sie begrüßten sich noch immer mit zärtlichen Worten nach so vielen Ehejahren, und da sagte er, als würden sie beide in einem Theaterstück spielen und dieses sei sein Stichwort, Ich glaube, er wird nicht sehr schön, ich habe irgend etwas im Auge. Sie beachtete nur den letzten Teil des Satzes, Laß mich sehen, bat sie, sie untersuchte aufmerksam seine Augen, Ich kann nichts sehen, der Satz war offensichtlich vertauscht, denn es war nicht ihre Rolle, er hätte ihn sagen müssen, aber er sagte einfach, Ich sehe nichts, und fügte hinzu, Ich glaube, ich bin von dem Kranken gestern angesteckt worden.

Mit der Zeit und zunehmender Vertrautheit verstehen auch die Frauen von Ärzten etwas von Medizin, und diese, die in allem ihrem Mann so nahe stand, hatte genügend gelernt, um zu wissen, daß Blindheit nicht durch Ansteckung weitergegeben wird wie eine Epidemie, ein Mensch wird nicht blind, nur weil er einen Blinden ansieht, Blindheit ist eine private Angelegenheit zwischen dem Menschen und den Augen, mit denen er geboren wurde. In jedem Fall hat der Arzt die Pflicht zu wissen, was er sagt, dafür hat er studiert, und wenn dieser hier, außer daß er sich für blind erklärt hat, offen zugibt, daß er angesteckt wurde, wie sollte dann seine Frau daran zweifeln, auch wenn sie noch so sehr die Frau eines Arztes ist. Man wird also verstehen, daß die arme Frau angesichts dieser unumstößlichen Tatsache wie jede andere Ehefrau reagierte, zwei kennen wir schon, sie umarmte ihren Mann, voller Sorge, Und jetzt, was sollen wir tun, fragte sie unter Tränen, Die Gesundheitsbehörde benachrichtigen, das Ministerium, das ist das Allerdringlichste, wenn es sich wirklich um eine Epidemie handelt, müssen sofort Vorkehrungen getroffen werden, Aber eine Blindenepidemie hat es doch noch nie gegeben, sagte seine Frau, sie wollte sich an diese allerletzte Hoffnung klammern, Es hat auch noch nie einen Blinden ohne offensichtlichen Grund für die Erblindung gegeben, und in diesem Augenblick gibt es mindestens schon zwei. Kaum hatte er das letzte Wort ausgesprochen, veränderte sich sein Gesicht, fast brutal stieß er die Frau von sich, er selbst wich zurück, Geh weg, komm mir nicht zu nahe, ich kann dich anstecken, und dann schlug er sich mit geballten Fäusten an den Kopf, Ich Dummkopf, ich Idiot, ich Blödmann von einem Arzt, warum habe ich nicht daran gedacht, eine ganze Nacht waren wir zusammen, ich hätte im Büro bleiben sollen, bei geschlossener Tür, und selbst dann, Bitte hör auf, was geschehen soll, wird geschehen, komm, ich mache dir das Frühstück, Laß mich, laß mich, Nein, ich laß dich nicht, schrie die Frau, was willst du denn tun, durch die Gegend stolpern, an die Möbel stoßen, auf der Suche nach dem Telefon, ohne Augen, um im Telefonbuch die Nummern herauszusuchen, die du brauchst, während ich dem ganzen Schauspiel ruhig zusehe, unter einer Kristallglocke gegen Ansteckung geschützt. Sie packte ihn fest am Arm und sagte, Komm, mein Lieber.

Es war noch früh, als der Arzt, wir können uns vorstellen, wie sie ihm schmeckte, seine Tasse Tee zu sich nahm und die Scheibe Toast, auf deren Zubereitung die Frau bestanden hatte, zu früh, um die Menschen, die er informieren wollte, schon an ihrem Arbeitsplatz zu finden. Es verstand sich von selbst, daß er das, was geschehen war, unmittelbar und so schnell wie möglich einem Verantwortlichen im Gesundheitsministerium mitteilte, doch bald änderte er seine Meinung, als er feststellen mußte, daß es nicht ausreichte, sich schlicht als ein Arzt auszugeben, der eine wichtige dringende Mitteilung zu machen hatte, um den mittleren Beamten, mit dem er schließlich nach einigem Nachfragen von der Telefonistin gnädig verbunden wurde, zu überzeugen. Der Mann wollte wissen, worum es sich handelte, bevor er ihn mit einem Vorgesetzten weiterverband, und es war klar, daß kein Arzt mit Verantwortungsgefühl dem ersten besten Subalternen, der ihm in die Quere kam, das Auftauchen einer Blindenepidemie ankündigen würde, denn die unmittelbare Folge wäre Panik. Der Beamte am anderen Ende entgegnete, Sie sagen mir, Sie sind Arzt, wenn Sie möchten, daß ich Ihnen das glaube, gut, dann glaube ich es, aber ich habe meine Anweisungen, entweder sagen Sie mir, worum es sich handelt, oder ich verbinde Sie nicht weiter, Es ist eine vertrauliche Angelegenheit, Vertrauliche Angelegenheiten bespricht man nicht per Telefon, am besten kommen Sie persönlich her, Ich kann das Haus nicht verlassen, Heißt das, Sie sind krank, Ja, ich bin krank, sagte der Blinde nach einigem Zögern, In diesem Fall sollten Sie einen Arzt rufen, einen richtigen Arzt, entgegnete der Beamte, und beglückt über seine Geistesgegenwart hängte er auf.

Diese Unverschämtheit traf den Arzt wie eine Ohrfeige. Erst nach einigen Minuten hatte er sich so weit gefangen, daß er seiner Frau erzählen konnte, wie grob er behandelt worden war. Als hätte er gerade etwas entdeckt, was er längst hätte wissen müssen, murmelte er darauf traurig, Aus diesem Material sind wir gemacht, zur Hälfte aus Gleichgültigkeit und zur Hälfte aus Schlechtigkeit. Er wollte zweifelnd fragen, Was jetzt, als er begriff, daß er Zeit vergeudet hatte, denn die einzige Art und Weise, die Informationen auf sicherem Wege dorthin zu bringen, wo sie hingehörten, war, mit dem Chefarzt der Klinik zu sprechen, mit der er zusammenarbeitete, von Arzt zu Arzt, ohne Beamte dazwischen, damit der Kollege dafür sorgte, die verflixte offizielle Maschinerie in Gang zu setzen. Seine Frau stellte die Verbindung her, sie wußte die Telefonnummer des Krankenhauses auswendig. Der Arzt meldete sich mit Namen, dann sagte er schnell, Gut, vielen Dank, zweifellos hatte die Telefonistin gefragt, Wie geht es Ihnen, Herr Doktor, das sagen wir, wenn wir uns keine Schwäche geben wollen, wir sagen dann, Gut, dabei liegen wir im Sterben, das nennt man im Volksmund, aus dem Herzen eine Mördergrube machen, ein herzzerreißendes Phänomen, das nur bei der Spezies Mensch auftritt. Als der Chefarzt ans Telefon kam, Nun, was gibt's, fragte der Arzt ihn, ob er alleine sei, ob niemand bei ihm sei, der ihm zuhören könnte, von der Telefonistin hatte man nichts zu befürchten, sie hatte Besseres zu tun, als Gesprächen über Augenkrankheiten zu lauschen, sie interessierte sich nur für Gynäkologie. Der Bericht des Arztes war knapp, aber vollständig, ohne Umschweife, ohne ein überflüssiges Wort, ohne Wiederholungen und mit der Trockenheit eines Mediziners, die den Chefarzt angesichts der Situation überraschte, Aber sind Sie wirklich blind, fragte er, Ganz und gar blind, Jedenfalls könnte es sich um einen Zufall handeln, es kann doch nicht wirklich, im engsten Sinne, eine Ansteckung gewesen sein, Stimmt, die Ansteckung ist nicht erwiesen, aber es war nicht so, daß er erblindete und dann ich, jeder bei sich zu Hause, ohne daß wir uns gesehen hätten, sondern der Mann kam blind in meine Praxis, und ich erblindete wenige Stunden später, Wie können wir diesen Mann finden, Ich habe den Namen und die Adresse in meiner Praxis, Ich werde sofort jemanden dorthin schicken, Einen Arzt, Ja, einen Kollegen natürlich, Glauben Sie nicht, daß wir dem Ministerium mitteilen sollten, was geschehen ist, Im Augenblick halte ich das für verfrüht, überlegen Sie mal, welchen Alarm wir mit einer solchen Nachricht in der Öffentlichkeit auslösen würden, da wäre der Teufel los, Blindheit zieht man sich nicht zu, Den Tod zieht man sich auch nicht zu, und trotzdem sterben wir alle, Gut, bleiben Sie erst einmal zu Hause, und ich kümmere mich um die Angelegenheit, dann werde ich Sie abholen lassen, ich möchte Sie untersuchen, Denken Sie daran, daß ich erblindet bin, weil ich einen Blinden untersucht habe, Darüber gibt es keine Gewißheit, Doch, zumindest eine begründete Annahme von Ursache und Wirkung, Ohne Zweifel, aber es ist noch zu früh für

Schlußfolgerungen, zwei isolierte Fälle haben keine statistische Bedeutung, Es sei denn, wir sind zu diesem Zeitpunkt schon mehr als zwei, Ich verstehe Ihre Verfassung, aber wir müssen uns vor einem Pessimismus hüten, der sich als unbegründet herausstellen kann, Danke, Ich rufe Sie wieder an, Bis später.

Eine halbe Stunde später, der Arzt hatte sich gerade ungeschickt, mit Hilfe seiner Frau rasiert, läutete das Telefon. Es war wieder der Chefarzt, doch seine Stimme klang verändert, Wir haben hier einen Jungen, der auch plötzlich erblindet ist, er sieht alles weiß, seine Mutter sagt, sie sei gestern mit ihrem Sohn bei Ihnen in der Praxis gewesen, Ich nehme an, der Kleine schielt auf dem linken Auge, Ja, Kein Zweifel, das ist er, Ich beginne mir Sorgen zu machen, die Situation ist wirklich ernst, Das Ministerium, Ja natürlich, ich werde sofort mit der Leitung des Krankenhauses sprechen. Nach drei Stunden, als der Arzt und seine Frau schweigend zu Mittag aßen und er versuchte, mit der Gabel die Fleischstückchen aufzunehmen, die sie ihm zugeschnitten hatte, klingelte das Telefon erneut. Seine Frau nahm ab, kehrte gleich zurück, Für dich, das Ministerium. Sie half ihm aufzustehen, führte ihn in sein Arbeitszimmer und reichte ihm den Hörer. Es war ein kurzes Gespräch. Das Ministerium wollte die Personenangaben der Patienten haben, die am Tag zuvor bei ihm in der Praxis gewesen waren, der Arzt antwortete, daß die entsprechenden Karteikarten alle wichtigen Daten zur Identifikation enthielten, Namen, Alter, Familienstand, Beruf, Adresse, und er erklärte noch, er stünde jederzeit zur Verfügung, um denjenigen oder diejenigen, die sie abholen wollten, zu begleiten. Der Ton am anderen Ende war schneidend, Das ist nicht nötig. Der Hörer wurde weitergegeben, eine andere Stimme erklang, Guten Tag, hier ist der Minister, im Namen der Regierung möchte ich Ihnen für Ihre Bemühungen danken, ich bin sicher, daß wir aufgrund der Schnelligkeit, mit der Sie gehandelt haben, die Situation eingrenzen und kontrollieren können, unterdessen bleiben Sie bitte zu Hause. Die letzten Worte wurden zwar höflich ausgesprochen, aber es bestand kein Zweifel daran, daß es sich um einen Befehl handelte. Der Arzt antwortete, Ja, Herr Minister, doch das Gespräch war bereits unterbrochen.

Wenige Minuten später wieder das Telefon. Es war der Chefarzt, er klang nervös, stolperte über seine Worte, Ich habe gerade erfahren, daß die Polizei von zwei Fällen plötzlicher Erblindung weiß, Polizisten, Nein, ein Mann und eine Frau, ihn fand man auf der Straße, während er brüllte, er sei blind, und sie war in einem Hotel, als sie erblindete, eine Bettgeschichte, wie es scheint, Wir müssen herausfinden, ob es sich ebenfalls um Patienten von mir handelt, wissen Sie, wie sie heißen, Nein, das haben sie nicht gesagt, Das Ministerium hat schon hier angerufen, sie werden die Karteikarten aus der Praxis holen, Was für eine vertrackte Situation, Wem sagen Sie das. Der Arzt legte auf, hob die Hände an die Augen, ließ sie dort, als wollte er sie vor Schlimmerem bewahren, und rief dann stumpf aus, Ich bin so müde, Schlaf ein wenig, ich bringe dich zum Bett, sagte seine Frau, Es lohnt nicht, ich wäre außerstande einzuschlafen, außerdem ist der Tag noch nicht zu Ende, irgend etwas muß noch geschehen.

Es war fast sechs, als das Telefon zum letzten Mal klingelte. Der Arzt saß daneben, er nahm den Hörer ab, Ja, ich bin's, sagte er, er hörte aufmerksam zu, was ihm mitgeteilt wurde, und nickte nur leicht mit dem Kopf, bevor er auflegte. Wer war das, fragte seine Frau, Das Ministerium, es kommt eine Ambulanz, um mich in einer halben Stunde abzuholen, Und du hast damit gerechnet, nicht wahr, Ja, mehr oder weniger, Wohin bringen sie dich, Ich weiß es nicht, ich nehme an, in ein Krankenhaus, Ich werde den Koffer für dich packen, ein bißchen Wäsche heraussuchen, einen Anzug, Das ist keine Reise, Wir wissen nicht, was es ist. Sie führte ihn vorsichtig ins Schlafzimmer, ließ ihn auf dem Bett niedersitzen, Bleib einfach hier, ich kümmere mich um alles. Er hörte, wie sie hin und her ging, Schubladen und Schränke auf- und zumachte, Wäsche herausnahm und sie dann in den Koffer auf dem Boden tat, doch konnte er nicht sehen, daß sie neben seiner Wäsche auch einige Röcke und Blusen, eine Hose und ein Kleid eingepackt hatte und Schuhe, die nur einer Frau gehören konnten. Es kam ihm der flüchtige Gedanke, daß er gar nicht so viel brauchen würde, aber er schwieg, weil dies nicht der Augenblick war, über Nebensächlichkeiten zu sprechen. Man hörte das Klicken der Schlösser, dann sagte seine Frau, Fertig, die Ambulanz kann kommen. Sie trug den Koffer zur Tür an der Treppe, lehnte die Hilfe ihres Mannes ab, der sagte, Laß mich doch helfen, das kann ich doch, so behindert bin ich nicht. Dann setzten sie sich im Wohnzimmer auf ein Sofa und warteten. Sie hatten sich an den Händen gefaßt, und er sagte, Ich weiß nicht, wie lange wir getrennt sein werden, und sie antwortete, Mach dir keine Sorgen.

Sie warteten fast eine Stunde. Als es an der Tür läutete, erhob sie sich und ging öffnen, doch im Flur war niemand, sie ging an das Haustelefon, Schon gut, er kommt gleich hinunter, antwortete sie. Sie wandte sich zu ihrem Mann um und sagte, Sie warten unten, sie haben die ausdrückliche Anweisung, nicht heraufzukommen, Offenbar ist das Ministerium wirklich aufgeschreckt, Gehen wir. Sie fuhren im Fahrstuhl hinunter, sie half ihrem Mann über die letzten Stufen, dann in die Ambulanz, kehrte zur Treppe zurück, um den Koffer zu holen, hob ihn auf und schob ihn hinein. Schließlich stieg sie selbst ein und setzte sich neben ihren Mann. Der Fahrer der Ambulanz protestierte vom Vordersitz, Ich kann nur ihn mitnehmen, so lautet meine Anweisung, gehen Sie bitte. Die Frau antwortete ruhig, Auch mich müssen Sie mitnehmen, ich bin gerade erblindet.

Der Vorschlag stammte vom Minister persönlich. Von welcher Seite auch immer man sie betrachtete, es war eine gute, wenn nicht gar eine perfekte Idee, sowohl, was die rein sanitären Aspekte des Falles anging, als auch im Hinblick auf die gesellschaftlichen Komplikationen und die sich daraus ergebenden politischen Konsequenzen. Solange man die Ursache oder besser, um einen Fachausdruck zu verwenden, die Ätiologie des Weißen Übels, wie die so negativ klingende Blindheit von nun an dank der Eingebung eines phantasievollen Assistenten heißen sollte, solange also keine Behandlung und Heilung dafür gefunden würde und vielleicht eine Impfung, die das Auftauchen zukünftiger Fälle verhinderte, würden alle Menschen, die erblindeten, und auch jene, die mit ihnen in Kontakt oder in ihrer unmittelbaren Nähe gewesen waren, zusammengeführt und isoliert, um weitere Anstekkungen zu verhindern, die sich, sobald sie auftraten, um ein Vielfaches ausbreiten würden. Quod erat demonstrandum, schloß der Minister. Man würde sie alle in Quarantäne schikken, um es mit allgemeinverständlichen Worten auszudrükken, ging es darum, einer alten Praxis aus den Zeiten der Cholera und des Gelbfiebers zu folgen, als infizierte Schiffe oder auch jene, die unter Verdacht standen, infiziert zu sein, vierzig Tage lang bis auf weiteres draußen vor Anker liegen mußten. Dieses bis auf weiteres, vom Ton her wohl bedacht, doch wegen seiner Unbestimmtheit rätselhaft, sprach der Minister aus, präzisierte jedoch später seine Gedanken, Ich möchte damit sagen, daß es vierzig Tage wie vierzig Wochen sein können, vierzig Monate oder vierzig Jahre, wichtig ist vor allem, daß die Menschen isoliert bleiben. Jetzt müssen wir nur noch entscheiden, wohin wir sie schicken, Herr Minister, sagte der Präsident der Kommission für Logistik und Sicherheit, die schnell zu diesem Zweck gebildet worden war und sich um den Transport kümmern wollte, um die Isolierung und Versorgung der Infizierten, Welche unmittelbaren Möglichkeiten haben wir denn, wollte der Minister wissen, Wir haben eine leerstehende Irrenanstalt, die darauf wartet, einer Bestimmung zugeführt zu werden, militärische Einrichtungen, die aufgrund der plötzlich erfolgten Umstrukturierung der Armee nicht mehr gebraucht werden, ein Messegelände, das fast fertiggestellt ist, und außerdem, wobei mir niemand eine Erklärung dafür geben kann, einen Großmarkt, der Konkurs angemeldet hat, Welches von diesen Geländen würde Ihrer Meinung nach unseren Zwecken am besten dienen, Die militärische Einrichtung bietet die besten Sicherheitsvorkehrungen, Natürlich, Sie hat jedoch einen Nachteil, sie ist zu groß, und die Bewachung der Internierten wäre schwierig und aufwendig, Aha, ich verstehe, Was den Großmarkt angeht, müßte man wahrscheinlich mit verschiedenen juristischen Schwierigkeiten rechnen, Und die Messe, An die Messe, Herr Minister, sollte man meines Erachtens lieber nicht denken, Warum, Der Industrie würde das sicher nicht gefallen, dort sind Millionen investiert worden, In diesem Fall bleibt die Irrenanstalt, Ja, Herr Minister, die Irrenanstalt, Nun gut, also wird es die Irrenanstalt, Bei Lichte betrachtet bietet sie übrigens die besten Bedingungen, denn außer daß sie rundherum von einer Mauer umgeben ist, hat sie noch den

Vorteil, aus zwei Flügeln zu bestehen, einen werden wir den bereits Erblindeten zuweisen, den anderen denen, die unter Verdacht stehen, dazwischen gibt es einen Mittelteil, der sozusagen als Niemandsland dienen wird, durch das jene, die erblinden, gehen, um sich zu den schon Erblindeten zu gesellen, Da sehe ich ein Problem, Welches, Herr Minister, Wir werden dort Leute aufstellen müssen, um diesen Übergang zu regeln, und ich glaube nicht, daß wir mit Freiwilligen rechnen können, Das wird nicht nötig sein, Herr Minister, Nun, erklären Sie das, Wenn einer der unter Verdacht Stehenden erblindet, was selbstverständlich früher oder später geschehen wird, können Herr Minister sicher sein, daß die anderen, die noch die Sehkraft bewahrt haben, ihn sofort abschieben, Sie haben recht, Ebenso wie sie keinen Blinden, dem es einfiele, den Ort zu wechseln, hereinlassen würden, Gut überlegt, Danke, Herr Minister, also können wir anfangen, Ja, Sie haben freie Hand.

Die Kommission handelte schnell und wirkungsvoll. Bevor es Abend wurde, waren schon alle Blinden, von denen man wußte, abgeholt worden, und auch eine gewisse Anzahl vermutlich Infizierter, zumindest jene, die man mit einer Razzia hatte auffinden und identifizieren können, vor allem in den Familien und an den Arbeitsplätzen derer, die bereits das Sehvermögen verloren hatten.

Als erste wurden der Arzt und seine Frau in die leerstehende Irrenanstalt gebracht. Dort standen Soldaten Wache. Das Tor wurde gerade so weit geöffnet, daß sie hindurchgehen konnten, und sofort geschlossen. Als Geländer diente ein dickes Seil, das vom Tor zum Haupteingang des Gebäudes gespannt war, Gehen Sie ein wenig nach rechts, dort ist ein

Seil, legen Sie die Hand darauf und gehen Sie geradeaus, immer geradeaus, bis zu den Stufen, es sind sechs, rief ein Sergeant. Im Gebäudeinneren teilte sich das Seil, eins führte nach links, das andere nach rechts, der Sergeant brüllte, Achtung, Sie müssen auf die rechte Seite. Während die Frau den Koffer schleppte, führte sie gleichzeitig ihren Mann in den Raum, der dem Eingang am nächsten war. Es war ein langer Saal wie die alten Krankenzimmer, mit zwei Reihen Betten, die grau gestrichen waren, deren Farbe allerdings schon seit langem abblätterte. Decken, Bettücher und Laken waren von derselben Farbe. Die Frau führte ihren Mann in den hinteren Teil des Saales, bat ihn, sich auf eins der Betten zu setzen, und sagte, bleib du hier, ich werde mir das alles mal ansehen. Es gab noch mehr Säle, lange schmale Korridore, kleine Räume, die wohl für die Ärzte bestimmt gewesen waren, verdreckte Toiletten, eine Küche, in der noch immer der Geruch von abgestandenem Essen hing, einen großen Speisesaal mit Tischen aus Zinkplatten, drei Zellen, bis zu zwei Meter hoch gepolstert und darüber bis zur Decke mit Kork ausgelegt. Hinter dem Gebäude gab es eine verlassene Einfriedung mit ungepflegten Bäumen, man hatte den Eindruck, daß die Stämme gehäutet worden waren. Überall lag Müll herum. Die Frau ging zurück in das Gebäude. In einem halboffenen Schrank fand sie Zwangsjacken. Als sie zu ihrem Mann zurückkam, fragte sie ihn, Kannst du dir vorstellen, wohin man uns gebracht hat, Nein, sie wollte hinzufügen, In eine Irrenanstalt, doch er kam ihr zuvor, Du bist nicht blind, ich kann nicht zulassen, daß du hierbleibst, Ja, du hast recht, ich bin nicht blind, Ich werde sie bitten, dich nach Hause zu bringen, ihnen sagen, daß du sie belogen hast, um bei mir zu bleiben, Gib dir keine Mühe, sie hören dich nicht da draußen, und selbst wenn, würden sie dich nicht beachten, Aber du kannst sehen, Im Augenblick noch, sehr wahrscheinlich werde auch ich an einem dieser Tage oder innerhalb von Minuten erblinden, Bitte geh, Laß es gut sein, übrigens wette ich, daß die Soldaten mich keinen Fuß mehr auf die Stufe setzen lassen würden, Ich kann dich nicht zwingen, Eben, mein Lieber, das kannst du nicht, ich bleibe, um dir zu helfen und auch den andern, die noch kommen, aber sag ihnen nicht, daß ich sehen kann, Welche anderen, Du glaubst doch nicht, daß wir die einzigen bleiben, Das hier ist alles ein Wahnsinn, Ist es wohl, wir sind in einer Irrenanstalt.

Die anderen Blinden kamen gemeinsam, nachdem man sie einen nach dem anderen zu Hause abgeholt hatte, den mit dem Auto, den ersten von allen, den Dieb, der ihn bestohlen hatte, die junge Frau mit der dunklen Brille, den kleinen schielenden Jungen, nein, den hatte man im Krankenhaus abgeholt, wohin seine Mutter ihn gebracht hatte. Die Mutter war nicht mitgekommen, sie war nicht so schlau gewesen wie die Frau des Arztes, zu erklären, daß sie blind sei, ohne es zu sein, sie ist eine einfache Frau, die nicht lügen kann, selbst wenn es zu ihrem Besten wäre. Sie betraten den Schlafsaal stolpernd, tasteten in der Luft herum, hier gab es kein Seil, das sie führte, sie mußten mühsam und schmerzhaft lernen, sich zu bewegen, der kleine Junge weinte, rief nach seiner Mutter, und es war die junge Frau mit der dunklen Brille, die ihn beruhigte, Sie kommt noch, sie wird schon kommen, sagte sie, und da sie die dunkle Brille trug, konnte sie ebensogut blind sein wie auch nicht, die anderen bewegten ihre Augen hin und her und sahen nichts, während sie, mit jener Brille, nur weil sie sagte, sie wird schon kommen, den Eindruck erweckte, als würde sie wirklich die verzweifelte Mutter durch die Tür treten sehen. Die Frau des Arztes flüsterte, Es sind vier angekommen, eine Frau, zwei Männer und ein Junge, Wie sehen die Männer aus, fragte der Arzt leise. Sie beschrieb sie ihm, und er, Diesen kenne ich nicht, der andere ist nach deiner Beschreibung offenbar der Blinde, der in die Praxis kam, Der Kleine schielt, und die Frau trägt eine Sonnenbrille, sie scheint hübsch zu sein, Die beiden waren auch dort. Wegen der Geräusche, die sie bei ihrer Suche nach einem Platz machten, an dem sie sich sicher fühlen konnten, hörten die Blinden diesen Wortwechsel nicht und mußten annehmen, daß es niemand außer ihnen gab, und sie hatten die Sehkraft noch nicht lange genug eingebüßt, um ihr Gehör über das Normale hinaus zu schärfen. Als seien sie zu dem Schluß gekommen, daß es nicht lohnte, Gewißheit gegen Ungewißheit einzutauschen, setzte sich jeder auf das Bett, über das er sozusagen gestolpert war, die beiden Männer sehr nahe einer dem andern, ohne es zu wissen. Leise tröstete die junge Frau den kleinen Jungen, Nicht weinen, du wirst schon sehen, deine Mutter kommt bald. Dann trat Stille ein, und da sagte die Frau des Arztes, so daß man es bis zum Ende des Saales, wo die Tür war, hörte, Hier sind wir zu zweit, wieviel seid ihr. Die unerwartete Stimme schreckte die Neuankömmlinge auf, doch die beiden Männer schwiegen, nur die junge Frau antwortete, Vier, glaube ich, dieser Junge und ich, Wer noch, warum sprechen die anderen nicht, fragte die Frau des Arztes, Und ich, murmelte eine Männerstimme, als fiele es ihr schwer, die Wörter auszusprechen, Und ich, murmelte widerwillig eine andere männliche Stimme. Die Frau des Arztes dachte, Sie benehmen sich, als fürchteten sie, sich voreinander zu erkennen zu geben. Sie sah, wie angespannt und verkrampft sie waren, mit gestrecktem Hals, als schnupperten sie etwas, aber seltsamerweise war ihr Gesichtsausdruck ähnlich, eine Mischung aus Drohung und Angst, jedoch war die Angst des einen nicht dieselbe wie die des anderen, auch die Drohungen nicht. Was war da wohl zwischen ihnen, fragte sie sich.

In diesem Augenblick hörte man eine kräftige harsche Stimme, von jemandem, der dem Ton nach gewohnt war, Befehle zu erteilen. Sie kam aus einem Lautsprecher über der Tür, durch die sie hereingekommen waren. Das Wort Achtung wurde dreimal ausgesprochen, dann begann die Stimme, Die Regierung bedauert, daß sie gezwungen ist, auf energischste Weise auszuführen, was sie als ihr Recht und ihre Pflicht ansieht, um in der gegenwärtigen Krise mit allen Mitteln die Bevölkerung zu schützen, da es sich offenbar um den Ausbruch einer Blindenepidemie handelt, die provisorisch als Weißes Übel bezeichnet wird, und hofft auf den gesunden Menschenverstand und die Zusammenarbeit all ihrer Bürger, um die Ansteckungsgefahr einzudämmen, in der Annahme, daß es sich um eine ansteckende Krankheit handelt, das heißt, wir vermuten, daß wir es nicht nur mit einer Reihe zur Zeit noch unerklärlicher Zufälle zu tun haben. Die Entscheidung, an einem Ort in der Nähe, jedoch getrennt, alle betroffenen Personen zusammenzuführen, die in irgendeiner Weise mit den Erblindeten in Kontakt gestanden haben, wurde nicht ohne gründliche vorherige Überlegung getroffen. Die Regierung ist sich vollkommen ihrer Verantwortung bewußt und hofft, daß die, an die sie diese Botschaft richtet, ebenfalls als pflichtbewußte Bürger die Verantwortung übernehmen, die ihnen zukommt, eingedenk der Tatsache, daß die Isolierung, in der sie sich augenblicklich befinden, jenseits aller persönlichen Überlegungen ein Akt der Solidarität gegenüber dem Rest der nationalen Gemeinschaft ist. Nun bitten wir Sie alle um Aufmerksamkeit für die nachfolgenden Anweisungen, erstens, das Licht wird immer eingeschaltet bleiben, jeglicher Versuch, die Schalter zu manipulieren, ist sinnlos, sie funktionieren nicht, zweitens, ohne Erlaubnis das Gebäude zu verlassen, bedeutet den sofortigen Tod, drittens, in jedem Raum gibt es ein Telefon, das ausschließlich dazu benutzt werden kann, um von der Außenwelt Nachschub an Hygiene- und Reinigungsartikeln zu fordern, viertens, die Internierten werden ihre Wäsche mit der Hand waschen, fünftens, es wird die Wahl eines Verantwortlichen für jeden Schlafsaal empfohlen, dies ist eine Empfehlung, kein Befehl, die Internierten werden sich nach eigenem Ermessen organisieren, solange sie die vorangegangenen Regeln erfüllen und die noch folgenden, sechstens, dreimal am Tag werden Kisten mit Essen am Eingang deponiert, rechts und links, jeweils bestimmt für die Infizierten und jene, die unter dem Verdacht der Ansteckung stehen, siebtens, alle Reste müssen verbrannt werden, unter Resten sind außer den Essensresten die Kisten, Teller und Bestecke zu verstehen, die aus brennbarem Material hergestellt wurden, achtens, das Verbrennen wird auf dem Innenhof vorgenommen oder in der Einfriedung um das Gebäude, neuntens, die Internierten sind verantwortlich für alle negativen Folgen dieser Brände, zehntens, im Falle eines Brandes, sei er zufällig oder absichtlich, wird die Feuerwehr nicht eingreifen, elftens, ebenso können die Internierten im Krankheitsfall mit keinerlei Intervention von außen rechnen, genausowenig bei Vorkommnissen von Aggression oder Tumult, zwölftens, im Todesfall, gleich aus welchem Grund, begraben die Internierten ohne Formalitäten die Leiche in der Einfriedung, dreizehntens, als Verbindung zwischen dem Flügel der Infizierten und dem Flügel der unter Ansteckungsverdacht Stehenden dient der Mittelteil des Gebäudes, derselbe, durch den sie hineingekommen sind, vierzehntens, die der Ansteckung Verdächtigen, die erblinden, werden sich sofort in den Flügel der bereits Erblindeten begeben, fünfzehntens, diese Mitteilung wird jeden Tag zur selben Zeit zur Kenntnisnahme der neu Eingetroffenen wiederholt. Die Regierung und die Nation erwarten, daß jeder seine Pflicht erfüllt. Gute Nacht.

In das erste Schweigen, das folgte, fiel die helle Stimme des kleinen Jungen, Ich will meine Mama, aber die Wörter klangen tonlos, wie ein Apparat mit sich wiederholender Ansage, der einen Satz außerhalb der Zeit hatte stehenlassen und ihn jetzt im falschen Moment wiedergab. Der Arzt sagte, Die Befehle, die wir gerade gehört haben, lassen keinen Zweifel zu, wir sind isoliert, möglicherweise isolierter, als jemals jemand gewesen ist, und ohne Hoffnung darauf, hier herauszukommen, wenn nicht ein Mittel gegen diese Krankheit entdeckt wird, Ich kenne Ihre Stimme, sagte die junge Frau mit der dunklen Brille, Ich bin Arzt, Augenarzt, Dann sind Sie der Arzt, bei dem ich gestern war, es ist Ihre Stimme, Ja, und Sie, wer sind Sie, Ich habe eine Konjunktivitis, ich nehme an, sie ist immer noch da, aber jetzt, blind wie ich bin, hat das keine Bedeutung mehr, Und der Kleine, der bei Ihnen ist, Das ist nicht meiner, ich habe keine Kinder, Ich habe gestern einen kleinen schielenden Jungen untersucht, warst du das, fragte der Arzt, Ja, das war ich, die Antwort des Jungen klang etwas widerspenstig, wie jemand, dem es nicht gefällt, daß man einen körperlichen Defekt erwähnt, und er hatte recht, denn solche Fehler, dieser und andere, werden dadurch, daß man von ihnen spricht, erst richtig wahrgenommen. Ist noch jemand da, den ich kenne, fragte der Arzt erneut, ist hier vielleicht der Mann, der gestern in Begleitung seiner Frau in meine Praxis kam, der Mann, der plötzlich erblindete, als er Auto fuhr, Das bin ich, antwortete der erste Blinde, Es ist noch jemand anderes da, sagen Sie bitte, wer Sie sind, wir sind gezwungen, zusammenzuleben, und wissen nicht, für wie lange, also sollten wir uns auch kennenlernen. Der Autodieb murmelte etwas zwischen den Zähnen, Ja, ja, und glaubte, das reiche aus, um seine Anwesenheit zu bestätigen, doch der Arzt insistierte, Die Stimme gehört einem relativ jungen Menschen, Sie sind nicht der kranke alte Mann, der mit dem Star, Nein, Herr Doktor, das bin ich nicht, Wie sind Sie erblindet, Ich war auf der Straße, Und was dann, Nichts weiter, ich ging auf der Straße und erblindete. Der Arzt öffnete den Mund, um zu fragen, ob die Blindheit dieses Mannes auch weiß sei, aber er schwieg, warum, dachte er, was nützte es, wie auch immer die Antwort lautete, ob es weiße oder schwarze Blindheit war, sie würden nicht hinauskommen. Er streckte zögernd die Hand nach seiner Frau aus und fand die ihre. Sie küßte ihn auf das Gesicht, niemand würde mehr diese faltige Stirn sehen, den erloschenen Mund, die toten Augen, wie aus Glas, erschreckend, weil sie nichts zu sehen schienen und nichts sahen, Auch mich wird es treffen, dachte sie, wann, vielleicht in diesem Augenblick, ohne daß mir Zeit bleibt, das zu beenden, was ich sagen will, in irgendeinem Augenblick, so wie bei ihnen, oder vielleicht wache ich blind auf, ich werde erblinden, wenn ich die Augen zum Schlafen schließe und denke, ich sei nur eingeschlafen.

Sie betrachtete die vier Blinden, die auf den Betten saßen, zu ihren Füßen das bißchen Gepäck, das sie hatten mitbringen können, der kleine Junge mit seinem Schulranzen, die anderen mit kleinen Koffern wie für ein Wochenende. Die junge Frau mit der dunklen Brille unterhielt sich leise mit dem Jungen, in der anderen Reihe, nah beieinander, es war nur ein leeres Bett zwischen ihnen, saßen der erste Blinde und der Autodieb sich gegenüber, ohne es zu wissen. Der Arzt sagte, Alle haben hier die Befehle gehört, ganz gleich, was geschieht, eins wissen wir, niemand wird uns zu Hilfe kommen, deshalb wäre es sinnvoll, wir würden uns jetzt gleich organisieren, denn es wird nicht viel Zeit vergehen, bis dieser Saal voller Menschen ist, dieser und die anderen, Woher wissen Sie, daß es andere Räume gibt, fragte die junge Frau, Wir sind ein bißchen herumgelaufen, bevor wir in diesen Saal kamen, dieser lag am nächsten zum Eingang, erklärte die Frau des Arztes, während sie den Arm ihres Mannes drückte, um ihn zur Vorsicht zu mahnen. Die junge Frau sagte, Am besten wäre es, wenn der Herr Doktor der Verantwortliche ist, denn Sie sind schließlich Arzt, Wozu ist ein Arzt ohne Augen und Medikamente noch gut, Aber Sie haben die nötige Autorität. Die Frau des Arztes lächelte, Ich glaube, du solltest annehmen, natürlich nur, wenn die anderen einverstanden sind, Ich glaube nicht, daß das eine gute Idee ist, Warum, Im Augenblick sind nur wir sechs hier, aber morgen werden wir sicher mehr sein, jeden Tag werden Leute kommen, es wäre unrealistisch, wenn wir glaubten, daß die anderen eine Autorität anerkennen, die sie nicht gewählt haben und die ihnen außerdem nichts anbieten könnte im Gegenzug für ihren Respekt, immer vorausgesetzt, daß sie eine Autorität und die Regeln anerkennen, Dann wird es schwierig sein, hier zu leben, Wir können uns glücklich schätzen, wenn es nur schwierig wird. Die junge Frau mit der dunklen Brille sagte, Ich habe in guter Absicht gesprochen, aber der Herr Doktor hat recht, jeder wird sich selbst der Nächste sein.

Vielleicht, weil diese Worte ihn dazu veranlaßten oder weil er seine Wut nicht länger zügeln konnte, stand plötzlich einer der Männer auf, Dieser Kerl ist schuld an unserem Unglück, wenn ich Augen hätte, würde ich ihn auf der Stelle erledigen, brüllte er, während er in die Richtung zeigte, in der er den anderen vermutete. Die Abweichung war nicht groß, aber die dramatische Geste wirkte komisch, weil der ausgestreckte, anklagende Finger auf einen unschuldigen Nachttisch zeigte. Beruhigen Sie sich, bei einer Epidemie gibt es keine Schuldigen, alle sind Opfer, Wäre ich nicht der gute Mensch gewesen, der ich war, hätte ich Ihnen nicht geholfen, hätte ich noch meine kostbaren Augen, Wer sind Sie, doch der Ankläger antwortete nicht, er schien schon zu bereuen, daß er gesprochen hatte. Da hörte man die Stimme des anderen Mannes, Ja, das stimmt, er hat mich nach Hause gebracht, aber dann hat er meinen Zustand ausgenutzt und mein Auto gestohlen, Das stimmt nicht, nichts habe ich gestohlen, O doch, mein Lieber, das haben Sie, Wenn Ihnen jemand Ihr Auto geklaut hat, dann jedenfalls nicht ich, und als Lohn für meine gute Tat bin ich erblindet, und außerdem, wo sind denn die Zeugen, das will ich erst mal sehen, Diese Diskussion führt zu gar nichts, sagte die Frau des Arztes, das Auto steht dort draußen, und ihr seid hier drinnen, am besten, ihr schließt Frieden, denkt daran, daß wir hier zusammenleben müssen, Ich weiß einen, der nicht mit ihm zusammenleben wird, sagte der erste Blinde, tun Sie, was Sie wollen, ich gehe in einen anderen Saal, ich bleibe nicht in der Nähe eines solchen Schlitzohrs, der einen Blinden bestohlen hat und sich dann noch beklagt, daß er meinetwegen erblindet ist, nun, dann ist er eben erblindet, wenigstens gibt es noch Gerechtigkeit auf der Welt. Er griff nach seinem Koffer und ging schlurfend, um nicht zu stolpern, sich mit der freien Hand vortastend, in den Gang, der die beiden Pritschenreihen trennte, Wo sind die anderen Schlafsäle, fragte er, doch die Antwort hörte er nicht mehr, wenn es denn eine gegeben hatte, denn plötzlich fielen Arme und Beine über ihn her, der Autodieb machte seine Drohung, an dem Verursacher seines Unglücks Vergeltung zu üben, so gut er konnte wahr. Einmal oben, einmal unten wälzten sich beide auf engem Raum, stießen dabei hin und wieder an die Bettpfosten, während der kleine schielende Junge, wieder ganz erschrocken, zu weinen begann und nach seiner Mutter rief. Die Frau des Arztes nahm ihren Mann beim Arm, sie wußte, daß sie alleine den Streit nicht beenden konnte, und führte ihn durch den Mittelgang dorthin, wo die beiden wütenden Kämpfer sich keuchend schlugen. Sie führte ihrem Mann die Hände, sie selbst nahm sich den Blinden vor, mit dem sie besser fertig zu werden meinte, und mit großer Anstrengung gelang es ihnen, sie zu trennen. Sie verhalten sich wie Dummköpfe, wenn Sie glauben, Sie können dies hier in eine Hölle verwandeln, dann sind Sie schon auf dem besten Weg dorthin, aber bedenken Sie, daß wir uns selbst überlassen sind, es wird keine Hilfe von außen kommen, Sie haben die Durchsage gehört, Er hat mein Auto gestohlen, jammerte der erste Blinde, der mehr Schläge eingesteckt hatte als der andere, Lassen Sie es gut sein, jetzt ist es doch egal, sagte die

Frau des Arztes, Sie konnten doch schon nicht mehr damit fahren, als es Ihnen gestohlen wurde, Ja gut, aber es war meins, und dieser Dieb ist damit weggefahren, und ich weiß nicht, wohin, Sehr wahrscheinlich steht Ihr Auto noch dort, wo dieser Mann erblindet ist, Der Herr Doktor ist wirklich ein schlauer Typ, jawohl, da gibt es keinen Zweifel, sagte der Dieb. Der erste Blinde versuchte, sich aus den Händen zu befreien, die ihn festhielten, aber ohne Nachdruck, als hätte er verstanden, daß weder die Empörung, auch wenn sie berechtigt war, ihm sein Auto wiederbringen, noch das Auto ihm seine Sehkraft wiedergeben würde. Doch der Dieb drohte, Wenn du glaubst, daß du so davonkommst, hast du dich schwer getäuscht, ich habe dir den Wagen gestohlen, ja, ich habe ihn gestohlen, aber du hast mir die Sehkraft gestohlen, jetzt möchte ich wissen, wer von uns beiden der größere Dieb ist, Hören Sie auf damit, schaltete sich der Arzt ein, wir sind hier alle blind und jammern nicht und klagen niemanden an, Mit dem Unglück der anderen komme ich gut zurecht, antwortete der Dieb verächtlich, Wenn Sie in einen anderen Saal gehen wollen, sagte der Arzt zum ersten Blinden, kann meine Frau Sie dorthin führen, sie findet sich besser zurecht als ich, Ich habe es mir anders überlegt, ich bleibe lieber hier. Der Dieb sagte spöttisch, Der Kleine hat Angst, allein zu sein, vielleicht kommt der schwarze Mann, und den kenne ich, Schluß jetzt, rief der Arzt ungeduldig, Oho, Doktorchen, knurrte der Dieb, wir sind hier alle gleich, mir machen Sie keine Vorschriften, Ich mache keine Vorschriften, ich sage Ihnen nur, daß Sie diesen Mann in Frieden lassen sollen, Schon gut schon gut, aber Vorsicht, mit mir ist nicht gut Kirschen essen, heute Freund, morgen Feind. Mit aggressiven

Gesten und Bewegungen suchte der Dieb das Bett, auf dem er gesessen hatte, schob den Koffer darunter und kündigte dann an, Ich lege mich hin, in einem Ton, als wollte er Bescheid geben, Drehen Sie sich um, ich ziehe mich jetzt aus, die junge Frau mit der dunklen Brille sagte zu dem schielenden Jungen, Und du wirst dich auch hinlegen, du bleibst hier neben mir, wenn du heute nacht etwas brauchst, rufst du mich, Ich will Pipi machen, bat der Junge, als sie ihn hörten, verspürten plötzlich alle das heftige Bedürfnis zu urinieren, und überlegten, jeder auf seine Weise, Wie soll das jetzt gehen, der erste Blinde tastete unter das Bett, ob dort vielleicht ein Nachttopf war, in der Hoffnung, keinen zu finden, denn er würde sich schämen, in der Gegenwart anderer zu urinieren, sie konnten ihn zwar nicht sehen, gewiß, aber das Geräusch des Urins war indiskret und unüberhörbar, Männer können wenigstens mit einem Trick leise pinkeln, da sind sie noch besser dran als die Frauen. Der Dieb hatte sich auf das Bett gesetzt, jetzt sagte er, Scheiße, wo kann man denn hier pissen, Passen Sie auf, was Sie sagen, unter uns ist ein Kind, protestierte die junge Frau mit der dunklen Brille, Aber ja, mein Schätzchen, entweder findest du einen Ort, oder dein Kindchen wird sich bald in die Hosen pinkeln. Die Frau des Arztes sagte, Vielleicht kann ich die Toiletten finden, ich erinnere mich an den Geruch, Ich gehe mit, sagte die junge Frau mit der dunklen Brille und hatte schon den kleinen Jungen an der Hand, Ich glaube, es ist besser, wenn wir alle gehen, bemerkte der Arzt, dann lernen wir gleich den Weg kennen für den Fall, daß wir ihn brauchen, Schlaumeier, dachte der Autodieb bei sich, aber er wagte nicht, es laut zu sagen, Du willst nur nicht, daß dein Frauchen mich jedesmal zum Klo begleiten muß, wenn es mich ankommt. Dieser hintersinnige Gedanke führte zu einer kleinen Erektion, die ihn überraschte, als müßte die Blindheit auch den Verlust oder die Verminderung sexuellen Begehrens zur Folge haben, Gut, dachte er, wenigstens ist nicht alles verloren, unter Toten und Verwundeten wird schon einer davonkommen, er zog sich von dem Gespräch zurück und überließ sich seiner Phantasie. Es blieb ihm nicht viel Zeit dafür, denn der Arzt sagte jetzt, Wir bilden eine Reihe, meine Frau geht voran, jeder legt dem vorderen die Hand auf die Schulter, so laufen wir nicht Gefahr, uns zu verirren. Der erste Blinde sagte, Mit diesem hier gehe ich nicht, das bezog sich offensichtlich auf den, der ihn bestohlen hatte.

Ob sie sich nun suchten oder aus dem Weg gehen wollten, sie konnten sich kaum in dem schmalen Mittelgang bewegen, vor allem, weil die Frau des Arztes auch so tun mußte, als sei sie blind. Schließlich hatte sich die Reihe gebildet, hinter der Frau des Arztes ging die junge Frau mit der dunklen Brille und dem kleinen schielenden Jungen an der Hand, dann kam der Dieb, in Unterhosen und Unterhemd, danach der Arzt und am Ende, im Augenblick vor Angriffen geschützt, der erste Blinde. Sie kamen sehr langsam vorwärts, als trauten sie der Person nicht, die sie anführte, mit der freien Hand tasteten sie in der Luft herum, suchten unterwegs eine feste Stütze, eine Wand, einen Türrahmen. Hinter der jungen Frau mit der dunklen Brille beschloß der Dieb, angeregt von dem Parfum, das sie ausströmte, und von der Erinnerung an die kürzliche Erektion, seine Hände nutzbringender einzusetzen, mit einer Hand streichelte er ihren Nacken unter dem Haar, mit der anderen griff er ohne Umschweife an ihre Brust. Sie schüttelte sich, um der Unverschämtheit zu entrinnen, doch er hatte sie fest im Griff. Da trat die junge Frau kräftig mit einem Bein nach hinten. Der Absatz ihres Schuhs, dünn wie ein Stilett, grub sich in den nackten Oberschenkel des Diebes, der vor Überraschung und Schmerz aufheulte. Was ist los, fragte die Frau des Arztes und schaute nach hinten, Ich bin gestolpert, sagte die junge Frau mit der dunklen Brille, ich glaube, ich habe jemanden hinter mir getroffen. Das Blut lief schon zwischen den Fingern des Diebes herunter, der stöhnend und fluchend das Ausmaß des Angriffs zu ermessen suchte, Ich bin verwundet, das Mädel weiß nicht, wo sie ihre Füße hinsetzt, Und du nicht, wo du deine Hände hintust, antwortete die junge Frau trocken. Die Frau des Arztes begriff, was sich zugetragen hatte, erst lächelte sie, doch dann bemerkte sie, daß die Wunde böse aussah, das Blut lief am Bein des armen Teufels hinunter, und sie hatten weder Wasserstoffsuperoxyd noch Mercurochrom, weder Mull noch Verbandsmaterial, kein Desinfektionsmittel, nichts. Die Reihe hatte sich aufgelöst, der Arzt fragte, Wo sind Sie verletzt, Hier, Hier wo, Am Bein, sehen Sie das denn nicht, das Mädchen hat mich mit ihrem Absatz aufgespießt, Ich bin gestolpert, ich habe keine Schuld, wiederholte die junge Frau, doch dann fuhr sie wütend und außer sich fort, Dieser Scheißkerl hat mich angetatscht, was denkt er eigentlich, was ich bin. Die Frau des Arztes schaltete sich ein, Wir müssen erst diese Wunde waschen und verbinden, Und wo gibt es Wasser, fragte der Dieb, In der Küche, in der Küche gibt es Wasser, aber wir brauchen nicht alle zu gehen, mein Mann und ich bringen Sie dorthin, die anderen warten hier, wir werden nicht lange brauchen, Ich will Pipi machen, sagte der kleine Junge, halt noch ein bißchen aus, wir kommen gleich zurück. Die Frau des Arztes wußte, daß sie einmal rechts- und einmal linksherum gehen mußten, dann einen langen Korridor entlang, der einen rechten Winkel bildete, die Küche lag am Ende. Nach einigen Minuten tat sie so, als hätte sie sich geirrt, hielt an, drehte sich um und rief dann, Ach, jetzt erinnere ich mich, von da ab gingen sie direkt zur Küche, sie durften keine Zeit mehr verlieren, die Wunde blutete heftig. Zunächst kam schmutziges Wasser aus der Leitung, sie mußten warten, bis es klar wurde. Es war lauwarm, abgestanden, als hätte es in den Leitungen vor sich hin gefault, doch der Verletzte nahm es mit erleichtertem Seufzer auf. Die Wunde sah nicht gut aus. Und wie wollen wir ihm jetzt das Bein verbinden, fragte die Frau des Arztes. Unter einem Tisch lagen ein paar schmutzige Lappen, die als Putzlumpen gedient haben mußten, aber es wäre äußerst unklug gewesen, sie als Verband zu benutzen, Hier scheint es nichts zu geben, sagte sie, während sie so tat, als suchte sie herum, Aber so kann das nicht bleiben, Herr Doktor, es hört nicht auf zu bluten, bitte helfen Sie mir, und entschuldigen Sie, wenn ich vorhin unverschämt zu Ihnen war, jammerte der Dieb, Wir helfen Ihnen schon, wir sind doch dabei, sagte der Arzt, und dann, Ziehen Sie das Unterhemd aus, wir haben keine Wahl. Der Verwundete brummte, daß er es brauche, zog es jedoch aus. Schnell machte die Frau des Arztes daraus eine Rolle, wickelte sie um den Schenkel und drückte sie fest zu, es gelang ihr, mit den Enden der Träger und dem unteren Ende einen groben Knoten zu binden. Solche Handgriffe hätte ein Blinder nicht so einfach ausführen können, aber sie wollte nicht noch mehr Zeit mit dem Vortäuschen verlieren, es reichte schon, daß sie so getan hatte, als hätten sie sich verlaufen. Dem Dieb kam es nicht ganz geheuer vor, denn eigentlich hätte ihm der Arzt, auch wenn er nur ein Augenarzt war, den Verband anlegen müssen, doch der Trost darüber, daß er verbunden wurde, legte sich über seine Zweifel, die ohnehin vage waren und nur für einen Augenblick sein Bewußtsein gestreift hatten. Er hinkte, so kehrten sie zurück zu den anderen, und dort sah die Frau des Arztes sofort, daß der kleine schielende Junge es nicht ausgehalten und in die Hose gemacht hatte, weder der erste Blinde noch die junge Frau mit der dunklen Brille hatten dies bemerkt. Zu Füßen des Jungen breitete sich eine Urinpfütze aus, der Saum seiner Hose tropfte noch. Aber als sei nichts geschehen, sagte die Frau des Arztes, Also, machen wir uns auf die Suche nach diesen Toiletten. Die Blinden bewegten die Arme vor dem Gesicht, suchten einander, nicht so die junge Frau mit der dunklen Brille, die gleich erklärte, daß sie nicht mehr vor dem schamlosen Kerl gehen wolle, der sie befummelt hatte, schließlich bildete sich die Reihe neu, der Dieb und der erste Blinde tauschten ihre Plätze, der Arzt ging zwischen ihnen. Der Dieb hinkte stärker, er zog das Bein nach. Der Verband störte ihn, und die Wunde pochte so heftig, als hätte das Herz seinen Platz gewechselt und befände sich nun in der Wunde. Die junge Frau mit der dunklen Brille hatte den kleinen Jungen wieder an die Hand genommen, doch der hielt sich, soweit er konnte, an der Seite, aus Angst, daß jemand sein Malheur entdecken könnte, wie der Arzt, der schnupperte, Es riecht nach Urin, und seine Frau bestätigte vorsichtshalber diesen Eindruck, Ja, es riecht wirklich, sie konnte nicht sagen, daß der Geruch von den Toiletten kam, weil sie noch weit davon entfernt waren, und da sie sich so verhalten mußte, als sei sie blind, konnte sie auch nicht erklären, daß der Gestank von der nassen Hose des Jungen kam.

Sie waren sich alle einig, die Frauen wie die Männer, als sie zu den Toiletten kamen, daß der Junge sich zuerst erleichtern solle, aber die Männer gingen alle gemeinsam hinein, ohne Rücksicht auf Dringlichkeit oder Alter, es waren, wie an einem solchen Ort üblich, Gemeinschaftstoiletten, die Urinale ebenso wie die WCs. Die Frauen warteten an der Tür, es heißt, sie halten besser aus, aber alles hat seine Grenzen, deshalb schlug die Frau des Arztes nach einer Weile vor, Vielleicht gibt es noch andere Toiletten, die junge Frau mit der dunklen Brille sagte jedoch, Ich für mein Teil kann warten, Und ich auch, sagte die andere, dann folgte ein Schweigen, darauf unterhielten sie sich, Wie sind Sie erblindet, Wie alle, ich konnte plötzlich nicht mehr sehen, Waren Sie zu Hause, Nein, Dann war es, als Sie die Praxis meines Mannes verließen, Ja, ungefähr dann, Was heißt ungefähr dann, Na ja, es war nicht gleich danach, Haben Sie irgendeinen Schmerz gefühlt, Nein, keinen Schmerz, als ich die Augen öffnete, war ich blind, Ich nicht, Nicht was, Ich hatte die Augen nicht geschlossen, ich bin in dem Augenblick erblindet, als mein Mann die Ambulanz betrat, Welch ein Glück, Für wen, Für Ihren Mann, so können Sie zusammensein, In diesem Fall habe auch ich Glück gehabt, Ja, Und Sie, sind Sie verheiratet, Nein, nein, und ab jetzt wird, glaube ich, niemand mehr heiraten, Aber diese Blindheit ist so anomal, so außerhalb dessen, was die Wissenschaft kennt, daß sie nicht für immer fortdauern kann, Und wenn es für den Rest unseres Lebens so bleibt, Für uns, Für alle, Das wäre schrecklich, eine ganze Welt voller Blinder, Das möchte ich mir lieber nicht ausmalen.

Der kleine schielende Junge war der erste, der aus der Toilette trat, er hätte gar nicht erst hineingehen müssen. Er hatte die Hosen bis zum Knie aufgerollt und seine Socken ausgezogen. Er sagte, Hier bin ich, die Hand der jungen Frau mit der dunklen Brille streckte sich in Richtung seiner Stimme aus, weder beim ersten noch beim zweiten Mal erreichte sie ihn, beim dritten Mal fand sie die tastende Hand des Jungen. Kurz darauf erschien der Arzt, dann der erste Blinde, einer von ihnen fragte, Wo seid ihr, die Frau des Arztes hielt schon den einen Arm ihres Mannes, den anderen hatte die junge Frau mit der dunklen Brille berührt und festgehalten. Der erste Blinde hatte für einige Sekunden niemanden, der ihn hielt, dann legte ihm jemand die Hand auf die Schulter. Sind wir alle zusammen, fragte die Frau des Arztes, Der mit dem Bein mußte noch ein anderes Bedürfnis verrichten, antwortete der Arzt. Da sagte die junge Frau mit der dunklen Brille, Vielleicht gibt es noch andere Toiletten, es ist jetzt dringend, entschuldigen Sie, Wir gehen sie suchen, sagte die Frau des Arztes, und sie entfernten sich, Hand in Hand. Nach zehn Minuten kehrten sie zurück, sie hatten ein Sprechzimmer mit einem anliegenden Bad gefunden, der Dieb hatte schon das WC verlassen, er beklagte sich über Kälte und Schmerzen im Bein. Sie stellten sich wieder so auf, wie sie gekommen waren, diesmal war es weniger mühsam, und ohne Zwischenfall kehrten sie in ihren Saal zurück. Geschickt und unauffällig half die Frau des Arztes jedem zu dem Bett, auf dem er vorher gesessen hatte. Noch vor dem Saal, als sei es allen ohnehin schon selbstverständlich, erinnerte sie daran, daß jeder von ihnen seinen Platz am einfachsten finden würde, wenn er vom Eingang an die Betten zählte, Unsere, sagte sie, sind die letzten auf der rechten Seite, neunzehn und zwanzig. Der erste, der durch den Mittelgang lief, war der Dieb. Er war fast nackt, zitterte, wollte das schmerzende Bein entlasten, genügend Grund, um ihm den Vortritt zu lassen. Er ging von Bett zu Bett, tastete auf dem Boden nach dem Koffer, und als er ihn wiedererkannte, sagte er laut, Hier ist es, und fügte hinzu, vierzehn, Auf welcher Seite, fragte die Frau des Arztes, Links, antwortete er, erneut ein wenig überrascht, als müßte sie es wissen, ohne zu fragen. Dann kam der erste Blinde. Er wußte, daß sein Bett das zweite nach dem Dieb war, auf derselben Seite. Er hatte schon keine Angst mehr, in seiner Nähe zu schlafen, mit dem Bein und in so elendem Zustand, nach den Klagen und Seufzern zu urteilen, konnte der andere sich kaum bewegen. Als er ankam, sagte er, Sechzehn, links, und legte sich angezogen hin. Dann bat die junge Frau mit der dunklen Brille leise, Bitte lassen Sie uns in Ihrer Nähe sein, gegenüber auf der anderen Seite, da wären wir gut aufgehoben. Die vier gingen gemeinsam und richteten sich schnell ein. Nach einigen Minuten sagte der kleine schielende Junge, Ich habe Hunger, die junge Frau mit der dunklen Brille murmelte, Morgen, morgen essen wir, jetzt wird geschlafen, dann öffnete sie ihre Handtasche, suchte das Fläschchen, das sie in der Apotheke gekauft hatte, sie nahm die Brille ab, neigte den Kopf zurück, und mit weit offenen Augen, die eine Hand mit der anderen führend, träufelte sie sich die Flüssigkeit in die Augen. Nicht alle Tropfen fielen in die Augen, aber die Bindehautentzündung würde sicher, derart gut behandelt, bald verheilen.

Ich muß die Augen aufmachen, dachte die Frau des Arztes. Als sie nachts einige Male aufgewacht war, hatte sie durch die geschlossenen Augenlider die blasse Helligkeit der Lampen wahrgenommen, die den Saal spärlich beleuchteten, aber jetzt war ihr, als sei das Licht anders, eine andere Helligkeit war da, sie konnte von der ersten Morgendämmerung kommen, oder vielleicht war es schon das milchige Meer, in das ihre Augen eintauchten. Sie sagte sich, sie würde bis zehn zählen und am Ende die Augen aufschlagen, zweimal sagte sie dies, zweimal zählte sie, zweimal öffnete sie die Augen nicht. Sie hörte ihren Mann im Bett nebenan tief atmen, jemand schnarchte, Wie geht es wohl dem Bein von dem dort, aber sie wußte, daß es in diesem Augenblick nicht um wirkliche Anteilnahme ging, sie gab die Sorge um einen anderen nur vor, denn sie wollte die Augen nicht öffnen. Sie öffneten sich jedoch im nächsten Augenblick, einfach so, ohne daß sie es beschlossen hatte. Durch die Fenster, die auf halber Höhe der Wand begannen und bis zu einer Handbreit unter die Decke reichten, drang das bläulich matte Licht des Morgengrauens. Ich bin nicht blind, und erschrocken setzte sie sich im Bett auf, die junge Frau mit der dunklen Brille, die auf der Pritsche gegenüber lag, hätte sie hören können. Sie schlief. Im Bett neben ihr an der Wand schlief auch der kleine Junge, Wie ich, dachte die Frau des Arztes, sie hat ihm den geschützteren Platz gegeben, was wären wir doch für schwache Mauern, nur ein Stein mitten auf dem Weg, ohne eine andere Hoffnung als die, daß der Feind darüber stolpert, der Feind, welcher Feind, hier wird uns niemand angreifen, wir hätten stehlen und morden können da draußen, niemand würde uns verhaften, der, der den Wagen gestohlen hat, ist seiner Freiheit noch nie so sicher gewesen, so weit sind wir von der Welt entfernt, und es wird nicht lange dauern, dann wissen wir nicht mehr, wer wir sind, wir werden uns nicht einmal mehr daran erinnern, wie wir heißen, und wozu auch, wozu sollten uns unsere Namen dienen, kein Hund erkennt einen anderen Hund an dem Namen, der ihm gegeben wurde, wenn einer sich zu erkennen gibt, dann durch den Geruch, der ihn identifiziert und ihn anderen kenntlich macht, wir sind hier wie eine andere Rasse Hunde, wir erkennen uns am Bellen, an der Sprache, und der Rest, die Gesichtszüge, die Farbe der Augen, die Haut, das Haar, das zählt nicht mehr, als gäbe es sie nicht, ich sehe, aber wie lange noch. Das Licht veränderte sich wieder, es konnte nicht die Rückkehr in die Nacht sein, eher war es der Himmel, der sich mit Wolken bedeckte, den Morgen hinauszögerte. Vom Bett des Diebes kam ein Stöhnen, Wenn die Wunde entzündet ist, dachte die Frau des Arztes, haben wir nichts, um ihn zu behandeln, kein Mittel, der kleinste Unfall kann unter diesen Umständen zu einer Tragödie führen, wahrscheinlich warten die nur darauf, daß wir hier einer nach dem andern draufgehen, mit dem Tier stirbt auch das Gift. Die Frau des Arztes erhob sich, beugte sich über ihren Mann, als wollte sie ihn wecken, aber dann fand sie nicht den Mut, ihn aus dem Schlaf zu reißen, nur um festzustellen, daß er immer noch blind war, barfuß schlich sie zum Bett des Diebes. Er hatte die Augen weit geöffnet, starr. Wie fühlen Sie sich, flüsterte die Frau des Arztes. Der Dieb wandte den Kopf zu ihrer Stimme hin und sagte, Schlecht, das Bein schmerzt sehr, sie wollte sagen, Lassen Sie mal sehen, aber hielt sich rechtzeitig zurück, wie unvorsichtig, er war es, der vergessen hatte, daß es nur noch Blinde gab, der ohne nachzudenken handelte, wie er es vor einigen Stunden getan hätte, da draußen, wenn ein Arzt ihn gefragt hätte, Zeigen Sie her, und er hob die Decke hoch. Selbst im Dämmerlicht hätte jeder, der ein bißchen sehen konnte, die mit Blut vollgesogene Matratze wahrgenommen, das schwarze Loch der Wunde mit den geschwollenen Rändern. Der Verband hatte sich gelöst. Die Frau des Arztes nahm vorsichtig die Decke ab, dann legte sie mit einer schnellen leichten Geste die Hand auf die Stirn des Mannes. Seine Haut war trocken und glühte. Das Licht änderte sich erneut, es waren die Wolken, die fortzogen. Die Frau des Arztes kehrte zu ihrer Pritsche zurück, legte sich jedoch nicht mehr hin. Sie betrachtete ihren Mann, der im Traum etwas murmelte, die Gestalten der anderen unter den grauen Decken, die schmutzigen Wände, die noch leeren Betten, und wünschte sich von ganzem Herzen, ebenfalls blind zu sein, in die sichtbare Haut der Dinge vorzudringen, auf die andere Seite, in sie hinein, in die leuchtende unwiderrufliche Blindheit.

Plötzlich hörte man von draußen, wahrscheinlich aus der Eingangshalle, die zwischen den beiden Hauptflügeln des Gebäudes lag, den Lärm aufgebrachter Stimmen, Raus, raus, Gehen Sie, Verschwinden Sie, Hier können Sie nicht bleiben, Sie müssen die Anweisungen befolgen. Der Tumult nahm zu, ebbte ab, eine Tür schloß sich krachend, jetzt hörte man nur noch bekümmertes Schluchzen, das unverwechselbare Geräusch eines Menschen, der gerade gestolpert war. Im Saal waren jetzt alle wach. Sie wandten den Kopf zum Eingang hin, sie brauchten nicht zu sehen, um zu wissen, daß es Blinde waren, die hereinkommen würden. Die Frau des Arztes erhob sich, sie würde den Neuankömmlingen gerne helfen, ihnen ein freundliches Wort sagen, sie zu den Pritschen führen, informieren, Merken Sie sich, das ist Nummer sieben auf der linken Seite, das ist Nummer vier auf der rechten Seite, damit Sie sich nicht irren, ja, wir sind hier zu sechst, wir sind gestern angekommen, ja, wir waren die ersten, die Namen, wozu noch die Namen, einer, glaube ich, hat gestohlen, der andere wurde bestohlen, es gibt eine geheimnisvolle junge Frau mit dunkler Brille, die sich Augentropfen in die Augen tut, um eine Bindehautentzündung zu behandeln, woher ich weiß, blind wie ich bin, daß sie eine dunkle Brille trägt, nun, mein Mann ist Augenarzt, und sie war bei ihm in der Praxis, ja, er ist auch hier, er hat sie alle berührt, ach so, ja, und dann gibt es noch den kleinen schielenden Jungen. Sie rührte sich nicht, sie sagte nur zu ihrem Mann, Jetzt kommen sie. Der Arzt stand auf, seine Frau half ihm, die Hosen anzuziehen, es war nicht wichtig, niemand konnte sie sehen, in diesem Augenblick trafen die Blinden ein, es waren fünf, drei Männer und zwei Frauen. Der Arzt sagte, mit etwas lauterer Stimme, Bleiben Sie ganz ruhig, überstürzen Sie nichts, wir sind hier sechs Menschen, wie viele sind Sie, es ist Platz für alle da. Sie wußten nicht, wie viele sie waren, sie hatten einander zwar berührt, teilweise geschubst, als sie von dem linken Flügel in diesen hinausgestoßen worden waren, aber sie wußten nicht, wie viele sie waren. Und sie trugen kein Gepäck. Als sie in dem anderen Saal blind aufgewacht waren und darüber jammerten, hatten die anderen sie kurzerhand hinausgeschoben, ohne ihnen auch nur Zeit zu lassen, sich von einem Verwandten oder Freund oder wer immer bei ihnen war zu verabschieden. Die Frau des Arztes sagte, Am besten, Sie geben sich Nummern und sagen jeder, wer Sie sind. Die Blinden standen da, zögerten, aber einer mußte anfangen, zwei der Männer begannen gleichzeitig, wie es häufig geschieht, dann schwiegen sie, und es war der dritte, der begann, Eins, er machte eine Pause, es war, als wollte er seinen Namen sagen, doch was er sagte, war, Ich bin Polizist, und die Frau des Arztes dachte, Er hat nicht gesagt, wie er heißt, er wird wohl wissen, daß das hier nicht wichtig ist. Da stellte sich schon der andere Mann vor, Zwei, und er folgte dem Beispiel des ersten, Ich bin Taxifahrer. Der dritte Mann sagte, Drei, ich bin Apothekengehilfe. Dann eine Frau, Vier, ich bin Zimmermädchen im Hotel, und die letzte, Fünf, ich bin Büroangestellte. Das ist meine Frau, meine Frau, rief der erste Blinde, wo bist du, sag mir, wo du bist, Hier, ich bin hier, sagte sie weinend und lief zitternd durch den Mittelgang, mit weit aufgerissenen Augen, und ihre Hände kämpften sich durch das milchige Meer, das sie umgab. Er bewegte sich schon sicherer und ging auf sie zu, Wo bist du, wo bist du, jetzt murmelte er wie im Gebet. Eine Hand fand die andere, im nächsten Augenblick lagen sie sich in den Armen, waren wie ein Körper, ein Kuß suchte den anderen, manchmal verloren sie sich in der Luft, weil sie nicht wußten, wo die Gesichter waren, die Augen, der Mund. Die Frau des Arztes klammerte sich an ihren Mann, schluchzend, als hätte auch sie ihn wiedergefunden, doch dann sagte sie, Welch ein Unglück, welches Mißgeschick hat uns getroffen. Da hörte man die Stimme des kleinen schielenden Jungen, der fragte, Ist meine Mama auch hier. Die junge Frau mit der dunklen Brille, die auf seinem Bett saß, murmelte, Sie wird schon kommen, mach dir keine Sorgen, sie kommt bestimmt.

Hier ist das Zuhause eines jeden der Platz, auf dem er schläft, deshalb verwundert es nicht, daß die Neuankömmlinge sich zuerst darum bemühen, ein Bett zu wählen, so wie sie es auch im anderen Raum taten, als sie noch Augen zum Sehen hatten. Im Fall der Frau des ersten Blinden konnte es keinen Zweifel geben, ihr Platz war selbstverständlich an der Seite ihres Mannes, im Bett siebzehn, das Bett achtzehn blieb dazwischen wie ein leerer Raum, der sie von der jungen Frau mit der dunklen Brille trennte. Auch überrascht es nicht, daß die anderen versuchen, so nahe wie möglich beieinander zu sein, hier gibt es viele Affinitäten, einige, die schon bekannt sind, andere, die sich erst jetzt herausstellen werden, zum Beispiel war es der Apothekengehilfe, der der jungen Frau mit der dunklen Brille die Augentropfen verkaufte, im Taxi des Taxifahrers fuhr der erste Blinde zum Arzt, und der, der sagte, er sei Polizist, fand den Autodieb weinend wie ein verlorenes Kind, und was das Zimmermädchen angeht, war sie die erste, die den Raum betrat, als die junge Frau mit der dunklen Brille zu schreien begann. Sicher ist, daß nicht all diese Affinitäten sich offenbaren werden, entweder weil die passende Gelegenheit fehlt oder weil man sich nicht vorstellen kann, daß es sie gibt, oder weil es einfach eine Frage der Sensibilität und des Taktes ist. Die Hotelangestellte wird sich nicht träumen lassen, daß die Frau, die sie nackt gesehen hat, hier ist, vom Apothekengehilfen weiß man, daß er auch andere Kunden bedient hat, die dunkle Brillen trugen und Augentropfen kauften, und niemand wird so unklug sein, den Polizisten auf einen Kerl aufmerksam zu machen, der ein Auto gestohlen hat, der Fahrer könnte schwören, daß er in diesen letzten Tagen nicht einen einzigen Blinden in seinem Taxi befördert hat. Selbstverständlich hatte der erste Blinde seiner Frau schon flüsternd mitgeteilt, daß einer der Internierten der Mistkerl war, der ihm sein Auto weggenommen hatte, Stell dir diesen Zufall vor, aber, wie er inzwischen erfahren hatte, ging es dem armen Teufel mit der Wunde an seinem Bein schlecht, und großzügig fügte er hinzu, Das reicht als Strafe. Und sie, vor lauter Trauer über ihre Blindheit und Freude über die Begegnung mit ihrem Mann, Freude und Trauer können zusammengehen, sie sind nicht wie Wasser und Öl, erinnerte sich nicht einmal mehr an das, was sie zwei Tage zuvor gesagt hatte, daß sie ein Jahr ihres Lebens hergeben würde, damit dieser Halunke, so waren ihre Worte, erblindete. Und wenn noch ein letzter Schatten des Grolls auf ihr lag, dann verflüchtigte er sich gewiß, als der Verwundete bejammernswert seufzte, Herr Doktor, bitte helfen Sie mir. Geführt von seiner Frau, betastete der Arzt vorsichtig die Ränder der Wunde, er konnte nichts mehr tun, es lohnte nicht einmal, sie zu waschen, die Entzündung konnte ihre Ursache in dem tiefen Tritt eines Absatzes haben, der mit dem Boden auf der Straße und hier drin in Berührung gekommen war, konnte aber auch von Krankheitserregern herrühren, die sich mit großer Wahrscheinlichkeit in dem abgestandenen, trüben Waser aus den alten, schlechterhaltenen Rohren fanden. Die junge Frau mit der Brille, die sich erhoben hatte, als sie das Stöhnen hörte, trat langsam heran, indem sie die Betten zählte. Sie beugte sich vor, streckte die Hand aus, streifte das Gesicht der Frau des Arztes und dann, ohne zu wissen wie, die Hand des Verwundeten, die glühte, sie sagte mitleidig, Ich bitte Sie um Verzeihung, es war alles meine Schuld, ich hätte nicht tun sollen, was ich getan habe, Schon gut, antwortete der Mann, so ist das im Leben, ich habe auch getan, was ich nicht hätte tun sollen.

Die letzten Worte wurden fast übertönt von der rauhen Stimme des Lautsprechers, Achtung, Achtung, es wird bekanntgegeben, daß das Essen am Eingang deponiert wurde, ebenso Hygiene- und Reinigungsartikel, zuerst treten die Blinden heraus, der Flügel der Infizierten wird zu gegebener Zeit informiert, Achtung, Achtung, das Essen ist am Eingang deponiert worden, zuerst treten die Blinden heraus, die Blinden zuerst. Verwirrt durch das Fieber verstand der Verwundete nicht alles, er glaubte, man hätte ihm befohlen hinauszugehen, daß die Isolation zu Ende sei, und machte Anstalten, sich zu erheben, aber die Frau des Arztes hielt ihn zurück, Wohin wollen Sie, Haben Sie nicht gehört, sie haben gesagt, die Blinden sollen hinausgehen, Ja, aber nur, um das Essen zu holen. Ach, sagte der Verwundete entmutigt und spürte erneut, wie der Schmerz in seinem Fleisch wühlte. Der Arzt sagte, Bleiben Sie hier, ich werde gehen, Ich gehe mit, sagte seine Frau. Als sie den Saal verließen, fragte einer derjenigen, die aus dem anderen Flügel gekommen waren, Wer ist das, die Antwort kam von dem ersten Blinden, Er ist Arzt, ein Augenarzt, Das ist das Beste, was ich in meinem Leben gehört habe, sagte der Taxifahrer, da haben wir wirklich ein Los gewonnen und den einzigen Arzt gezogen, der nicht helfen kann, Wir haben auch ein Los gezogen mit einem Fahrer, der uns nirgendwohin fahren kann, antwortete die junge Frau mit der dunklen Brille höhnisch.

Die Kiste mit dem Essen stand in der Eingangshalle. Der Arzt bat seine Frau, Bring mich zur Tür nach draußen, Wozu,

Ich werde ihnen sagen, daß hier jemand mit einer schweren Infektion liegt und wir keine Medikamente haben, Denk an die Warnung, Ja, aber vielleicht, angesichts eines konkreten Falles, Das bezweifle ich, Ich auch, aber es ist unsere Pflicht, es zu versuchen. Draußen auf dem Treppenabsatz verwirrte das Tageslicht die Frau, nicht weil es so intensiv gewesen wäre, am Himmel zogen dunkle Wolken vorbei, vielleicht würde es regnen, Nach so kurzer Zeit bin ich das Licht nicht mehr gewöhnt, dachte sie. Im selben Augenblick rief ihnen ein Soldat vom Eingang zu, Halt, gehen Sie sofort zurück, ich habe Befehl zu schießen, und gleich darauf, im selben Ton, mit gezückter Waffe, Sergeant, hier sind Leute, die raus wollen, Wir wollen nicht raus, erwiderte der Arzt, Das ist auch besser so, sagte der Sergeant, während er sich ihnen näherte, und als er hinter dem Gitter des Tors erschien, fragte er, Was ist los, Jemand hat sich am Bein verletzt und hat eine Infektion, wir brauchen sofort Antibiotika und andere Medikamente, Die Befehle, die ich habe, sind eindeutig, niemand wird das Gebäude verlassen, und hinein kommt nur Essen, Wenn die Infektion sich verschlimmert, was ziemlich sicher ist, kann der Fall tödlich ausgehen, Damit habe ich nichts zu tun, Dann setzen Sie sich bitte mit Ihren Vorgesetzten in Verbindung, Hör zu, mein kleiner Blindgänger, wer sich hier in Verbindung setzen wird mit Ihnen, das bin ich, entweder Sie und die da gehen sofort dahin, wo Sie hergekommen sind, oder Sie werden erschossen, Gehen wir, sagte die Frau, wir können nichts tun, es ist nicht einmal ihre Schuld, sie haben große Angst und folgen nur den Befehlen, Ich kann es einfach nicht glauben, das ist gegen alle Regeln der Menschlichkeit, Besser, du glaubst es, denn noch nie hast du so deutlich eine

Wahrheit gehört, Sie sind immer noch da, brüllte der Sergeant, ich zähle bis drei, wenn Sie bei drei nicht aus meinem Blickfeld verschwunden sind, können Sie sicher sein, daß Sie nicht mehr hineinkommen, eeeins, zweeei, dreeei, na also, welch segensreiche Worte, und zu den Soldaten, Und wenn es mein eigener Bruder wäre, er sagte nicht, auf wen er sich bezog, auf den Mann, der um die Medikamente gebeten hatte, oder auf den mit dem entzündeten Bein. Drinnen wollte der Verwundete wissen, ob sie Medikamente hereinlassen würden, Woher wissen Sie, daß ich um Medikamente gebeten habe, fragte der Arzt, Das habe ich mir gedacht, Sie sind Arzt, Es tut mir sehr leid, Das heißt also, daß die Medikamente nicht kommen, Ja, Ach so.

Das Essen war genau für fünf Personen berechnet worden. Es gab Milch in Flaschen und Kekse, jedoch waren bei der Berechnung der Rationen die Gläser vergessen worden, auch Teller und Besteck fehlten, sie würden wahrscheinlich mit dem Mittagessen kommen. Die Frau des Arztes gab dem Verwundeten zu trinken, aber er übergab sich. Der Fahrer protestierte, weil er keine Milch mochte, und wollte wissen, ob es nicht Kaffee gäbe. Einige legten sich wieder hin, nachdem sie gegessen hatten, der erste Blinde ging mit seiner Frau das Gebäude erkunden, sie waren die einzigen, die den Saal verließen. Der Apothekengehilfe bat den Herrn Doktor zu sprechen, er wollte gern vom Herrn Doktor wissen, ob er sich eine Meinung über die Krankheit gebildet habe, Ich glaube nicht, daß man von einer Krankheit im eigentlichen Sinne sprechen kann, erklärte der Arzt nun und faßte vereinfachend zusammen, was er, bevor er selbst erblindet war, in den Büchern nachgelesen hatte. Einige Betten weiter hörte der Fahrer aufmerksam zu, und als der Arzt seinen Bericht beendet hatte, sagte er, Ich wette, daß sich die Kanäle, die von den Augen ins Gehirn gehen, verstopft haben, Was für ein Idiot, brummte der Apothekengehilfe empört, Wer weiß, der Arzt lächelte unwillkürlich, in der Tat sind die Augen nicht mehr als eine Brille, ein Objektiv, in Wirklichkeit sieht das Gehirn so, wie das Bild auf einem Film erscheint, und wenn die Kanäle verstopft sind, wie jener Herr gesagt hat, Das ist dasselbe wie ein Vergaser, wenn das Benzin nicht durchgeht, dann kann der Motor nicht arbeiten, und das Auto fährt nicht, So einfach ist das, wie Sie sehen, sagte der Arzt zum Apothekengehilfen. Und was glauben Sie, Herr Doktor, wie lange wir hierbleiben müssen, fragte das Zimmermädchen, Zumindest solange wir nicht sehen können, Und wie lang wird das sein, Ehrlich gesagt, glaube ich nicht, daß irgend jemand das weiß, Ist es etwas Vorübergehendes, oder wird es für immer sein, Wenn ich das nur wüßte. Das Zimmermädchen seufzte und sagte nach einigen Augenblicken, Ich würde auch gern wissen, was mit der jungen Frau passiert ist, Welche junge Frau, fragte der Apothekengehilfe, Die vom Hotel, den Anblick werde ich nicht vergessen, sie da mitten im Zimmer, nackt, wie sie auf die Welt gekommen ist, sie hatte nur eine dunkle Brille auf und schrie, sie sei blind, ganz gewiß ist, daß sie mir die Blindheit weitergegeben hat. Die Frau des Arztes blickte umher, sie sah die junge Frau langsam, heimlich die Brille abnehmen und unter das Kopfkissen legen, während sie den kleinen schielenden Jungen fragte, Willst du noch einen Keks. Zum ersten Mal seit ihrer Ankunft kam die Frau des Arztes sich vor, als blicke sie durch ein Mikroskop und beobachte das Verhalten von Wesen, die ihre Anwesenheit nicht einmal erahnen konnten, und plötzlich erschien ihr dies unwürdig, obszön, Ich habe nicht das Recht, die anderen zu betrachten, wenn sie mich nicht ansehen können, dachte sie. Mit zitternder Hand flößte die junge Frau sich einige Tropfen ihres Medikaments in die Augen. So könnte sie immer sagen, daß es nicht Tränen waren, die ihr aus den Augen liefen.

Als Stunden später der Lautsprecher verkündete, daß das Mittagessen abgeholt werden könne, erklärten der erste Blinde und der Fahrer sich bereit zu einer Mission, für die die Augen nicht unerläßlich waren, es reichte der Tastsinn. Die Kisten waren weit weg von der Tür, die den Eingang mit dem Korridor verband, um sie zu finden, mußten sie auf allen vieren kriechen und dabei mit einem ausgestreckten Arm vor sich über den Boden fegen, während der andere als drittes Bein diente, und sie hatten nur deshalb keine Schwierigkeiten, in den Saal zurückzukehren, weil die Frau des Arztes eine Idee gehabt hatte, die sie vorsichtshalber mit einer eigenen Erfahrung rechtfertigte, sie riß eine Decke in Streifen, knüpfte daraus eine Art Seil, ein Ende würde immer an der Außenklinke der Saaltür befestigt sein und das andere jeweils am Knöchel desjenigen, der hinausging, um das Essen zu holen. Die beiden Männer gingen, es kamen Teller und Bestecke, aber die Nahrung war wieder nur für fünf berechnet, wahrscheinlich wußte der Sergeant, der die Wachmannschaft anführte, nicht, daß bereits weitere sechs Menschen erblindet waren, denn von außerhalb des Tores, selbst wenn man genau auf das achtete, was sich hinter dem Eingang abspielte, konnte man nur zufällig im Schatten der Vorhalle die Menschen von einem Flügel zum anderen hinübergehen sehen. Der Fahrer bot an, nach dem fehlenden Essen zu verlangen, er ging allein, er wollte keine Begleitung, Wir sind nicht fünf, sondern elf, rief er den Soldaten zu, und derselbe Sergeant antwortete von dort, Nur ruhig, es werden noch sehr viel mehr werden, er sagte dies in einem Ton, der dem Fahrer wie ein Witz vorkommen mußte, nach seinen Worten zu urteilen, als er in den Saal zurückkehrte, Es war, als ob er sich über mich lustig machte. Sie teilten das Essen auf, fünf Portionen geteilt durch zehn, denn der Verwundete wollte immer noch nichts essen, er bat nur um Wasser und man möge ihm bitte den Mund befeuchten. Seine Haut glühte. Da er nicht lange die Berührung und das Gewicht der Decke auf der Wunde ertragen konnte, enthüllte er hin und wieder das Bein, doch die kalte Luft im Saal zwang ihn, sich kurz darauf wieder zuzudecken, und so vergingen die Stunden. Er stöhnte in regelmäßigen Abständen, wie in einem erstickten Anlauf, als sei der ständige, starke Schmerz ganz plötzlich angewachsen, bevor er ihn fassen und an der Grenze des Erträglichen halten konnte.

Im Lauf des Nachmittags kamen drei weitere Blinde an, vom anderen Flügel ausgestoßen. Eine von ihnen war die Sprechstundenhilfe, die die Frau des Arztes sofort erkannte, und die anderen, so hatte es das Schicksal bestimmt, waren der Mann, der mit der jungen Frau mit der dunklen Brille im Hotel zusammengewesen war, und jener grobe Polizist, der sie nach Hause gebracht hatte. Sie hatten gerade Zeit, die Betten zu erreichen und sich hinzusetzen, irgendwo, die Sprechstundenhilfe weinte verzweifelt, die beiden Männer schwiegen, als könnten sie noch nicht begreifen, was mit ihnen geschehen war. Plötzlich hörte man von der Straße her Menschen wirr durcheinanderrufen, dazu Befehle, die brüllend erteilt wurden, ein aufgebrachtes Stimmengewirr. Die Blinden im Saal wandten ihr Gesicht alle abwartend der Tür zu. Sie konnten nichts sehen, aber sie wußten, was in den folgenden Minuten geschehen würde. Die Frau des Arztes saß auf dem Bett neben ihrem Mann und sagte leise, Es mußte so kommen, nun beginnt die versprochene Hölle. Er drückte ihre Hand und murmelte, Bleib hier, von jetzt ab kannst du doch nichts mehr tun. Die Schreie hatten nachgelassen, jetzt hörte man wirre Geräusche aus der Eingangshalle, es waren die Blinden, die wie eine Herde getrieben wurden, sie stießen gegeneinander, zwängten sich durch die Türen, einige wenige verloren die Orientierung und landeten in anderen Sälen, doch die meisten, entweder zu mehreren aneinandergeklammert oder einzeln, indem sie hilflos mit den Händen wedelten wie jemand, der ertrinkt, stolperten in einem Taumel in den Saal, als würden sie von draußen durch eine Planierraupe hereingeschoben. Einige fielen hin und wurden getreten. Eingezwängt in den engen Mittelgang, verteilten die Blinden sich allmählich auf den Raum zwischen den Pritschen, und dort, wie ein Schiff, das in einem Sturm endlich den Hafen erreicht hat, nahmen sie ihren persönlichen Ankerplatz in Besitz, nämlich das Bett, und verkündeten, daß schon niemand mehr hineinpaßte, daß die Zuspätgekommenen sich einen anderen Platz suchen sollten. Von hinten rief der Arzt, es gebe mehr Säle, aber die wenigen, die ohne Bett geblieben waren, hatten Angst, sich im Labyrinth, wie sie es sich vorstellten, zu verlieren, Säle, Korridore, geschlossene Türen, Treppen, die man erst im letzten Augenblick entdecken würde. Endlich begriffen sie, daß sie dort nicht bleiben konnten, suchten mühsam die Tür, durch die sie hereingekommen waren, und wagten sich ins Unbekannte vor. Als hätten sie eine letzte, noch sichere Zufluchtsstätte gesucht, hatten die Blinden der zweiten Gruppe, die aus fünf Menschen bestand, die Pritschen einnehmen können, die zwischen ihnen und der ersten Gruppe leer geblieben waren. Nur der Verwundete blieb isoliert, ohne Schutz, im Bett Nummer vierzehn, links.

Eine Viertelstunde später, abgesehen von etwas Weinen und Klagen und diskretem Raunen kehrte wieder Stille in den Saal ein, nicht Ruhe. Alle Pritschen waren jetzt belegt. Der Nachmittag neigte sich dem Ende zu, die blassen Lampen schienen an Stärke zu gewinnen. Dann hörte man die harsche Stimme des Lautsprechers. Wie am ersten Tag wurden die Anweisungen über den Betrieb der Säle und die Regeln, die die Internierten zu befolgen hatten, wiederholt, Die Regierung bedauert, daß sie gezwungen ist, auf energischste Weise auszuführen, was sie als ihr Recht und ihre Pflicht ansieht, um in der gegenwärtigen Krise mit allen Mitteln die Bevölkerung zu schützen, etc. etc. Als die Stimme verstummte, erhob sich ein empörter Chor von Protesten, Wir sind eingeschlossen, Wir werden hier alle sterben, Das ist nicht recht, Wo sind die Ärzte, die uns versprochen wurden, das war neu, die Behörden hatten also Ärzte versprochen, medizinische Versorgung, vielleicht sogar die vollständige Heilung. Der Arzt sagte nicht, daß sie hier einen Arzt hätten, wenn sie einen brauchten. Er würde es nie wieder sagen. Für einen Arzt reichen die Hände nicht, ein Arzt heilt mit Medikamenten, mit Drogen, mit chemischen Substanzen, mit Kombinationen aus diesem und jenem, und hier gab es keine Spur davon, nicht einmal die Hoffnung, sie zu bekommen. Er hatte nicht einmal Augen, um eine Blässe wahrzunehmen, ein Erröten festzustellen, gereizte Schleimhäute oder Pigmente, wie oft, ohne daß es einer eingehenden Untersuchung bedurfte, waren diese äußeren Anzeichen schon soviel wie eine vollständige Krankheitsgeschichte, mit höchster Wahrscheinlichkeit eine sichere Diagnose, diesmal gibt es kein Entrinnen. Da die nächsten Pritschen alle belegt waren, konnte seine Frau ihm nicht mehr erzählen, was sich zutrug, doch er bemerkte, wie belastet und angespannt die Stimmung war, hart an der Grenze zu einem Konflikt, seit die letzten Blinden angekommen waren. Sogar die Luft schien dichter geworden zu sein, schwere Gerüche in plötzlichen, ekelerregenden Wellen gingen durch den Saal. Wie wird das alles in einer Woche sein, fragte er sich, und er hatte Angst, sich vorzustellen, daß sie in einer Woche alle hier eingeschlossen wären, Angenommen, es gibt keine Schwierigkeiten mit der Lieferung des Essens, und es ist nicht sicher, daß es sie nicht geben wird, bezweifle ich zum Beispiel, daß die Leute dort draußen immer genau wissen, wie viele wir hier drin sind, die Frage ist, wie werden die hygienischen Probleme gelöst werden, ich rede schon nicht einmal mehr davon, wie wir uns waschen können, blind wie wir seit einigen Tagen sind und ohne jede Hilfe, und ob die Duschen funktionieren und für wie lange, ich rede vom Rest, von den Resten, eine einzige verstopfte Toilette, nur eine, und das Ganze hier wird zu einer Kloake. Er rieb sich das Gesicht mit den Händen, er fühlte den rauhen Dreitagebart, Es ist besser so, ich hoffe, sie kommen nicht auf die dumme Idee, uns Rasierklingen oder Scheren zu schicken. Er hatte in seinem Koffer alles, was er brauchte, um sich zu rasieren, aber ihm war bewußt, daß das ein Fehler wäre, Und wo, wo denn, nicht hier im Saal, unter all diesen Menschen, natürlich könnte sie mich rasieren, aber bald würden die anderen es merken und sich darüber wundern, daß jemand hier das tun kann, und dort drin unter den Duschen, all das Durcheinander, mein Gott, wie fehlen uns unsere Augen, sehen, sehen, auch wenn es nur vage Schatten wären, vor einem Spiegel einen dunklen Umriß erkennen und sagen können, da ist mein Gesicht, doch das Licht gehört mir nicht.

Die Klagen verebbten allmählich, jemand kam aus dem anderen Saal und fragte, ob noch etwas Essen übrig sei, und die Antwort kam vom Taxifahrer, Nicht ein Krümel, doch gutwillig schwächte der Apothekengehilfe die schroffe Antwort ab, Vielleicht kommt noch welches. Nichts würde mehr kommen. Es wurde stockdunkel. Weder Essen noch Worte von draußen. Man hörte Schreie aus dem Saal nebenan, dann wurde es still, wenn jemand weinte, dann leise, das Weinen drang nicht durch die Wände. Die Frau des Arztes sah nach, wie es dem Kranken ging, Ich bin's, sagte sie und hob vorsichtig die Decke, das Bein sah erschreckend aus, vom Schenkel an war es geschwollen, und die Wunde bildete einen schwarzen Kreis mit bläulichen, blutigen Flecken, sie hatte sich ausgebreitet, als wäre das Fleisch nach innen gezogen worden. Ein fauliger, süßlicher Geruch stieg davon auf. Wie fühlen Sie sich, fragte die Frau des Arztes, Danke, daß Sie da sind, Sagen Sie mir, wie Sie sich fühlen, Schlecht, Haben Sie Schmerzen, Ja und nein, Wie meinen Sie das, Es schmerzt, aber es ist, als sei es nicht mein Bein, als sei es von meinem Körper getrennt, ich kann es Ihnen nicht erklären, es ist ein merkwürdiges Gefühl, als würde ich hier liegen und dem Bein, das schmerzt, zusehen, Das ist das Fieber, Wahrscheinlich, Versuchen Sie zu schlafen. Die Frau des Arztes legte ihm die Hand auf die Stirn, dann wollte sie sich umdrehen und fortgehen, kam aber nicht dazu, gute Nacht zu sagen, denn der Kranke ergriff ihren Arm und zog sie zu sich herab, so daß ihr Gesicht seinem nahe war, Ich weiß, daß Sie sehen können, sagte er ganz leise. Die Frau des Arztes erschauderte und murmelte, Sie irren sich, wie kommen Sie darauf, ich sehe soviel wie jeder andere hier, Mich brauchen Sie nicht zu täuschen, ich weiß genau, daß Sie sehen können, aber keine Sorge, ich sage nichts, Schlafen Sie, schlafen Sie, Sie haben kein Vertrauen zu mir, Doch, Sie trauen dem Wort eines Gauners nicht, Ich habe Ihnen schon gesagt, daß ich Ihnen vertraue, Warum sagen Sie mir dann nicht die Wahrheit, Morgen werden wir uns unterhalten, schlafen Sie jetzt, Nun gut, morgen, wenn ich dann noch lebe, Wir dürfen nicht das Schlimmste denken, Tue ich aber, oder das Fieber denkt für mich. Die Frau des Arztes ging zu ihrem Mann zurück und flüsterte ihm ins Ohr, Die Wunde sieht schlimm aus, es ist Brand, In so kurzer Zeit, das halte ich für unwahrscheinlich, Egal, es geht ihm sehr schlecht, Und wir hier, sagte der Arzt absichtlich laut, nicht genug, daß wir blind sind, es ist, als hätte man uns noch an Händen und Füßen gefesselt. Vom Bett vierzehn links antwortete der Kranke, Mich wird niemand fesseln, Herr Doktor.

Die Stunden verstrichen, einer nach dem anderen schliefen die Blinden ein. Manche hatten den Kopf unter der Decke, als wünschten sie, daß die Dunkelheit, eine richtige schwarze Dunkelheit, endgültig die trüben Sonnen, in die sich ihre Augen verwandelt hatten, auslöschen möge. Die drei Lampen, die an der hohen Decke hingen, außer Reichweite, gaben ein schmutziges, gelbliches Licht ab, das nicht einmal Schatten warf. Vierzig Menschen schliefen oder versuchten verzweifelt zu schlafen, einige seufzten und murmelten im Schlaf, vielleicht sahen sie im Traum das, wovon sie träumten, vielleicht sagten sie, Wenn das ein Traum ist, dann will ich nicht aufwachen. Alle ihre Uhren standen still, sie hatten vergessen, sie aufzuziehen, oder dachten, es lohne sich nicht mehr, nur die der Frau des Arztes funktionierte noch. Es war nach drei Uhr morgens. Vorn erhob sich ganz langsam, auf die Ellenbogen gestützt, der Autodieb, er fühlte sein Bein nicht, nur der Schmerz war da, der Rest gehörte ihm nicht mehr. Das Kniegelenk war steif. Er rollte mit dem Körper auf die Seite des gesunden Beins, das er aus dem Bett hängen ließ, dann griff er mit beiden Händen unter den Schenkel und versuchte, das verwundete Bein in derselben Richtung zu bewegen. Wie ein Rudel Wölfe, die plötzlich erwachen, tobten die Schmerzen in alle Richtungen davon, um dann in den finsteren Krater zurückzukehren, aus dem sie sich nährten. Auf die Hände gestützt rutschte er langsam auf der Matratze zum Gang hin. Als er am Fußende angekommen war, mußte er ausruhen. Er konnte nur schwer atmen, als hätte er Asthma, sein Kopf wackelte auf den Schultern, er konnte sich kaum aufrecht halten. Nach ein paar Minuten atmete er wieder regelmäßiger, erhob sich langsam und stellte sich auf das gesunde Bein. Er wußte, daß das andere ihm nicht viel nützen würde, er müßte es hinter sich herziehen, wohin er auch ging. Ihm wurde schwindlig, ein unbezwingbares Beben durchfuhr seinen Körper, Kälte und Fieber ließen seine Zähne aufeinanderschlagen. Er hielt sich an den Eisenstäben der Betten fest, so kam er langsam voran von einem zum anderen, als würde er sich zwischen den Schlafenden hindurchflechten. Das verwundete Bein zog er wie einen Sack hinter sich her. Niemand beachtete ihn, niemand fragte ihn, Wohin gehst du um diese Zeit, wenn jemand gefragt hätte, er hätte gewußt, was er antworten würde, Ich gehe pinkeln, er wollte auf keinen Fall, daß die Frau des Arztes ihn ansprach, denn sie konnte er nicht täuschen, nicht belügen, ihr müßte er sagen, was er vorhatte, Ich kann hier nicht weiter verfaulen, ich weiß, daß Ihr Mann alles getan hat, was er konnte, aber als ich ein Auto gestohlen habe, habe ich auch niemand anders gebeten, es für mich zu tun, jetzt ist es genauso, ich muß da rausgehen, wenn die mich in diesem Zustand sehen, werden sie bestimmt begreifen, daß es mir schlechtgeht, mich in eine Ambulanz stecken und ins Krankenhaus bringen, sicher gibt es Krankenhäuser nur für Blinde, noch einer mehr, was macht das für einen Unterschied, dann werden sie mein Bein behandeln und mich kurieren, ich habe gehört, was man mit den zum Tode Verurteilten tut, wenn sie eine Blinddarmentzündung haben, erst werden sie operiert, und danach werden sie getötet, damit sie gesund sterben, von mir aus können die mich hinterher wieder hierher zurückbringen, das ist mir gleich. Er schleppte sich weiter, biß die Zähne zusammen, um nicht zu stöhnen, konnte jedoch einen Seufzer des Schmerzes nicht unterdrücken, als er am Ende der Reihe angelangt war und das Gleichgewicht verlor. Er hatte sich beim Zählen der Betten geirrt und gedacht, es käme noch eins, aber er griff ins Leere. Zu Boden gestürzt, rührte er sich nicht, bis er sicher war, daß niemand durch seinen Sturz aufgewacht war. Dann fand er, daß seine Position für einen Blinden gerade richtig war, so konnte er auf allen vieren den Weg leichter finden. Er schleppte sich weiter, bis zur Eingangshalle, dann hielt er inne, um darüber nachzudenken, wie er weiter vorgehen sollte, ob es besser wäre, von der Tür aus zu rufen oder sich dem Gitter zu nähern, indem er sich an dem Seil festhielt, das als Geländer gedient hatte und das sicher noch dort war. Er wußte sehr wohl, daß man ihn, wenn er von dort aus um Hilfe riefe, sofort zurückschicken würde, aber dann kamen ihm Zweifel, nachdem er sich auf die Betten gestützt hatte und gefallen war, hatte er nun als Alternative ein wackliges, schwankendes Seil. Nach einigen Minuten glaubte er, eine Lösung gefunden zu haben, Ich werde auf allen vieren kriechen, dachte er, unter dem Seil entlang, ab und zu werde ich die Hand heben, um zu sehen, ob ich noch auf dem richtigen Weg bin, das ist genauso wie ein Auto zu stehlen, es findet sich immer ein Weg. Plötzlich, völlig unverhofft, erwachte sein Gewissen und rügte ihn scharf, weil er fähig gewesen war, einem armen Blinden das Auto zu stehlen, Wenn ich jetzt in dieser Situation bin, argumentierte er, dann nicht deshalb, weil ich ihm das Auto gestohlen habe, sondern weil ich ihn nach Hause begleitet habe, das war mein großer Fehler. Das Gewissen war nicht auf Spitzfindigkeiten eingestellt, seine Gründe waren einfach und klar, ein Blinder ist etwas Heiliges, einen Blinden bestiehlt man nicht, Technisch gesprochen habe ich ihn gar nicht bestohlen, er hatte das Auto ja gar nicht bei sich, und ich habe ihm auch keine Pistole vor die Nase gehalten, verteidigte sich der Angeklagte, Mach dir doch nichts vor, murmelte das Gewissen, und sieh zu, daß du weiterkommst.

Die frische Morgenluft kühlte sein Gesicht. Wie gut es sich hier draußen atmet, dachte er. Es kam ihm so vor, als würde das Bein viel weniger schmerzen, das überraschte ihn jedoch nicht, denn schon vorher war es mehr als einmal so gewesen. Er war auf dem Treppenabsatz draußen, gleich würde er an den Stufen sein, Das wird das Schwierigste, dachte er, mit dem Kopf vorneweg die Treppe hinunter. Er hob einen Arm, um sich zu vergewissern, daß das Seil noch da war, und kroch weiter. Wie er vorausgesehen hatte, war es nicht einfach, von einer Stufe zur anderen zu gelangen, vor allem wegen des Beines, das ihm nicht half, und den Beweis hatte er bald, als er mitten auf der Treppe mit einer Hand auf der Stufe ausrutschte, auf die Seite fiel und von dem toten Gewicht des verfluchten Beines fortgerissen wurde. Die Schmerzen kehrten sofort zurück, mit Sägen, Bohrern und Hämmern, und er wunderte sich selbst, wie er es schaffte, nicht zu schreien. Ein paar lange Minuten blieb er auf dem Bauch ausgestreckt liegen, mit dem Gesicht zum Boden. Ein Windstoß ließ ihn vor Kälte erzittern. Er trug nur ein Hemd und seine Unterhose auf dem Körper. Die ganze Wunde war mit der Erde in Berührung, und er dachte, Sie kann sich entzünden, ein dummer Gedanke, schließlich hatte er sich vom Schlafsaal kriechend hierhergeschleppt, Gut, macht nichts, sie werden mich behandeln, bevor sie sich entzündet, dachte er dann, um sich zu beruhigen, und drehte sich auf die Seite, um das Seil besser zu erreichen. Er fand es nicht gleich. Er hatte vergessen, daß er quer zu dem Seil lag, als er die Treppe hinuntergerollt war, aber seinem Instinkt folgend blieb er liegen. Dann half ihm sein Verstand weiter, er setzte sich auf und bewegte sich langsam vorwärts, bis seine Nieren die erste Stufe berührten, und mit einem überschwenglichen Siegesgefühl spürte er das rauhe Seil an der erhobenen Hand. Wahrscheinlich war es auch dieses Gefühl, das ihn gleich darauf entdecken ließ, wie er sich am besten fortbewegen konnte, ohne daß die Wunde den Boden berührte, er setzte sich mit dem Rücken zum Tor, benutzte die Arme als Krücken, wie es früher die Kriegsversehrten ohne Beine getan hatten, und bewegte sich in kleinen Rucken mit dem Körper in der Hocke vorwärts. Rückwärts ja, denn in diesem wie in anderen Fällen war es leichter zu ziehen, als zu schieben. Auf diese Weise litt das Bein nicht so sehr, außerdem half ihm das sanfte Gefälle des Grundstücks zum Ausgang hin. Und das Seil konnte er nun nicht mehr verlieren, er berührte es fast mit dem Kopf. Er fragte sich, ob noch viel fehlte bis zum Tor, es war nicht das gleiche wie auf einem Fuß zu laufen, besser auf beiden Füßen, wenn man sich kriechend vorwärts bewegte und jeweils nur eine Handbreit oder gar weniger vorwärts kam. Für einen Augenblick vergaß er, daß er blind war, wandte den Kopf, wie um sich zu vergewissern, wieviel noch fehlte, und stieß vor sich auf dasselbe endlose Weiß. Ist es Nacht, ist es Tag, fragte er sich, also, wenn es Tag wäre, hätten sie mich schon gesehen, außerdem hat es bisher nur vor längerer Zeit ein Frühstück gegeben. Er war verblüfft über den logischen Verstand, den er an sich entdeckte, mit welcher Schnelligkeit er Überlegungen anstellte, er empfand sich plötzlich anders, ein anderer Mensch, und wenn nicht das Unglück mit diesem Bein wäre, so hätte er schwören können, daß er sich nie zuvor in seinem Leben so wohl gefühlt hatte. Der Rücken stieß an den unteren, mit Platten verkleideten Teil des Tores. Er war angekommen. Im Wächterhäuschen, wo er sich vor der Kälte zu schützen versuchte, glaubte der Wachsoldat, leichte Geräusche zu hören, die er nicht identifizieren konnte, auf jeden Fall konnten sie wohl nicht von drinnen kommen, wahrscheinlich war es das leichte Rascheln der Blätter, ein Zweig, den der Wind am Gitter hatte entlangstreifen lassen. Ein anderes Geräusch drang plötzlich an sein Ohr, und das war anders, ein Schlag, um genauer zu sein, ein Aufprall, der nicht vom Wind herrühren konnte. Beunruhigt verließ der Soldat das Wächterhäuschen, mit geschultertem automatischem Gewehr. Er sah nichts. Das Geräusch kehrte jedoch wieder, stärker, jetzt klang es so, als würden Fingernägel auf einer unebenen Oberfläche kratzen. Die Platte am Tor, dachte er. Er tat einen Schritt zum Zelt hin, wo der Sergeant schlief, dann aber hielt ihn der Gedanke zurück, daß er für falschen Alarm einen Anpfiff einstecken würde, Sergeanten haben es nicht gern, wenn man sie weckt, selbst wenn es einen Grund dafür gibt. Er sah wieder zum Tor hinüber und wartete angespannt. Sehr langsam tauchte nun zwischen zwei senkrechten Eisenstäben, wie ein Gespenst, ein weißes Gesicht auf. Das Gesicht eines Blinden. Die Angst ließ das Blut des Soldaten erstarren, und aus Angst zielte er mit der Waffe und gab aus der Nähe eine Salve von Schüssen ab.

Auf das stoßweise Krachen der Detonationen hin traten die Soldaten des Wachtrupps, die die Irrenanstalt und alle, die dort interniert waren, bewachen sollten, halb bekleidet aus den Zelten. Der Sergeant hatte schon das Kommando übernommen, Was zum Teufel war das, Ein Blinder, ein Blinder, stammelte der Soldat, Wo, Dort, und er zeigte mit dem Gewehrlauf auf das Tor, Ich sehe gar nichts, Er war dort, ich habe ihn gesehen. Die Soldaten waren nun fertig ausgerüstet und warteten in Reih und Glied mit den Gewehren in der Hand. Schalten Sie den Scheinwerfer ein, befahl der Sergeant. Einer der Soldaten stieg auf ein Fahrzeug. Sekunden später beleuchtete der Scheinwerfer das Tor und die Vorderfront des Gebäudes. Da ist niemand, du Idiot, sagte der Sergeant und wollte noch weitere militärische Freundlichkeiten von sich geben, als er sah, wie unter dem Tor im gleißenden Licht eine schwarze Pfütze hervorquoll. Den Kerl hast du fertiggemacht. Dann erinnerte er sich an die strikten Anweisungen, die er erhalten hatte, und rief, Zurücktreten, das ist anstekkend. Die Soldaten wichen ängstlich zurück, blickten aber weiter auf die Blutpfütze, die sich langsam über die kleinen Steine auf dem Gehweg ausbreitete. Glaubst du, der Kerl ist tot, fragte der Sergeant, Sicher, er hat die Salve genau ins Gesicht gekriegt, antwortete der Soldat, nun zufrieden mit sich, daß er offenbar so gut gezielt hatte. In diesem Augenblick rief ein anderer Soldat aufgeregt, Sergeant, Sergeant, schauen Sie, dort. Auf dem äußeren Absatz der Treppe, im weißen Licht des Scheinwerfers, sah man nun einige Blinde stehen, mehr als ein Dutzend, Bleiben Sie, wo Sie sind, brüllte der Sergeant, Ein einziger Schritt, und Sie sind alle dran. An den Fenstern der Gebäude gegenüber sah man einige Menschen, die von den Schüssen aufgeweckt worden waren, erschrocken durch die Scheiben blicken. Dann rief der Sergeant, Vier von Ihnen holen die Leiche, da sie sich weder sehen noch zählen konnten, setzten sich sechs Blinde in Bewegung, Ich habe gesagt, vier, brüllte der Sergeant hysterisch. Die Blinden berührten sich, noch einmal, und zwei von ihnen blieben zurück. Die anderen gingen nun langsam am Seil entlang vorwärts.

Wir müssen sehen, ob es hier irgendwo eine Schaufel oder Hacke gibt, irgend etwas, womit wir graben können, sagte der Arzt. Es war Morgen, unter großen Anstrengungen hatten sie die Leiche in den Innenhof gebracht und dort auf den Boden gelegt, zwischen den Müll und die toten Blätter der Bäume. Jetzt mußte er beerdigt werden. Nur die Frau des Arztes wußte, in welchem Zustand der Tote war, das Gesicht und der Schädel von den Schüssen zerfetzt, drei Einschußlöcher im Hals und in der Gegend des Brustbeins. Sie wußte auch, daß es im ganzen Gebäude nichts gab, womit man ein Grab hätte ausheben können. Sie war das ganze Gelände, das man ihnen zugewiesen hatte, abgelaufen und hatte nur eine Eisenstange gefunden. Die würde helfen, war aber nicht ausreichend. Hinter den geschlossenen Fenstern des Flures im Flügel der vermutlich Infizierten, die Fenster lagen auf dieser Seite zum Innenhof niedriger, hatte sie entsetzte Gesichter von Menschen gesehen, die auf ihre Stunde warteten, auf den unvermeidlichen Augenblick, in dem sie zu den anderen würden sagen müssen, Ich bin erblindet, oder wenn sie versuchten, dies zu verheimlichen, und eine falsche Geste sie verriet, eine Bewegung des Kopfes auf der Suche nach einem Schatten, das ungerechtfertigte Anrempeln von jemandem, der sehen konnte. All das wußte auch der Arzt, und der Satz, den er ausgesprochen hatte, war Teil der Verstellung, die sie beide vereinbart hatten, so konnte die Frau nun sagen, Und wenn wir die Soldaten darum bitten, uns hier eine Schaufel rüberzuwerfen, Gute Idee, probieren wir es, und alle waren damit einverstanden, ja, es sei eine gute Idee, nur die junge Frau mit der dunklen Brille sagte kein Wort zu dieser Frage der Schaufel oder des Spatens, alles, was sie von sich gab, waren Tränen und Jammern, Es war meine Schuld, sagte sie weinend, und das stimmte zweifellos, es stimmte jedoch auch, falls ihr dies ein Trost ist, daß wir uns schon beim ersten Gedanken kaum vom Fleck rühren würden, könnten wir immer alle Folgen unseres Handelns voraussehen, würden wir ernsthaft darüber nachdenken, zunächst über die unmittelbaren Folgen, dann die möglichen, die wahrscheinlichen, die vorstellbaren. Gute und schlechte Ergebnisse unserer Worte und Werke verteilen sich, vermutlich auf eine recht gleichförmige, ausgeglichene Weise, über alle Tage der Zukunft, eingeschlossen auch jene endlosen, an denen wir schon nicht mehr hier sein werden, um dies zu überprüfen, uns zu beglückwünschen oder zu entschuldigen, übrigens gibt es sogar Menschen, die sagen, eben das sei die Unsterblichkeit, von der soviel geredet wird, Mag sein, aber dieser Mann ist tot, und er muß beerdigt werden. So gingen also der Arzt und seine Frau hinaus, um zu verhandeln, die junge Frau mit der dunklen Brille, untröstlich, wollte mitgehen. Aus schlechtem Gewissen. Kaum waren sie am Eingangstor zu sehen, rief ihnen ein Soldat zu, Halt, und als befürchtete er, der so nachdrücklich ausgesprochene Befehl könnte womöglich nicht beachtet werden, gab er einen Schuß in die Luft ab. Erschrocken wichen sie zurück in den Schutz des Schattens im Eingang, hinter die dicken Bretter der offenen Tür. Dann ging die Frau des Arztes allein nach vorn, von dort, wo sie war, konnte sie die Bewegung der Soldaten sehen und sich, wenn nötig, rechtzeitig in Sicherheit bringen, Wir haben nichts, womit wir den Toten beerdigen können, sagte sie, wir brauchen eine Schaufel. Am Tor erschien nun ein anderer Soldat, direkt gegenüber der Stelle, an der der Blinde getötet worden war. Es war ein Sergeant, aber nicht der von vorher, Was wollen Sie, rief er, Wir brauchen eine Schaufel oder eine Hacke, So was gibt es hier nicht, gehen Sie, Wir müssen den Toten beerdigen, Dann beerdigen Sie ihn eben nicht, lassen Sie ihn liegen und verfaulen, Wenn wir ihn liegenlassen, wird er die Luft verpesten, Soll er doch, und wohl bekomm's, Die Luft bleibt aber nicht stehen, sie wird rüberziehen. Dies überzeugende Argument stimmte den Soldaten nachdenklich. Er war an die Stelle des anderen Sergeanten getreten, der erblindet und sofort in die Unterkunft für die Kranken der Bodentruppen verlegt worden war. Es erübrigt sich der Hinweis, daß Luftwaffe und Marine ebenfalls über eigene Einrichtungen verfügten, allerdings kleiner und weniger bedeutend, da ihre Truppenstärke geringer war. Die Frau hat recht, überlegte der Sergeant, in einem Fall wie diesem kann man bestimmt nicht vorsichtig genug sein. Zur Vorbeugung hatten zwei Soldaten mit Gasmasken schon zwei große Behälter Ammoniak über das Blut gegossen, die letzten noch aufsteigenden Dämpfe trieben den Soldaten die Tränen in die Augen und reizten die Schleimhäute in Hals und Nase. Der Sergeant erklärte schließlich, Gut, ich werde sehen, was sich machen läßt, Und das Essen, sagte die Frau des Arztes, die Gelegenheit nutzend, um ihn daran zu erinnern, Das Essen ist noch nicht gekommen, Allein auf unserer Seite sind es schon mehr als fünfzig Personen, wir haben Hunger, und das, was uns geschickt wird, reicht überhaupt nicht, Das Essen ist nicht Sache der Armee, Aber jemand muß doch für die Situation zuständig sein, die Regierung hat sich verpflichtet, uns zu ernähren, Gehen Sie wieder hinein, ich will niemanden an dieser Tür sehen, Die Hacke, rief die Frau des Arztes noch, aber der Sergeant war schon fortgegangen. Der Vormittag war halb vorüber, als eine Stimme durch den Lautsprecher im Saal ertönte, Achtung, Achtung, die Internierten freuten sich, sie dachten, jetzt werde das Essen angekündigt, aber nein, es ging um die Hacke, jemand solle sie holen, aber nicht eine Gruppe, nur eine einzige Person, Ich gehe, ich habe schon vorher mit ihnen gesprochen, sagte die Frau des Arztes. Gleich als sie auf den Treppenabsatz hinaustrat, sah sie die Hacke. So, wie sie dalag, näher am Tor als an der Treppe, mußte sie jemand von draußen herübergeworfen haben, Ich darf nicht vergessen, daß ich blind bin, dachte die Frau des Arztes, Wo ist sie, fragte sie, Geh die Treppe hinunter, ich werde dich schon führen, antwortete der Sergeant, sehr gut, jetzt geh in der Richtung, in der du stehst, weiter, so, so, halt, dreh dich ein bißchen nach rechts, nein, nach links, weniger, noch weniger, jetzt geradeaus, wenn du so weitergehst, stößt du mit der Nase direkt drauf, warm, kochend, Scheiße, ich hab gesagt, du sollst nicht die Richtung ändern, kalt, kalt, jetzt wird es wieder wärmer, heiß, noch heißer, so, jetzt mach eine halbe Drehung, und ich führ dich wieder zurück, ich will nicht, daß du da wie eine Eselin an einem Ziehbrunnen im Kreis läufst und mir dann schließlich hier am Tor auftauchst, Mach dir bloß nicht soviel Sorgen, dachte sie, ich werde von hier geradewegs bis zur Tür gehen, ist schließlich egal, auch wenn du mißtrauisch wirst, daß ich nicht blind bin, was macht das schon, du wirst nicht herkommen und mich holen. Sie schwang die Hacke über die Schulter, wie ein Gräber auf dem

Weg zur Arbeit, und lief auf die Tür zu, ohne einen Schritt abzuweichen, Sergeant, haben Sie das gesehen, rief einer der Soldaten, sieht ja aus, als hätte sie Augen, Die Blinden lernen schnell, sich zurechtzufinden, erklärte der Sergeant überzeugt.

Es war mühsam, das Grab auszuheben. Die Erde war hart, festgestampft, eine Handbreit unter der Oberfläche lagen Wurzeln. Sie wechselten sich ab, der Taxifahrer, die beiden Polizisten und der erste Blinde. Im Angesicht des Todes erwartet man von der Natur, daß der Groll an Kraft und Gewicht verliert, gewiß, es heißt, daß alter Haß nicht müde wird, und dazu gibt es genügend Beweise in der Literatur und im Leben, aber dies hier war im Grunde genommen kein Haß, und auch in keiner Weise alt, denn was zählt der Diebstahl eines Autos neben einem Toten, der es gestohlen hat, und wieviel weniger angesichts des erbärmlichen Zustands, in dem er sich befindet, man braucht keine Augen, um zu wissen, daß dieses Gesicht keine Nase und keinen Mund mehr hat. Sie konnten nicht tiefer als drei Handbreit graben. Wäre der Tote dick gewesen, wäre sein Bauch draußen geblieben, aber der Dieb war mager, eine Bohnenstange nach den entbehrungsreichen Tagen, das Grab hätte für zwei von seiner Sorte gereicht. Es wurde nicht gebetet. Wir könnten ihm ein Kreuz errichten, sagte die junge Frau mit der dunklen Brille, sie sprach aus Reue, doch keiner der Anwesenden wußte, wie der Verstorbene gelebt hatte, wie er über diese Geschichte mit Gott und der Religion gedacht hatte, es war besser, angesichts des Todes zu schweigen, und man mußte bedenken, daß es sehr viel schwerer war, als es schien, ein Kreuz aufzustellen, ganz zu schweigen davon, daß es nicht lange halten würde bei all diesen Blinden, die nicht sehen, wo sie hintreten. Sie kehrten in den Schlafsaal zurück. Dort, wo sie sich am meisten aufhielten, wenn es nicht gerade eine freie Fläche war wie an der Einfriedung, verliefen sich die Menschen nicht mehr, sie streckten einen Arm nach vorn aus und bewegten die Finger wie die Fühler eines Insekts, und so kamen sie überallhin, es ist sogar wahrscheinlich, daß die begabtesten Blinden in Kürze so etwas wie ein frontales Blickfeld entwickeln. Zum Beispiel die Frau des Arztes, außerordentlich, wie sie sich bewegen und orientieren kann in diesem wahrhaften Labyrinth aus Sälen, Winkeln und Korridoren, wie sie an der richtigen Stelle um eine Ecke biegt, wie sie vor einer Tür anhält und sie ohne Zögern öffnet, wie sie zu ihrem Bett gelangt, ohne die Betten davor zu zählen. Jetzt sitzt sie auf dem Bett ihres Mannes, sie unterhält sich mit ihm, leise wie immer, man sieht, daß sie beide wohlerzogen sind, und sie haben sich immer etwas zu sagen, es ist nicht wie bei dem anderen Paar, dem ersten Blinden und seiner Frau, die sich nach dem ersten bewegenden Überschwang ihres Wiederfindens kaum mehr etwas gesagt haben, bei ihnen ist vielleicht die jetzige Trostlosigkeit stärker als die vorherige Liebe, mit der Zeit werden sie sich daran gewöhnen. Der kleine schielende Junge wird nicht müde zu wiederholen, daß er Hunger hat, obwohl die junge Frau mit der dunklen Brille sich praktisch das Essen vom Munde abgespart hat, um es ihm zu geben. Seit vielen Stunden schon fragt der Kleine nicht mehr nach seiner Mutter, aber er wird sie sicher wieder vermissen, nachdem er gegessen hat, wenn der Körper frei ist von der egoistischen Härte, die aus der einfachen, aber dringenden Notwendigkeit des Überlebens entsteht. Sei es wegen des Vorfalles im Morgengrauen, sei es aus anderen Gründen, die wir nicht beeinflussen können, die Wahrheit ist, daß die Kisten mit der Morgenmahlzeit noch nicht gebracht worden sind. Jetzt nähert sich die Stunde des Mittagessens, es ist fast ein Uhr, wie die Frau des Arztes heimlich mit einem Blick auf die Uhr feststellt, so muß man sich also nicht wundern, daß der unruhige Magen einige Blinde in diesem wie auch im anderen Flügel dazu bewogen hat, in den Hof hinauszutreten, um auf das Essen zu warten, und dafür gibt es zwei gute Gründe, einen öffentlichen für die einen, weil sie auf diese Art und Weise Zeit gewinnen würden, und einen heimlichen für die anderen, weil man weiß, wer zuerst kommt, mahlt zuerst. Es sind insgesamt wohl nicht mehr als zehn Blinde, die aufmerksam auf das Geräusch des äußeren Tores lauschen, ob es sich öffnet, und auf die Schritte der Soldaten, die die gesegneten Kisten bringen sollen. Aus Angst vor plötzlicher Erblindung, die die unmittelbare Nähe zu den Blinden in der Eingangshalle nach sich ziehen könnte, hatten die Infizierten im linken Flügel es nicht gewagt, hinauszutreten, aber einige von ihnen spähten durch die Tür und warteten gespannt, bis sie an der Reihe waren. Die Zeit verstrich. Des Wartens müde, hatten sich einige Blinde auf den Boden gesetzt, später gingen zwei oder drei zurück in die Schlafsäle. Kurz darauf hörte man das unverkennbare Quietschen des Tores. Aufgeregt setzten sich die Blinden nun in Bewegung, einander anrempelnd, den Geräuschen folgend, dorthin, wo sie die Tür vermuteten, doch plötzlich, von einer vagen Unruhe ergriffen, die sie so schnell nicht bestimmen oder erklären konnten, hielten sie inne und zogen sich Hals über Kopf zurück, während sie schon deutlich die Schritte der Soldaten vernahmen, die das Essen brachten, und des Wachtrupps, der sie begleitete.

Noch unter dem Eindruck des tragischen Vorfalls am Vorabend hatten die Soldaten, die die Kästen hereintrugen, vereinbart, sie nicht an den Türen abzustellen, die zu den Seitenflügeln führten, wie sie es etwa vorher getan hatten, sondern sie im Eingang abzustellen, und adieu, laßt es euch gutgehen, Sollen die da drin sich doch zurechtfinden, hatten sie gesagt. Da sie vom starken Licht draußen geblendet wurden und plötzlich in das Dunkel der Eingangshalle traten, konnten sie zunächst die Gruppe der Blinden nicht erkennen. Doch gleich darauf sahen sie sie. Brüllend vor Angst ließen sie die Kisten zu Boden fallen und liefen wie wahnsinnig zur Tür hinaus. Die beiden Soldaten des Begleittrupps, die auf dem Treppenabsatz gewartet hatten, reagierten beispielhaft angesichts der Gefahr. Sie bezwangen, nur Gott weiß wie und warum, ihre berechtigte Angst, gingen auf die Türschwelle zu und schossen ihre Magazine leer. Die Blinden fielen einer über den anderen, noch im Fallen trafen die Kugeln die Körper, schon eine reine Verschwendung an Munition, es geschah alles unglaublich langsam, ein Körper, noch ein Körper, es schien, als würden sie nie aufhören zu stürzen, wie man es bisweilen in Filmen oder im Fernsehen sieht. Sollte es je dazu kommen, daß ein Soldat die verschossenen Kugeln zu rechtfertigen hat, dann wird er sicher bei der Fahne schwören, er habe aus Notwehr gehandelt, und hinzufügen, auch zur Verteidigung seiner unbewaffneten Kameraden, die in einer humanitären Mission unterwegs gewesen seien und sich plötzlich von einer Gruppe von Blinden bedroht sahen, die ihnen zahlenmäßig überlegen war. Wie von Sinnen rannten sie zum Tor zurück, gedeckt von den Gewehren, die die anderen Soldaten des Trupps zitternd durch die Eisenstäbe auf die

Menschen richteten, als würden die Blinden, die noch am Leben waren, gleich zu einem Rachefeldzug aufbrechen. Starr vor Schreck sagte einer der Soldaten, die geschossen hatten, Da gehe ich nie wieder hin, und wenn man mich tötet, und in der Tat ging er nicht wieder zurück. Von einem Augenblick zum anderen war er an diesem selben Tag, schon gegen Abend, zur Stunde der Wachablösung, zu einem weiteren Blinden unter Blinden geworden, zum Glück war er Soldat, denn sonst wäre er gleich dort geblieben, um jenen zivilen Blinden Gesellschaft zu leisten, deren Kollegen er zusammengeschossen hatte, und Gott weiß, was sie mit ihm gemacht hätten. Der Sergeant sagte noch, Am besten wäre es, die verhungern zu lassen, mit dem Tier stirbt auch das Gift. Wie wir wissen, hat das hier schon mancher gesagt und gedacht, glücklicherweise hatte dieser sich noch einen kostbaren Rest an Menschlichkeit bewahrt, Von jetzt ab lassen wir die Kisten auf halbem Weg stehen, sollen sie sie holen kommen, wir werden sie im Auge behalten, und bei der kleinsten verdächtigen Bewegung feuern wir. Er begab sich zum Kommandoposten, stellte das Mikrophon an, und so gut er konnte, legte er sich die Worte zurecht, wie er sie in anderen ähnlichen Verlautbarungen bei mehr oder weniger vergleichbaren Gelegenheiten gehört hatte, und sagte, Die Armee bedauert, daß sie gezwungen war, mit Waffen gegen eine aufständische Bewegung vorzugehen, die eine kritische Situation zu verantworten hat, an der die Armee keine direkte oder indirekte Schuld trägt, wir geben hiermit bekannt, daß die Internierten ab heute ihr Essen außerhalb des Gebäudes abholen werden, wir warnen sie jedoch vor den Konsequenzen, falls sie in irgendeiner Weise versuchen sollten, diesen Befehl zu mißachten, wie dies soeben und gestern abend geschehen ist. Er machte eine Pause, wußte nicht recht, wie er am besten enden sollte, er hatte die richtigen Worte vergessen, es gab sie sicher, er konnte nur wiederholen, Es ist nicht unsere Schuld, es ist nicht unsere Schuld.

Im Gebäude hatte das Krachen der Schüsse, ohrenbetäubend laut in der Eingangshalle, Entsetzen hervorgerufen. Im ersten Augenblick glaubte man, die Soldaten würden in die Säle eindringen und mit Kugeln alles, was ihnen in die Quere kam, niedermähen, die Regierung hätte ihre Meinung geändert und sich für eine Massenexekution entschieden, daher hatten sich manche unter den Betten versteckt, einige rührten sich vor lauter Angst nicht, und andere dachten vielleicht, so wäre es besser, lieber tot als krank, wenn jemand sterben muß, dann soll es wenigstens schnell gehen. Die ersten, die reagierten, waren die Infizierten. Sie waren geflohen, als die Schießerei begann, dann aber, durch das Schweigen ermutigt, zurückgekehrt, und näherten sich wieder der Tür, die auf den Hof führte. Sie sahen die übereinandergehäuften Leichen, das Blut, das sich langsam über den gefliesten Boden schlängelte, als sei es lebendig, und die Kisten mit dem Essen. Da stand das ersehnte Essen, es war zwar für die Blinden bestimmt, und ihres würde gleich gebracht, den Anordnungen entsprechend, aber jetzt konnten ihnen die Anordnungen gestohlen bleiben, Niemand sieht uns, unter den Blinden ist der Einäugige König, das hatten die Alten schon gesagt, zu allen Zeiten und überall, und die Alten waren keine Dummköpfe. Der Hunger gab ihnen jedoch nur die Kraft, drei Schritte voranzugehen, dann schaltete sich der Verstand ein und warnte sie, daß die Gefahr dort auf die Unvorsichtigen lauerte, in jenen leblosen Körpern, vor allem in jenem Blut, wer weiß, welche Dämpfe, welche Ausflüsse, welche giftigen Elemente das zerschossene Fleisch der Blinden jetzt ausströmte. Sie sind tot, sie können uns nichts tun, sagte jemand, er wollte sich selbst und den anderen Mut machen, doch dadurch wurde alles nur schlimmer, es stimmte, daß die Blinden tot waren, daß sie sich nicht bewegen konnten, Schaut nur, sie rühren sich nicht, atmen nicht, aber wer sagt uns, daß diese weiße Blindheit nicht ein Übel des Geistes ist, und wenn dies so ist, nehmen wir an, daß der Geist dieser Blinden niemals so losgelöst war wie jetzt, außerhalb der Körper, deshalb ist er freier zu tun, was er tun möchte, vor allem etwas Böses, das, wie alle Welt weiß, immer am leichtesten zu vollbringen ist. Aber die Kisten mit dem Essen, die dort standen, zogen unwiderstehlich ihre Blicke an, denn solche Argumente kennt der Magen, nichts anderes, auch wenn es zu seinem Guten wäre. Aus einer der Kisten strömte eine weiße Flüssigkeit, die sich langsam der Blutlache näherte, allem Anschein nach handelte es sich um Milch, eine Farbe, die nicht täuscht. Zwei der Infizierten, mutiger oder fatalistischer, nicht immer ist dies leicht zu unterscheiden, gingen nach vorn und berührten schon fast die erste Kiste mit ihren gierigen Händen, als in der Tür, die zum anderen Flügel führte, einige Blinde erschienen. Die Vorstellung vermag viel, und unter so krankhaften Umständen wie diesen, scheint es, vermag sie alles, denn für jene zwei, die sich herangeschlichen hatten, war es, als hätten plötzlich die Toten sich vom Boden erhoben, ohne Zweifel so blind wie zuvor, aber viel gefährlicher, denn sie waren sicher von Rachegefühlen getrieben. Vorsichtig und schweigend zogen sie sich zum Eingang ihres Flügels zurück, vielleicht würden die

Blinden sich erst mal um die Toten kümmern, wie es die Nächstenliebe und der Respekt verlangten, oder aber, weil sie sie nicht gesehen hatten, die eine oder andere Kiste, wie klein auch immer, stehenlassen, in Wahrheit gab es nicht viele Infizierte, vielleicht wäre wirklich die beste Lösung, ihnen zu sagen, Bitte, habt Mitleid, laßt uns wenigstens eine kleine Kiste da, vielleicht bekommen wir heute kein Essen mehr, nach allem, was vorgefallen ist. Die Blinden bewegten sich wie Blinde, tastend, stolpernd, schlurfend, dennoch wußten sie, als sei alles aufeinander abgestimmt, die Aufgaben wirksam unter sich aufzuteilen, einige von ihnen, die in dem klebrigen Blut und der Milch ausrutschten, begannen gleich, die Leichen in den Innenhof zu tragen, andere nahmen sich der Kisten an, eine nach der anderen, es waren acht, die die Soldaten abgestellt hatten. Unter den Blinden war eine Frau, die den Eindruck erweckte, als sei sie gleichzeitig überall, sie half tragen, es sah aus, als führte sie die Menschen, was offensichtlich unmöglich war für eine Blinde, und, Zufall oder Absicht, mehr als einmal wandte sie das Gesicht dem Flügel der Infizierten zu, als könne sie sie sehen oder ihre Anwesenheit wahrnehmen. In kurzer Zeit war der Eingang leer, ohne weitere Spuren als die große Blutlache und eine kleine Pfütze von der Milch, die ausgelaufen war, und sonst nur noch Fußabdrücke, rote Spuren oder einfach feuchte Spuren. Die Infizierten schlossen resigniert die Tür und begaben sich auf die Suche nach Resten, sie waren so entmutigt, daß einer von ihnen sagte, und das zeigte, wie verzweifelt sie waren, Wenn wir wirklich erblinden sollten, wenn das unser Schicksal ist, dann wäre es besser, wir gingen gleich hinüber, wir hätten dann wenigstens etwas zu essen, Vielleicht bringen die Soldaten ja noch unseren Anteil, sagte jemand, Waren Sie beim Militär, fragte ein anderer, Nein, Das dachte ich mir.

Da die Toten zum einen wie zum anderen Saal gehörten, versammelten sich die Insassen des ersten und des zweiten Saals, um zu entscheiden, ob sie erst essen und dann die Leichen begraben sollten oder umgekehrt. Es schien niemanden zu interessieren, wer gestorben war. Fünf von ihnen hatten sich im zweiten Saal niedergelassen, man wußte nicht, ob sie sich schon vorher kannten, oder, wenn dies nicht der Fall war, ob sie die Zeit und die Bereitschaft gehabt hatten, sich vorzustellen und einander ihr Herz auszuschütten. Die Frau des Arztes konnte sich nicht erinnern, sie gesehen zu haben, als sie ankamen. Die übrigen vier, ja, die kannte sie, sie hatten bei ihr geschlafen, sozusagen unter demselben Dach, obwohl sie von einem nur dies wußte, mehr nicht, wie sollte sie auch, denn ein Mann, der etwas auf sich hält, wird nicht von intimen Dingen sprechen, dem erstbesten Menschen gegenüber, dem er begegnet, zum Beispiel, daß er in einem Hotelzimmer war und mit einer jungen Frau mit dunkler Brille geschlafen hatte, die nun ihrerseits, wenn es wirklich jene ist, nicht auf den Gedanken kommt, daß sie demjenigen so nahe ist, der sie alles hat weiß sehen lassen. Der Taxifahrer und die beiden Polizisten waren gestorben, drei kräftige Männer, die gut auf sich aufpassen konnten, deren Berufe darin bestanden, wenn auch auf unterschiedliche Weise, sich um andere zu kümmern, da liegen sie nun, auf grausame Weise in den besten Jahren niedergemäht, in Erwartung eines Begräbnisses. Sie werden warten müssen, bis die hier gegessen haben, nicht wegen des üblichen Egoismus der Lebenden, sondern weil jemand vernünftigerweise daran erinnert hatte, daß neun Leichen in jenem harten Boden zu beerdigen, und das mit einer einzigen Hacke, eine Arbeit war, die sie mindestens bis zum Abendessen beschäftigen würde. Und da man nicht zulassen konnte, daß die Freiwilligen, die ihren guten Willen bezeugten, arbeiten sollten, während die anderen sich den Bauch vollschlugen, wurde beschlossen, mit dem Bestatten zu warten. Das Essen kam in einzelnen Portionen, war also leicht zu verteilen, für dich und für dich, bis nichts mehr da war. Doch die ängstliche Ungeduld einiger minderbemittelter Blinder erschwerte einen sonst so simplen Vorgang, obwohl man bei gelassener, unvoreingenommener Betrachtung zugeben muß, daß ein gewisses Fehlverhalten unter diesen Umständen verständlich war, wenn man zum Beispiel nur bedenkt, daß nicht von Anfang an klar war, ob das Essen für alle reichen würde. In Wahrheit wird jeder verstehen, daß es nicht einfach ist, Blinde zu zählen oder Essensrationen zu verteilen, ohne Augen, die die Rationen und die Menschen sehen können. Hinzu kommt, daß einige der Insassen des zweiten Saals mit mehr als tadelnswerter Unaufrichtigkeit glauben machen wollten, daß sie mehr seien, als dies tatsächlich der Fall war. Wie immer war es auch jetzt gut, daß sie da war, die Frau des Arztes. Einige zur rechten Zeit ausgesprochene Worte konnten Schwierigkeiten mindern, die eine wortreiche Rede nur verschlimmert hätte. Schlechtes Benehmen und böswillige Absichten bewiesen auch jene, denen es gelungen war, sich zweimal Essen zu besorgen. Die Frau des Arztes bemerkte dieses verwerfliche Vorgehen, sie hielt es jedoch für klüger, diesen Übergriff nicht anzuprangern. Sie wollte lieber nicht daran denken, was geschähe, wenn man entdeckte, daß sie nicht blind war, sie könnte zur Dienstbotin aller gemacht werden oder, schlimmer noch, zur Sklavin einiger weniger. Der Vorschlag, von dem man zu Beginn gesprochen hatte, für jeden Schlafsaal einen Verantwortlichen zu ernennen, könnte bei derartigen Schwierigkeiten wie auch in anderen Situationen helfen, allerdings nur unter der Bedingung, daß die Autorität dieses Verantwortlichen, zweifellos wacklig, zweifellos gefährdet und ständig angefochten, zum Wohl aller ungehindert ausgeübt werden konnte und von der Mehrheit anerkannt würde. Wenn wir das nicht schaffen, dachte sie, dann werden wir uns hier gegenseitig umbringen. Sie versprach sich selbst, über diese heiklen Punkte mit ihrem Mann zu sprechen, und verteilte die Rationen weiter.

Sei es aus Trägheit, sei es, weil der Magen empfindlich war, keiner verspürte nach dem Essen Lust, den Totengräber zu spielen. Als der Arzt, der sich wegen seines Berufes mehr dazu verpflichtet fühlte als die anderen, etwas widerwillig sagte, Also, gehen wir sie beerdigen, meldete sich kein einziger Freiwilliger. Auf den Betten ausgestreckt, wollten die Blinden nur in Ruhe verdauen können, einige schliefen sofort ein, und es sollte nicht verwundern, daß nach all den Schrekken und Überraschungen, die sie durchgemacht hatten, der Körper sich trotz der kärglichen Nahrung träge der Verdauung überließ. Später, kurz vor der Dämmerung, als die bläßlichen Lampen durch das Schwinden des Tageslichts heller erschienen und zugleich durch ihre geringe Kraft demonstrierten, wie wenig nützlich sie waren, überzeugte der Arzt, begleitet von seiner Frau, zwei der Männer in seinem Saal, ihn zum Innenhof zu begleiten, wenigstens die beiden, sagte er, damit sie die Arbeit überschauen könnten, die zu tun war, um die schon steifen Körper voneinander zu trennen, zumal entschieden worden war, daß jeder Saal seine Toten beerdigen würde. Diese Blinden hatten einen Vorteil, den man die Illusion des Lichts nennen könnte. In Wahrheit war es ihnen gleich, ob Tag oder Nacht, die Dämmerung des Morgens oder die Dämmerung des Abends, das stille Morgengrauen oder die lärmende Mittagsstunde, die Blinden waren immer von einem strahlenden Weiß umgeben, wie die Sonne in einem Nebel. Für sie bedeutete die Blindheit nicht, einfach von Finsternis umgeben zu sein, sondern sie lebten im Inneren einer leuchtenden Herrlichkeit. Als der Arzt die Dummheit begangen hatte zu sagen, daß sie die Leichen voneinander trennen sollten, sagte der erste Blinde, er war einer von denen, die bereit waren zu helfen, man sollte ihm doch erklären, wie man sie erkennen könne, die durchaus berechtigte Frage eines Blinden, die den Arzt verlegen machte. Seine Frau konnte ihm jetzt nicht zu Hilfe kommen, denn sie würde sich sofort zu erkennen geben. Der Arzt zog sich geschickt aus der Affäre, indem er die Flucht nach vorn ergriff und seinen Irrtum eingestand, Wir gewöhnen uns so daran, Augen zu haben, sagte er wie jemand, der über sich selber lächelt, daß wir immer noch glauben, wir könnten sie benutzen, obwohl sie uns zu nichts mehr dienen, in Wahrheit wissen wir nur, daß hier vier von den Unseren liegen, der Taxifahrer, die zwei Polizisten und ein anderer, der auch bei uns war, also ist die Lösung, vier von diesen Leichen zu nehmen und sie zu beerdigen, wie es sich gehört, und so tun wir unsere Pflicht. Der erste Blinde stimmte zu, sein Gefährte auch, und so begannen sie, Gräber auszuheben, wobei sie sich abwechselten. Diese beiden Helfer würden nicht erfahren, blind wie sie waren, daß die beerdigten Leichen ohne Ausnahme genau jene waren, von denen sie in ihrem Zweifel gesprochen hatten, unnötig auch zu sagen, wie hier angeblich der Zufall mitgespielt hat, denn die Hand des Arztes, geführt von seiner Frau, ergriff ein Bein oder einen Arm, und dann sagte er nur, Dieser. Als sie schon zwei Leichen begraben hatten, kamen schließlich drei weitere Männer aus dem Saal, die helfen wollten, wahrscheinlich hätten sie es nicht getan, wenn ihnen jemand gesagt hätte, daß es schon dunkel war. Psychologisch betrachtet, auch wenn ein Mensch blind ist, müssen wir zugeben, daß es einen großen Unterschied macht, ob man ein Grab bei Tageslicht oder nach Sonnenuntergang aushebt. Als sie verschwitzt und verdreckt den Schlafsaal betraten, den süßlichen Geruch beginnender Verwesung noch in der Nase, ertönte der Lautsprecher und wiederholte die bekannten Anweisungen. Es gab keinerlei Anspielung auf das, was vorgefallen war, auch nicht auf die Schüsse oder die Toten, die aus nächster Nähe getroffen worden waren. Warnungen wie die, Wer das Gebäude ohne vorherige Erlaubnis verläßt, wird sofort erschossen, oder, Die Insassen werden ohne weitere Formalitäten die Leichen im Innenhof begraben, erhielten jetzt, dank der harten Erfahrung des Lebens, höchster Meister in allen Disziplinen, ihren vollständigen Sinn, während jene Stimme, die dreimal täglich Kisten mit Essen versprach, mittlerweile grotesk sarkastisch klang oder ironisch, was noch schwerer zu ertragen war. Als die Stimme verstummte, ging der Arzt, der allmählich alle Winkel des Hauses kennenlernte, allein an die Tür des anderen Saals, um Bescheid zu sagen, Unsere Leute sind schon beerdigt, Wenn ihr die einen beerdigt habt, hättet ihr auch die andern beerdigen können, antwortete von drinnen eine Männerstimme, Es war ausgemacht, daß jeder Saal seine Toten beerdigen sollte, wir haben vier gezählt und sie beerdigt, Ist gut, morgen werden wir uns um die von hier kümmern, sagte eine andere männliche Stimme und fragte dann, in einem anderen Ton, Ist kein Essen mehr gekommen, Nein, antwortete der Arzt, Aber der Lautsprecher hat doch gesagt, dreimal am Tag, Ich möchte bezweifeln, daß sie dieses Versprechen immer einhalten, Dann müssen die Lebensmittel, die eintreffen, rationiert werden, sagte eine Frau im Zimmer, Eine gute Idee, wir können morgen darüber sprechen, Einverstanden, sagte die Frau. Als der Arzt umkehrte, hörte er die Stimme des Mannes, der zuerst gesprochen hatte, Ich möchte wissen, wer hier zu sagen hat. Er wartete, ob jemand antwortete, das tat die Frauenstimme, Wenn wir uns nicht ernsthaft organisieren, dann werden Hunger und Angst regieren, es ist schon eine Schande, daß wir die Toten nicht mit den anderen beerdigt haben, Warum gehen Sie sie nicht gleich beerdigen, wenn Sie schon so schlau sind und hier Lehren verteilen, Allein kann ich es nicht, aber ich bin bereit zu helfen, Wir brauchen nicht darüber zu diskutieren, sagte die zweite Männerstimme, morgen werden wir uns darum kümmern. Der Arzt seufzte, das Zusammenleben würde schwierig werden. Er war schon auf dem Weg zurück zum Saal, als er ein dringendes Bedürfnis verspürte. Von dort, wo er sich befand, war er nicht sicher, ob er alleine zu den Toiletten finden würde, aber er beschloß, es zu wagen. Er hoffte, daß wenigstens jemand daran gedacht hatte, das Toilettenpapier, das mit den Essenskisten gekommen war, dorthin zu bringen. Er verlief sich zweimal, das Bedürfnis quälte ihn immer mehr, und es wurde schon höchste Zeit, als er schließlich die Hosen herunterlassen und sich auf dem Stehklo hinhocken konnte. Der Gestank war zum Ersticken. Es war ihm, als sei er auf etwas Weiches getreten, auf die Exkremente von jemandem, der das Loch im Klo nicht richtig gefunden und sich einfach erleichtert hatte, ohne irgendwelche Rücksicht zu nehmen. Er versuchte sich vorzustellen, wie der Ort, an dem er sich befand, aussah, für ihn war alles weiß, leuchtend, strahlend, die Wände waren es und der Boden, den er nicht sehen konnte, und er ertappte sich bei dem absurden Gedanken, daß das Licht und das Weiß dort stanken. Wir werden hier noch vor Entsetzen verrückt, dachte er. Dann wollte er sich säubern, aber es gab kein Papier. Er tastete die Wand hinter sich ab, wo die Halter für die Rollen oder, in Ermangelung eines Besseren, Nägel sein mußten, auf die man ein paar Papierstücke aufgespießt hatte. Nichts. Er fühlte sich unglücklich und furchtbar elend, wie er dastand mit gespreizten Beinen, die Hosen festhielt, die auf dem ekligen Boden schleiften, blind, blind, blind, und unfähig, sich zu beherrschen, begann er leise zu weinen. Tastend tat er einen Schritt nach vorn und stieß an die gegenüberliegende Wand. Er streckte einen Arm aus, dann den anderen, schließlich fand er eine Tür. Er hörte die schlurfenden Schritte von jemand, der ebenfalls auf der Suche nach den Toiletten sein mußte, er stolperte, Wo ist diese verdammte Scheiße, murmelte er fast tonlos, so als ob es ihm im Grunde egal wäre. Zwei Handbreit ging er an ihm vorbei, ohne sich der Anwesenheit eines anderen Menschen bewußt zu sein, aber es war nicht wichtig, die Situation war nicht einmal unanständig, sie wäre es gewesen, ein Mann in dieser Situation, derart aufgelöst, aber im letzten Augenblick hatte der Arzt, getrieben von einem irritierenden Schamgefühl, seine Hosen hochgezogen. Dann ließ er sie wieder herunter, als er sich allein glaubte, doch nicht rechtzeitig, er wußte, daß er schmutzig war, schmutzig wie wohl noch nie in seinem ganzen Leben. Es gibt viele Arten, zum Tier zu werden, dachte er, das ist nur der Anfang. Er konnte sich jedoch nicht allzusehr beklagen, denn er hatte jemanden, dem es nichts ausmachte, ihn zu säubern.

Die Blinden auf den Pritschen warteten darauf, daß der Schlaf Mitleid hatte mit ihrer Trostlosigkeit. Unauffällig, als könnten die anderen dem elenden Schauspiel zusehen, hatte die Frau ihrem Mann geholfen, sich so gut wie möglich zu säubern. Jetzt herrschte ein schmerzerfülltes Schweigen im Raum, wie in einem Krankenhaus, wenn die Kranken schlafen und im Schlaf leiden. Hellwach saß die Frau des Arztes da und betrachtete die Betten, die Umrisse der Menschen, die Blässe eines Gesichtes, einen Arm, der sich im Traum bewegte. Sie fragte sich, ob sie selbst einmal erblinden würde wie diese hier, welche unerklärlichen Gründe sie bisher wohl davon verschont hatten. Mit einer müden Geste hob sie die Hände zum Gesicht, um sich das Haar wegzustreichen, und dachte, Wir werden alle stinken. In diesem Augenblick hörte man einige Seufzer, ein Stöhnen, kleine erstickte Schreie, Töne, die wie Worte schienen und es sicher auch waren, deren Bedeutung sich aber in einem Crescendo verlor, das in heiseres Schreien und schließlich in ein Röcheln überging. Von hinten protestierte jemand, Schweine, sie sind wie die Schweine. Es waren keine Schweine, nur ein blinder Mann und eine blinde Frau, die wahrscheinlich nie mehr als dies voneinander erfahren würden.

Ein Magen, der vergebens arbeitet, wacht früh auf. Einige Blinde öffneten die Augen, als der Morgen noch fern war, und in ihrem Fall war es nicht so sehr dem Hunger zuzuschreiben als vielmehr der biologischen Uhr oder wie immer man das nennen möchte, die bei ihnen schon durcheinandergeraten war, denn sie glaubten, es sei heller Tag, und dachten, Ich habe verschlafen, und begriffen dann, daß es nicht so war, denn sie hörten das Schnarchen der Gefährten, das keinen Zweifel zuließ. Nun, man weiß es aus Büchern, aber viel mehr noch aus eigener Erfahrung, daß Menschen, die früh aufstehen, aus eigenem Willen oder aus Notwendigkeit, es schlecht ertragen, wenn andere in ihrer Gegenwart weiterhin sorglos schlafen, und in unserem Fall gilt dies in doppeltem Maße, denn es besteht ein großer Unterschied zwischen einem Blinden, der schläft, und einem Blinden, dem es wenig nützt, die Augen zu öffnen. Diese feinsinnigen Anmerkungen psychologistischer Natur, offenbar belanglos angesichts des außergewöhnlichen Ausmaßes der Katastrophe, die dieser Bericht sich zu beschreiben bemüht, sollen nur darlegen, warum die Blinden alle so früh erwacht waren, einige, wie zu Beginn gesagt, rüttelte der fordernde Magen wach, andere waren aus dem Schlaf gerissen worden durch die nervöse Ungeduld der Frühaufsteher, die sich nicht scheuten, mehr Lärm zu machen, als unvermeidlich und verträglich bei einer Ansammlung von Menschen in einer Kaserne und in einem Schlafsaal. Hier gibt es nicht nur diskrete, wohlerzogene Menschen, einige sind ungehobelt und rotzen und furzen morgens laut vor sich hin, ohne Rücksicht auf andere, wobei man sagen muß, daß sie sich auch sonst tagsüber so benahmen, deshalb wurde die Luft immer schwerer, und man konnte nichts dagegen tun, die einzige Öffnung war die Tür, an die Fenster reichte man nicht heran, weil sie zu hoch waren.

Die Frau des Arztes lag dicht neben ihrem Mann, weil das Bett sehr schmal war und sie es auch gern so hatten, dabei war es ihnen nicht leichtgefallen, mitten in der Nacht den Anstand zu wahren und sich nicht so zu verhalten wie jene, die jemand Schweine genannt hatte, und schaute auf die Uhr. Sie zeigte 2 Uhr 23. Nun merkte sie jedoch, daß der Sekundenzeiger sich nicht mehr bewegte. Sie hatte vergessen, die verfluchte Uhr aufzuziehen, verfluchtes Ding oder verflucht ich selbst, denn nicht einmal diese einfache Aufgabe hatte sie erfüllen können, nach nur drei Tagen der Isolation. Unfähig, sich zu beherrschen, brach sie in Schluchzen aus, als sei ihr plötzlich ein schreckliches Unglück widerfahren. Der Arzt dachte, seine Frau sei erblindet, daß das geschehen war, wovor er sich so sehr gefürchtet hatte, fast hätte er unbedacht gefragt, Bist du erblindet, aber dann hörte er sie murmeln, Nein das ist es nicht, nein nein, und dann langsam flüstern, fast unhörbar, sie hatten ihre Köpfe unter der Decke, Ich Dummkopf, ich habe die Uhr nicht aufgezogen, und sie weinte weiter, untröstlich. Von der anderen Seite des Gangs erhob sich die junge Frau mit der dunklen Brille, folgte dem Schluchzen und näherte sich mit ausgestreckten Armen, Sie haben Kummer, brauchen Sie etwas, fragte sie, während sie näher kam und mit beiden Händen die liegenden Körper berührte. Aus Diskretion hätte sie die Hände zurückziehen sollen, und sicher hatte ihr Gehirn ihr diesen Befehl gegeben, aber die Hände gehorchten nicht, die Berührung wurde bloß sachter, nur ein leichtes Streifen der Haut auf der groben lauwarmen Decke. Brauchen Sie etwas, fragte die junge Frau noch einmal, und nun zogen sich die Hände zurück, erhoben sich, verloren sich ungeborgen in dem sterilen Weiß. Die Frau des Arztes verließ, noch immer schluchzend, das Bett und umarmte die junge Frau. Es ist nichts, ich war plötzlich so traurig, sagte sie, Aber wenn Sie, die Sie so stark sind, schon den Mut verlieren, dann gibt es wirklich keine Rettung für uns, jammerte die junge Frau. Ein wenig ruhiger dachte die Frau des Arztes und blickte ihr ins Gesicht, Man sieht schon kaum mehr die Spuren der Konjunktivitis, wie schade, daß ich es ihr nicht sagen kann, sie wäre glücklich. Wahrscheinlich, ja, wahrscheinlich wäre sie glücklich, obwohl das absurd wäre, nicht weil sie blind ist, sondern weil alle anderen hier es auch sind, was nützen ihr diese hellen schönen Augen, wenn niemand sie sehen kann. Die Frau des Arztes sagte, Wir haben alle unsere Augenblicke der Schwäche, und es ist nur gut, daß wir noch weinen können, das Weinen ist oft eine Rettung, es gibt Situationen, da würden wir sterben, wenn wir nicht weinen könnten, Es gibt keine Rettung, wiederholte die junge Frau mit der dunklen Brille, Wer weiß, diese Blindheit ist nicht wie die anderen, so wie sie gekommen ist, wird sie vielleicht auch wieder verschwinden, Das käme aber zu spät für die, die gestorben sind, Wir müssen alle sterben, Aber nicht getötet werden, und ich habe einen Menschen getötet, Klagen Sie sich nicht an, es waren die Umstände, wir sind hier alle schuldig und unschuldig, viel schlimmer haben die Soldaten gehandelt, die uns bewachen, und sogar sie können die beste aller Entschuldigungen anbringen, die Angst, Was macht es schon, daß der arme Kerl mich angefaßt hat, er wäre jetzt noch am Leben, und mein Körper hätte nicht mehr und nicht weniger als jetzt, Denken Sie nicht mehr daran, ruhen Sie sich aus, versuchen Sie zu schlafen. Sie begleitete sie bis zum Bett, Also, legen Sie sich hin, Sie sind sehr gut, sagte die junge Frau, dann mit leiserer Stimme, Ich weiß nicht, was ich tun soll, ich kriege meine Tage und habe keine Binden mitgebracht, Keine Sorge, ich habe welche. Die Hände der jungen Frau mit der dunklen Brille suchten nach einem Halt, die Frau des Arztes nahm sie sanft in die ihren, Ruhen Sie sich erst mal aus. Die junge Frau schloß die Augen, blieb einige Minuten so liegen, vielleicht wäre sie eingeschlafen, wenn nicht plötzlich ein Streit ausgebrochen wäre, jemand war auf die Toilette gegangen und hatte bei der Rückkehr jemanden in seinem Bett vorgefunden, es war nicht böswillig, der andere war aus dem gleichen Grund aufgestanden, die beiden waren sich unterwegs begegnet, es war klar, daß keinem von ihnen eingefallen war zu sagen, Und passen Sie auf, daß Sie sich nicht im Bett irren, wenn Sie zurückgehen. Die Frau des Arztes sah den beiden Blinden zu, die sich stritten, ganz ohne Gesten, sie bewegten kaum ihre Körper, sie hatten schnell gelernt, daß nur die Stimme und das Gehör nun von Nutzen waren, sie hatten natürlich Arme für Streit und Kampf, für ein Handgemenge, wie man zu sagen pflegt, aber ein vertauschtes Bett war so viel nicht wert, wenn alle Irrtümer des Lebens wie dieser wären, dann konnte man sich schnell einig werden, Nummer zwei ist meins, und Nummer drei ist Ihrs, daß das ein für allemal klar ist, wenn wir nicht blind wären, dann wäre dieser Irrtum nicht passiert, Sie haben recht, wir sind eben blind. Die

Frau des Arztes sagte zu ihrem Mann, Die Welt ist ganz hier drin.

Nicht ganz. Das Essen war zum Beispiel dort draußen und ließ auf sich warten, aus dem einen und dem anderen Saal waren einige Männer in den Hof gegangen, um sich dort aufzustellen und auf eine Anweisung aus dem Lautsprecher zu warten. Sie scharrten nervös und ungeduldig mit den Füßen. Sie wußten, daß sie bis zur äußeren Einfriedung gehen mußten, um die Kisten zu holen, die die Soldaten, wie versprochen, auf dem Gelände zwischen dem Tor und der Treppe abstellen würden, und sie befürchteten, daß es irgendeinen Trick, eine Falle gab, Wer sagt uns, daß sie nicht auf uns schießen werden, Nach allem, was sie schon getan haben, sind die dazu imstande, Wir müssen auf der Hut sein, Ich gehe nicht da raus, Ich auch nicht, Einer muß aber gehen, wenn wir essen wollen, Ich weiß nicht, ob es besser ist, erschossen zu werden oder langsam vor Hunger zu sterben, Ich gehe, Ich auch, Wir brauchen nicht alle zu gehen, Die Soldaten finden das vielleicht nicht so gut, Oder sie erschrecken und glauben, wir wollen fliehen, vielleicht haben sie deshalb den mit dem Bein getötet, Wir müssen uns entscheiden, Wir können gar nicht vorsichtig genug sein, Denkt an das, was gestern passiert ist, neun Tote, einfach so, Die Soldaten hatten Angst vor uns, Und ich habe Angst vor denen, Ich würde gern wissen, ob die auch erblinden, Wer die, Die Soldaten, Meiner Meinung nach müßten sie die ersten sein. Darin waren sich alle einig, ohne allerdings zu fragen, warum, es hätte nur jemand den Grund zu nennen brauchen, Weil sie dann nicht schießen könnten. Die Stunden verstrichen langsam, und der Lautsprecher schwieg. Habt ihr schon eure Toten beerdigt, fragte ein Blinder aus dem ersten Schlafsaal, um irgend etwas zu sagen, Noch nicht, Sie fangen an zu stinken, sie verpesten alles, Sollen sie doch, was mich angeht, habe ich nicht die Absicht, auch nur den kleinen Finger zu rühren, solange ich nichts gegessen habe, erst das Fressen, dann die Arbeit, wie es so schön heißt, Nein, so nicht, dein Sprichwort ist falsch, der Brauch ist anders, man ißt und trinkt erst nach der Beerdigung, Bei mir ist es eben umgekehrt. Nach einigen Minuten sagte einer dieser Blinden, Ich denke grade über etwas nach, Was denn, Wie wir das Essen aufteilen können, Wie vorher, wir wissen, wie viele wir sind, die Portionen werden gezählt, jeder erhält seinen Teil, das ist die einfachste Art und die gerechteste, Es hat aber nicht funktioniert, manche sind leer ausgegangen, Und manche haben zweimal bekommen, Es ist nicht richtig aufgeteilt worden, Es wird immer so sein, ohne Rücksichtnahme und Disziplin, Wenn wir doch jemand unter uns hätten, der wenigstens ein bißchen sehen könnte, Na, der würde doch gleich das Beste für sich beiseite schaffen, Ja, wie heißt es doch so schön, im Land der Blinden ist der Einäugige König, Laß gut sein, Wieso denn, Hier würden nicht mal die Einäugigen davonkommen, Also, ich finde, das Essen sollte zu gleichen Teilen auf die Säle verteilt werden, dann soll sich jeder Saal selbst zurechtfinden mit dem, was er bekommen hat, Wer hat das gesagt, Ich, Wer ich, Ich, Aus welchem Saal sind Sie, Aus dem zweiten, Dachte ich mir doch, sehr schlau, weil dort weniger Leute sind, käme euch das entgegen, dann würdet ihr mehr essen als wir, denn unser Saal ist voll, Das habe ich nur gesagt, weil es leichter wäre, Wie heißt es doch, teile und verweile, und nimm dir selbst den größten Teil, sonst bist du der Dumme alleweil, Scheiße, hör doch auf mit diesen

Sprichwörtern, das macht mich ganz nervös, Wir müßten das gesamte Essen in den Speisesaal bringen, jeder Schlafsaal würde drei Leute für die Verteilung auswählen, bei sechs Personen, die zählen, gäbe es keine Gefahr, daß einer irrt oder mogelt, Und wie sollen wir wissen, ob die die Wahrheit sagen, wenn sie behaupten, in unserem Schlafsaal gibt es soundso viele, Wir haben es doch mit ehrlichen Menschen zu tun, Ach, das sagt man so, Nein, das sage ich, Mein Herr, in Wahrheit sind wir Menschen, die Hunger haben.

Als hätte sie die ganze Zeit auf das Paßwort, ein Stichwort für das «Sesam, öffne dich» gewartet, ertönte endlich die Stimme aus dem Lautsprecher, Achtung, Achtung, die Internierten sind befugt, das Essen abzuholen, aber Vorsicht, wenn jemand dem Tor zu nahe kommt, wird er einmal verwarnt, die zweite Warnung ist eine Kugel. Die Blinden bewegten sich langsam vorwärts, einige gingen zuversichtlich nach rechts, wo sie die Tür vermuteten, andere, die sich weniger auf ihr neues Orientierungsvermögen verließen, zogen es vor, an der Wand entlangzustreifen, so konnten sie sich nicht verlaufen, bis zur Ecke, dann brauchten sie der Wand nur im rechten Winkel zu folgen und würden auf die Tür stoßen. Herrisch und ungeduldig wiederholte die Stimme aus dem Lautsprecher die Ansage. Der veränderte Tonfall, für jeden deutlich vernehmbar, auch für den, der keinen Grund zu Mißtrauen hatte, erschreckte die Blinden. Einer erklärte, Ich bleibe hier, die wollen uns da draußen nur erwischen, um uns alle umzubringen, Ich geh auch nicht, sagte ein anderer, Und ich auch nicht, bekräftigte ein Dritter. Da standen sie, unentschieden, einige wollten hinausgehen, aber die Angst überkam nun alle. Wieder ertönte die Stimme, Wenn innerhalb von drei Minuten niemand kommt, um die Kisten abzuholen, werden wir sie entfernen. Die Drohung konnte die Furcht nicht besiegen, sondern verstärkte sie noch, sie setzte sich im Bewußtsein fest, wie bei einem gejagten Tier, das auf eine Gelegenheit zum Angriff wartet. Voller Angst traten die Blinden nun, einer hinter dem anderen versteckt, auf den Treppenabsatz hinaus. Sie konnten nicht sehen, daß die Kisten nicht am Geländer standen, wo sie sie vermuteten, sie konnten nicht wissen, daß sich die Soldaten aus Angst vor Ansteckung geweigert hatten, auch nur zum Seil zu gehen, an dem sich alle Blinden dort draußen festgehalten hatten. Die Kisten standen alle aufeinandergetürmt etwa dort, wo die Frau des Arztes die Hacke aufgenommen hatte. Nur vorwärts, immer vorwärts, befahl der Sergeant. Die Blinden versuchten nun, sich in einer Reihe aufzustellen, um geordnet vorwärts zu gehen, aber der Sergeant rief ihnen zu, Die Kisten sind nicht dort, lassen Sie das Seil los, los doch, gehen Sie nach rechts, rechts von Ihnen, von Ihnen, sagte ich, Dummköpfe, man braucht doch keine Augen, um zu wissen, wo die rechte Hand ist. Die Aufforderung kam gerade noch rechtzeitig, einige Blinde hatten den Befehl gleich wörtlich genommen, rechts war für sie natürlich die rechte Seite dessen, der sprach, deshalb versuchten sie, unter dem Seil durchzuschlüpfen, um die Kisten Gott weiß wo zu suchen. Unter anderen Umständen hätte dieses groteske Schauspiel selbst den mürrischsten Beobachter zum Lachen gebracht, es war zum Totlachen, wie da einige Blinde auf allen vieren, mit dem Gesicht am Boden wie Schweine, mit einem Arm vor sich her durch die Luft fahrend vorwärts krochen, während sich andere, vielleicht aus Angst, der weiße Raum außerhalb des geschützten Daches könne sie verschlucken, verzweifelt an das Seil klammerten, angestrengt lauschten und auf den ersten Ausruf warteten, der das Auffinden der Kisten anzeigte. Die Soldaten hätten am liebsten wahllos und kaltblütig auf diese Idioten gezielt und geschossen, die sich vor ihren Augen wie humpelnde Krebse fortbewegten, mit ihren ungelenken Zangen auf der Suche nach dem Bein, das ihnen fehlte. Sie hatten den Regimentskommandanten an diesem Morgen in der Kaserne sagen hören, daß das Problem der Blinden nur durch die physische Liquidierung aller Blinden gelöst werden könne, derer, die jetzt da waren, und derer, die noch kommen würden, ohne falsche humanitäre Rücksichtnahme, das waren seine Worte, genauso wie man ein brandiges Glied abschneidet, um den Körper zu retten, Die Tollwut eines toten Hundes, hatte er auf anschauliche Weise bemerkt, ist von Natur aus geheilt. Einigen Soldaten, die für die Feinheiten bildlicher Ausdrucksweise nicht so empfänglich waren, fiel es schwer zu begreifen, was die Tollwut eines Hundes mit den Blinden zu tun haben sollte, aber das Wort eines Regimentskommandanten, ebenfalls bildlich gesprochen, wiegt schwer, niemand steigt in der militärischen Rangordnung so weit auf, ohne recht zu haben in allem, was er denkt, sagt und tut. Ein Blinder war schließlich an die Kisten gestoßen und schrie, an sie geklammert, Hier sind sie, hier, wenn dieser Mann eines Tages sein Augenlicht wiedererlangt, wird er die phantastische gute Nachricht sicher nicht mit größerer Freude verkünden. In wenigen Sekunden stolperten die anderen Blinden über die Kisten, kämpften darum, ich nehme diese, nein, ich. Diejenigen, die sich an das Seil geklammert hatten, wurden nervös, jetzt hatten sie Angst, sie würden aus Strafe für ihre Trägheit oder Feigheit von der

Verteilung der Lebensmittel ausgeschlossen werden. Oh, ihr wolltet nicht mit dem Arsch in der Luft auf dem Boden kriechen, auf die Gefahr hin, erschossen zu werden, also bekommt ihr nichts zu esssen, denkt daran, wie es so schön heißt, nur wer wagt, gewinnt. Von diesem quälenden Gedanken getrieben, ließ einer von ihnen das Seil los und stürzte sich, mit den Armen in der Luft fuchtelnd, ins Getümmel, Mich werdet ihr nicht auslassen, doch die Stimmen schwiegen plötzlich, nur das Geräusch der fortgeschleiften Kisten war zu hören, einige erstickte Ausrufe, ein unbestimmbares Gewirr von Lauten, die von überall und nirgendwoher kamen. Er hielt unentschlossen inne, wollte zum sicheren Seil zurückkehren, aber sein Orientierungsvermögen versagte, am weißen Himmel gibt es keine Sterne, jetzt hörte man die Stimme des Sergeanten, der denen, die mit den Kisten beschäftigt waren, Anweisungen gab, um sie zur Treppe zurückzudirigieren, was er jedoch sagte, hatte nur für diese einen Sinn, denn um zu einer Stelle zu gelangen, kommt es darauf an, woher man kommt. Es waren keine Blinden mehr an das Seil geklammert, sie nahmen den Weg in umgekehrter Richtung zurück und warteten jetzt auf dem Treppenabsatz auf die Ankunft der anderen. Der Blinde, der sich losgemacht hatte, wagte nicht, sich von der Stelle zu rühren. Angstvoll stieß er einen lauten Schrei aus, Helft mir bitte, er wußte nicht, daß die Soldaten ihre Gewehre auf ihn gerichtet hatten und darauf warteten, daß er die unsichtbare Linie zwischen Leben und Tod überschritt. Willst du da stehenbleiben, Blindgänger, fragte der Sergeant, aber in seiner Stimme schwang eine gewisse Nervosität mit, denn in Wahrheit teilte er die Meinung seines Kommandanten nicht, Wer sagt mir denn, daß morgen nicht das Unglück an meine Tür klopft, was die Soldaten angeht, wissen wir ja, gibt man ihnen den Befehl, töten sie, gibt man ihnen einen anderen, sterben sie, Sie werden nur schießen, wenn ich es sage, rief der Sergeant. Diese Worte ließen den Blinden begreifen, in welcher Gefahr er sich befand. Er kniete nieder, bettelte, Bitte, helfen Sie mir, sagen Sie mir, wo ich langgehen muß, Komm schon, Blindschleiche, na komm schon, sagte ein Soldat von drüben in einem Ton falscher Liebenswürdigkeit, der Blinde erhob sich, tat drei Schritte, hielt wieder inne, der Satz kam ihm verdächtig vor, na komm schon heißt nicht, na geh schon, komm schon, das heißt, hierher, genau hierher, in dieser Richtung, dann kommst du dort an, von wo man dich ruft, auf die Kugel zu, die eine Blindheit durch eine andere ersetzen wird. Es war die sozusagen kriminelle Initiative eines Soldaten von miesem Charakter, die der Sergeant sofort mit zwei aufeinanderfolgenden Befehlen widerrief, Halt, Eine halbe Drehung, und dann rief er den Ungehorsamen zur Rechenschaft, der offensichtlich zu jener Art Mensch gehörte, denen man kein Gewehr in die Hand geben darf. Ermutigt durch die wohlwollende Intervention des Sergeanten, begannen die Blinden, die den Treppenabsatz erreicht hatten, ein wildes Geschrei, das dem Blinden wie ein magnetischer Pol helfen sollte, sich zu orientieren. Nun wieder seiner selbst sicher, ging er zielstrebig los, Weiter, nur weiter, rief er, während die Blinden applaudierten, als würden sie einen langen, spannenden und kräftezehrenden Sprint verfolgen. Er wurde mit Umarmungen begrüßt, die Umstände rechtfertigten einen solchen Empfang, im Unglück, im erlebten wie im vorhersehbaren, erkennt man seine Freunde.

Die Verbrüderung dauerte nicht lange, einige Blinde hatten das Durcheinander genutzt und sich mit ein paar Kisten davongemacht, so viele sie transportieren konnten, das war natürlich unlauter, da mögliche Ungerechtigkeiten bei der Verteilung gerade verhindert werden sollten. Die Gutgläubigen, und es gibt immer welche, protestierten empört, daß man so nicht weitermachen könne, Wo kommen wir denn da hin, wenn wir einander nicht vertrauen können, fragten die einen, rhetorisch, wenn auch mit vollem Recht, diese Halunken wollen wohl eine anständige Tracht Prügel, drohten andere. Als sie sich schon in die Eingangshalle zurückgezogen hatten, kamen die Blinden überein, daß es am praktischsten wäre, den ersten Teil dieser schwierigen Situation so zu lösen, daß man die Kisten, die noch geblieben waren, zum Glück in einer geraden Zahl, zu gleichen Teilen auf beide Säle verteilte, außerdem sollte ein Komitee gebildet werden, auch dieses paritätisch besetzt, das den Fall untersuchen sollte, um die verlorengegangenen beziehungsweise geraubten Kisten zurückzugewinnen. Sie verbrachten einige Zeit, wie schon üblich, mit Diskussionen über das Vorher und Nachher, das heißt, ob sie zuerst essen und dann nachforschen sollten oder umgekehrt, dann einigte man sich darauf, daß es am sinnvollsten sei, zunächst einmal den Magen zu beruhigen, da sie schon viele Stunden ohne Essen zugebracht hatten, und dann die Nachforschungen einzuleiten, Und vergeßt nicht, daß ihr noch eure Leute beerdigen müßt, sagte einer vom ersten Saal. Wir haben sie noch nicht getötet, und schon sollen wir sie beerdigen, sagte ein Witzbold aus dem zweiten Saal scherzhaft. Alle lachten. Es dauerte nicht lange, bis man herausfand, daß die Halunken nicht in den Sälen waren. Am Eingang zu jedem Saal hatten die ganze Zeit über Blinde auf das Essen gewartet, und diese sagten, sie hätten zwar Leute in den Fluren gehört, die es offenbar sehr eilig hatten, aber niemand habe die Säle betreten, geschweige denn mit Essenskisten, das konnten sie schwören. Einer meinte, die Kerle könne man am sichersten identifizieren, wenn alle Anwesenden ihre Betten besetzten, dann wären die, die frei blieben, natürlich die der Diebe, also mußte man warten, bis sie aus ihrem Versteck zurückkehrten und sich die Lippen leckten, um sich dann über sie herzumachen, damit sie lernten, das geheiligte Prinzip des Gemeinguts zu achten. Diesem Vorschlag nachzugehen, was übrigens sinnvoll war und von einem ausgeprägten Sinn für Gerechtigkeit zeugte, hatte jedoch einen schwerwiegenden Nachteil, nämlich den, daß man nicht wußte, wann man das mittlerweile erkaltete Frühstück zu sich nehmen konnte, Wir essen zuerst, sagte einer der Blinden, und die meisten stimmten ihm zu, es wäre besser, erst zu essen. Unglücklicherweise blieb ihnen nicht viel nach dem infamen Diebstahl. Jetzt saßen die Schufte in diesem heruntergekommenen, abgehalfterten Gebäude wahrscheinlich in einem Versteck und schlugen sich die Bäuche mit doppelten und dreifachen Rationen voll, die sich unerwartet verbessert hatten, zusammengesetzt aus Kaffee mit Milch, der allerdings schon kalt war, und Keksen und Brot mit Margarine, während den ehrbaren Leuten nichts anderes übrigblieb, als sich mit zwei- oder dreimal weniger zu begnügen, und nicht einmal von allem etwas. Draußen hörte man, und auch einige aus dem ersten Flügel vernahmen es, während sie melancholisch an ihrem mageren Frühstück knabberten, wie der Lautsprecher die Infizierten aufforderte, sich ihr Essen zu holen. Einer der Blinden, zweifellos von dem unguten Klima beeinflußt, das der Raub hinterlassen hatte, meinte, Wenn wir nun im Innenhof auf sie warteten, dann bekämen sie einen ganz schönen Schreck, wenn sie uns sähen, vielleicht würden sie dann die eine oder andere Kiste fallen lassen, aber der Arzt sagte, das sei keine gute Idee, es wäre ungerecht, diejenigen zu bestrafen, die keine Schuld hätten. Als alle fertig gegessen hatten, brachten die Frau des Arztes und die junge Frau mit der dunklen Brille die Pappkartons in den Garten, die leeren Milch- und Kaffeebehälter, die Pappbecher, eben alles, was nicht eßbar war, Wir müssen den Müll verbrennen, sagte die Frau des Arztes, damit wir diese schrecklichen Fliegen loswerden.

Die Blinden saßen auf ihren Betten und warteten darauf, daß die verlorenen Schafe zur Herde zurückkehrten, Schafsköpfe sind sie, sagte ein Mann mit tiefer Stimme. Aber die Gauner tauchten nicht auf, sie mußten Verdacht geschöpft haben, sicher gab es unter ihnen einen, der genauso schlau war wie der, der den Vorschlag mit dem Verprügeln gemacht hatte. Die Minuten verstrichen, der eine oder andere Blinde hatte sich schon hingelegt, einige waren bereits eingeschlafen. Das ist es, meine Herren, essen und schlafen. Wenn man die Dinge recht betrachtete, ging es ihnen gar nicht so schlecht. Wenn das Essen nicht ausblieb, ohne konnten sie nicht leben, war es wie in einem Hotel. Ganz im Gegenteil, welch ein Kreuz wäre es für einen Blinden dort draußen in der Stadt, ja welch ein Kreuz. Durch die Straßen zu stolpern, alle würden vor ihnen fliehen, die Familie wäre entsetzt, hätte Angst, sich ihnen zu nähern, Mutterliebe, Kindesliebe, alles Geschichten, wahrscheinlich würden sie mich ebenso behandeln wie hier, mich in ein Zimmer einschließen und mir, wenn ich Glück habe, einen Teller vor die Tür stellen. Wenn man die Lage ganz kühl betrachtete, ohne Vorurteile oder Ressentiments, die den Verstand immer vernebeln, mußte man zugeben, daß die Obrigkeit Weitblick bewiesen hatte, als sie beschloß, die Blinden mit den Blinden zusammenzutun, alle mit ihresgleichen, das ist eine gute Regel der Nachbarschaft, wie die Leprakranken, kein Zweifel, der Arzt dort hinten hat recht, wenn er sagt, daß wir uns organisieren müssen, es ist wirklich eine Frage der Organisation, erst das Essen, dann die Organisation, beide sind unerläßlich für das Leben, wir müssen einige disziplinierte Menschen auswählen, die auch disziplinieren können und das Ganze hier leiten, vernünftige Regeln des Zusammenlebens aufstellen, einfache Dinge wie Fegen, Aufräumen und Waschen, wir können uns nicht beklagen, sie haben uns sogar Seife geschickt und Putzmittel, wir müssen die Betten machen, das Wichtigste ist, daß wir nicht die Achtung vor uns selbst verlieren, Konflikte mit den Soldaten vermeiden, die ihre Pflicht erfüllen, indem sie uns bewachen, wir haben schon genug Tote, fragen wir, wer unter uns Geschichten kennt, die man abends erzählen kann, Geschichten, Fabeln, Anekdoten, ganz gleich, man stelle sich vor, welch ein Glück das wäre, wenn jemand die Bibel auswendig kennte, wir würden alles wiederholen, angefangen bei der Schöpfung der Welt, wichtig ist, daß wir uns gegenseitig hören, wie schade, daß wir kein Radio haben, Musik ist immer eine gute Zerstreuung, und wir würden die Nachrichten verfolgen, zum Beispiel, wenn man ein Heilmittel für unsere Krankheit fände, welche Freude würde hier herrschen.

Und dann geschah, was geschehen mußte, man hörte

Schüsse auf der Straße. Sie kommen, um uns zu töten, rief jemand, Ganz ruhig, sagte der Arzt, seien wir logisch, wenn sie uns töten wollten, dann würden sie die Schüsse hier abfeuern, nicht da draußen. Der Arzt hatte recht, es war der Sergeant, der den Befehl gegeben hatte, in die Luft zu schießen, nicht ein Soldat, der plötzlich erblindet war, als er den Finger am Abzug hatte, man versteht, daß es keine andere Art gab, die Blinden, die die Busse verließen, zur Ordnung zu rufen, Das Gesundheitsministerium hatte das Verteidigungsministerium benachrichtigt, Wir werden vier Busse voll schicken, Und wie viele sind das dann, Ungefähr zweihundert, Und wo sollen wir all diese Leute unterbringen, nach unseren Informationen sind nur drei Säle im rechten Flügel für die Blinden bestimmt, die vollständige Belegung wurde mit einhundertzwanzig angegeben, und dort sind schon sechzig oder siebzig, die zwölf, die wir töten mußten, nicht mitgerechnet, Da gibt es Abhilfe, es werden alle Säle belegt, Dann werden die Infizierten in direkten Kontakt mit den Blinden kommen, Es ist sehr wahrscheinlich, daß diese früher oder später ebenfalls erblinden werden, so wie die Lage übrigens ist, vermute ich, daß wir alle schon infiziert sind, mit Sicherheit gibt es nicht einen einzigen Menschen, der nicht in Sichtweite eines Blinden gewesen ist, Wenn ein Blinder nicht sehen kann, so frage ich mich, wie kann er dann über den Blick die Krankheit übertragen, Herr General, dies muß die logischste Krankheit der Welt sein, das Auge, das blind ist, überträgt die Blindheit auf das Auge, das sieht, nichts einfacher als das, Wir haben hier einen Oberst, der glaubt, die Lösung liege darin, daß wir die Blinden töten, wenn sie auftauchen, Tote anstelle von Blinden würden nicht viel an der Situation ändern, Blind sein bedeutet nicht tot sein, Ja, aber tot sein bedeutet blind sein, Gut, dann sind es etwa zweihundert, Ja, Und was machen wir mit den Fahrern der Busse, Stecken Sie sie auch dorthin. An diesem selben Tag rief nachmittags das Verteidigungsministerium das Gesundheitsministerium an, Wollen Sie eine Neuigkeit hören, jener Oberst, von dem ich Ihnen erzählt habe, ist erblindet, Ich bin gespannt, was er jetzt von seiner Idee hält, Ja, stellen Sie sich vor, er hat sich in den Kopf geschossen, Das nenne ich konsequent, Die Armee ist immer bereit, ein Beispiel zu geben.

Das Tor wurde ganz geöffnet. Der Sergeant ordnete an, die Blinden sollten sich nach Art des Militärs in Fünferreihen formieren, doch dazu waren die Blinden nicht in der Lage, manchmal waren es mehr, manchmal weniger, und alle drängten sich schließlich am Eingang, es waren Zivile, ohne jede Ordnung, sie dachten nicht einmal daran, wie bei einem Schiffbruch Frauen und Kinder vorzulassen. Es sei, bevor wir dies vergessen, gesagt, daß nicht alle Schüsse in die Luft abgefeuert worden waren, einer der Busfahrer hatte sich geweigert, zu den Blinden zu gehen, er protestierte und sagte, er könne noch gut sehen, mit dem Ergebnis, drei Sekunden später, daß dem Gesundheitsministerium mit seiner Behauptung recht gegeben wurde, tot sein bedeute blind sein. Der Sergeant gab die schon bekannten Befehle, Gehen Sie geradeaus, oben ist eine Treppe mit sechs Stufen, sechs, wenn Sie dort ankommen, gehen Sie langsam hinauf, wenn dort jemand stolpert, möchte ich nicht wissen, was dann geschieht, die einzige Empfehlung, die er ausließ, war die, dem Seil zu folgen, aber das war verständlich, denn wenn sie es benutzten, würden sie nie hineingelangen, Achtung, sprach der Sergeant, ruhiger jetzt, da schon alle hinter dem Tor waren, es gibt drei Schlafsäle rechts und drei links, jeder Saal hat vierzig Betten, passen Sie auf, daß die Familien nicht getrennt werden, vermeiden Sie Rempeleien, zählen Sie am Eingang, wie viele Sie sind, bitten Sie die, die bereits dort sind, Ihnen zu helfen, alles wird gutgehen, richten Sie sich ein, ganz ruhig, ganz ruhig, das Essen kommt später.

Man möchte sich lieber nicht ausmalen, daß die Blinden in so großer Zahl wie die Schafe zur Schlachtbank gehen, wie gewöhnlich blökend, ein wenig zusammengepfercht, gewiß, aber das war immer ihre Art, Fell an Fell, schnaubend und stinkend. Hier weinen welche, andere schreien vor Angst oder Wut, andere fluchen, einer sprach eine wüste und sinnlose Drohung aus, Wenn ich euch eines Tages erwische, vermutlich bezog er sich auf die Soldaten, dann kratz ich euch die Augen aus. Es war unvermeidlich, daß die ersten, die an der Treppe ankamen, anhielten, sie mußten mit den Füßen die Höhe und Tiefe der Stufen abtasten, der Druck derer, die hinter ihnen folgten, ließ vorne zwei oder drei stürzen, glücklicherweise blieb es dabei, nur ein paar verletzte Knöchel, der Rat des Sergeanten war segensreich. Ein Teil war schon in die Eingangshalle gelangt, aber zweihundert Menschen richten sich nicht so einfach ein, noch viel weniger Blinde ohne Führung, und zu allem Übel sei hinzugefügt, daß wir uns in einem alten Gebäude befinden, das nicht sonderlich funktional aufgeteilt ist, es reicht nicht, daß ein Sergeant, der sich in seinem Beruf auskennt, sagt, Es sind drei Säle auf jeder Seite, man muß auch wissen, wie es drinnen aussieht, einige Türrahmen sind so schmal, daß sie eher wie ein Flaschenhals wirken, einige Flure so verrückt wie die früheren Insassen des Hauses, sie beginnen, man weiß nicht, warum, sie hören auf, man weiß nicht, wo, und man erfährt nicht, was sie wollen. Instinktiv hatte die Vorhut der Blinden sich in zwei Gruppen aufgeteilt, die sich an den Wänden entlang fortbewegten, auf der einen und der anderen Seite, auf der Suche nach einer Tür, durch die sie eintreten konnten, eine sichere Methode, zweifelsohne, vorausgesetzt, daß keine Möbel im Weg standen. Früher oder später, mit Geschick und Geduld, würden sich die neuen Gäste einrichten, jedoch nicht, bevor die Schlacht zwischen den ersten Reihen der linken Gruppe und den Infizierten, die auf dieser Seite lebten, entschieden war. Das war zu erwarten. Laut einer Vereinbarung des Gesundheitsministeriums, und hierzu gab es ein ausgearbeitetes Papier, sollte dieser Flügel für die Infizierten reserviert bleiben, wobei man mit größter Wahrscheinlichkeit vorhersehen konnte, daß sie alle erblinden würden, es stimmte jedoch auch, wenn man der reinen Logik folgte, daß man, solange sie noch nicht erblindet waren, nicht sicher sein konnte, daß sie wirklich dazu bestimmt waren. Da sitzt also ein Mensch ruhig in seinem Haus, im Vertrauen darauf, daß sich trotz gegenteiliger Beweise wenigstens in seinem Fall alles finden wird, und plötzlich sieht er, daß sich eine brüllende Horde jener, die er am meisten fürchtet, auf ihn zubewegt. Im ersten Augenblick dachten die Infizierten, daß es sich um eine Gruppe von ihresgleichen handelte, nur zahlreicher, doch der Irrtum war nur von kurzer Dauer, diese Leute waren wirklich blind, Hier können Sie nicht rein, dies ist unser Flügel, er ist nicht für die Blinden, Sie gehören auf die andere Seite, schrien die, die die Tür bewachten. Einige Blinde versuchten eine halbe Drehung, um einen anderen Eingang zu suchen, für sie war es gleich, links oder rechts, aber die Menge derer, die von draußen hereindrängten, stieß sie unerbittlich vorwärts. Die Infizierten verteidigten die Tür mit Tritten und Fausthieben, die Blinden reagierten, so gut sie konnten, sie sahen die Gegner nicht, aber sie wußten, woher die Schläge kamen. In der Eingangshalle fanden keine zweihundert Menschen Platz, auch nicht annähernd, daher dauerte es nicht lange, bis die Tür, die zur Umzäunung führte, trotz ihrer relativen Größe völlig verstopft war, als würde eine Walze den Zugang versperren, nichts ging mehr, weder nach vorn noch nach hinten, die, die drinnen waren, zusammengequetscht und plattgedrückt, versuchten, sich mit Fußtritten zu schützen, stießen mit den Ellenbogen ihre Nachbarn, die ihnen die Luft nahmen, man hörte Schreie, blinde Kinder weinten, blinde Frauen fielen in Ohnmacht, während viele, denen es noch nicht gelungen war hineinzukommen, immer stärker schoben, verschreckt von den Schreien der Soldaten, die nicht verstanden, warum diese Dummköpfe noch dort waren. Es kam zu einem entsetzlichen Augenblick, als es einen heftigen Rückstau durch die Menschen gab, die versuchten, sich von dem Tumult zu befreien, von der drohenden Gefahr, erdrückt zu werden, versetzen wir uns in die Lage der Soldaten, plötzlich sehen sie eine Anzahl von Leuten herausquellen, die schon im Gebäude gewesen waren, sie stellten sich sofort das Schlimmste vor, daß die Blinden wieder zurückkamen, erinnern wir uns an das Vorangegangene, es hätte ein Gemetzel geben können. Glücklicherweise war auch diesmal der Sergeant der Situation gewachsen, er selbst feuerte mit seiner Pistole einen Warnschuß in die Luft ab und rief durch den Lautsprecher, Ruhe, wer nicht auf der Treppe ist, tritt bitte ein wenig zurück, beruhigen Sie sich, nicht weiterschieben, helfen Sie einander. Es war zuviel verlangt, drinnen setzte der Kampf sich fort, aber die Eingangshalle leerte sich langsam, da sich glücklicherweise ein Teil auf die Tür des rechten Flügels zubewegte, dort wurden sie von Blinden in Empfang genommen, denen es nichts ausmachte, sie zum dritten Saal zu führen, der noch frei war, und zu den noch unbelegten Betten im zweiten. Für einen Augenblick schien es, als hätte sich die Schlacht zugunsten der Infizierten entschieden, nicht weil sie stärker gewesen wären oder mehr sehen konnten, sondern weil die Blinden, die bemerkt hatten, daß der Eingang zur anderen Seite frei geworden war, den Kontakt abbrachen, wie der Sergeant in seiner Kasernensprache eines Strategen und Taktikers dozieren würde. Die Freude der Verteidiger hielt jedoch nicht lange an. Von der Tür des rechten Flügels drangen nun Stimmen herüber, die ankündigten, daß es keinen Platz mehr gab, daß alle Säle voll waren, es gab sogar Blinde, die wieder zum Eingang gestoßen wurden, genau in dem Moment, als sich die Menschenwalze, die bis dahin den Haupteingang versperrt hatte, auflöste, die Blinden, die noch draußen waren, und es waren viele, konnten sich unter das Dach stellen, außer Reichweite der drohenden Soldaten, und würden sich dort niederlassen. Nach all diesem Gedränge flammte der Streit am Durchgang zum linken Flügel erneut auf, wieder gab es Schläge und Schreie, und als sei das nicht genug, wurden einige Blinde, die eine Tür von der Eingangshalle zum Innenhof gefunden und mit Gewalt geöffnet hatten, womit sie direkten Zugang zur inneren Einfriedung bekamen, niedergerissen und schrien nun, dort lägen Tote. Man stelle sich das Entsetzen vor. Die Blinden wichen zurück, so gut sie konnten, Dort liegen Tote, Dort liegen Tote, wiederholten sie, als seien sie die nächsten, die sterben müßten, sofort herrschte im Innenhof wieder ein wütendes, fürchterliches Durcheinander, dann wurde die Menschenmasse in einem plötzlichen und verzweifelten Impuls zum linken Flügel abgedrängt, wälzte alles vor sich her, der Widerstand der Infizierten war gebrochen, viele waren es schon nicht mehr, und andere, die wie wahnsinnig umherrannten, versuchten, dem Unausweichlichen zu entkommen. Sie rannten umsonst. Einer nach dem anderen erblindeten sie, ihre Augen ertranken plötzlich in dem schrecklichen weißen Meer, das die Korridore, die Säle, den ganzen Innenraum überflutete. Dort draußen in der Eingangshalle an der Einfriedung schleppten sich die hilflosen Blinden entlang, schmerzgeplagt von den Schlägen, die sie erhalten hatten, andere waren getreten worden, es waren vor allem die Alten, die Frauen und wie immer die Kinder, Menschen, die im allgemeinen schon wehrloser sind, ein Wunder, daß es bei alldem nicht mehr Tote zu beerdigen gab. Am Boden verstreut lagen außer einigen Schuhen, die ihre Füße verloren hatten, Taschen, Koffer, Körbe, die letzten Reste des Reichtums eines jeden einzelnen, für immer verloren, wer jetzt das Gefundene nimmt, wird sagen, es sei das Seine.

Ein alter Mann mit einer schwarzen Augenklappe auf einem Auge kam von der Einfriedung. Entweder hatte auch er sein Gepäck verloren, oder er hatte nichts mitgebracht. Er war als erster über die Toten gestolpert, aber er schrie nicht. Er blieb bei ihnen, neben ihnen, und wartete, daß Frieden und Ruhe wieder einkehrten. Er wartete eine Stunde. Jetzt ist es an ihm, sich einen Unterschlupf zu suchen, langsam, mit ausgestreckten Armen, suchte er sich einen Weg. Er fand die Tür zum ersten Saal des rechten Flügels, hörte Stimmen von drinnen, dann fragte er, Gibt es hier ein Bett für mich.

Die Ankunft so vieler Blinder schien zumindest einen Vorteil zu haben. Wenn man es recht bedachte, zwei, der erste war sozusagen psychologischer Natur, denn in Wahrheit ist es ein Unterschied, ob man jeden Augenblick die Ankunft neuer Insassen erwartet oder ob man bemerkt, daß das Gebäude schließlich voll ist und es von nun an möglich sein wird, mit den Nachbarn dauerhafte, vernünftige Beziehungen einzugehen, was bisher wegen der ständigen Unterbrechungen durch die Neuankömmlinge, die hereindrängten, nicht möglich war, da sie uns zwangen, unsere Kommunikationsformen stets aufs neue zu gestalten. Der zweite Vorteil, praktischer, direkter und grundsätzlicher Natur, war, daß die Behörden draußen, Zivile und Militärs, verstanden hatten, daß es eine Sache war, Lebensmittel für zwei oder drei Dutzend Menschen heranzuschaffen, die mehr oder weniger duldsam, mehr oder weniger willfährig gewesen waren und sich als kleine Gruppe mit den möglichen Mängeln oder Verzögerungen in der Essenszufuhr abgefunden hatten, eine andere aber, jetzt die plötzliche und heikle Verantwortung für die Versorgung von zweihundertvierzig Menschen unterschiedlichster Herkunft, unterschiedlichsten Charakters und Temperaments zu tragen. Zweihundertvierzig, etwa sollte man sagen, weil mindestens zwanzig Blinde keine Pritsche mehr gefunden hatten und auf dem Boden schliefen. Jedenfalls ist es nicht das gleiche, ob dreißig Personen von dem essen, was für zehn bestimmt ist, oder unter zweihundertsechzig Personen verteilt wird, was für zweihundertvierzig vorgesehen ist. Den Unterschied merkt man kaum. Nun, da man sich dieser größeren Verantwortung bewußt war und, dies vielleicht eine Hypothese, die nicht ganz von der Hand zu weisen ist, aus Angst vor neuen Tumulten, änderten die Behörden ihr Vorgehen und lieferten das Essen von nun an rechtzeitig und in der richtigen Menge. Selbstverständlich war nach den in jedem Sinne beklagenswerten Kämpfen, die wir erleben mußten, die Unterbringung so vieler Blinder nicht ganz einfach und nicht konfliktfrei, wir brauchen nur an jene unglücklichen Infizierten zu denken, die vorher sahen und jetzt nicht mehr sehen, an getrennte Paare und verirrte Kinder, an die Klagen derer, die getreten und gestoßen worden waren, einige zwei- oder dreimal, derer, die ihre teure Habe suchen und sie nicht finden, man müßte völlig unempfindlich sein, wollte man den Kummer all dieser armen Menschen, als bedeute er nichts, einfach vergessen. Trotz allem muß man zugeben, daß die Ankündigung des Mittagessens auf alle wie ein wohltuender Balsam wirkte. Und wenn auch das Abholen einer so großen Essensmenge und das Verteilen an so viele Münder mangels einer angemessenen Organisation und einer Autorität, die in der Lage gewesen wäre, die notwendige Disziplin zu gebieten, zu neuen Auseinandersetzungen führte, müssen wir doch anerkennen, daß sich die Stimmung sehr gewandelt hatte, und zwar zum Besseren, als man überall in der ehemaligen Irrenanstalt nur das Geräusch von zweihundertsechzig kauenden Mündern hörte. Wer allerdings danach alles reinigen soll, ist noch eine Frage ohne Antwort, erst gegen Abend wird der Lautsprecher erneut die Regeln des rechten Verhaltens bekanntgeben, die von allen befolgt werden müssen, zum Wohle aller, und dann wird man sehen, wie weit jene sie gebührend beachten werden, die gerade eingetroffen sind. Immerhin haben die Insassen des zweiten Saales im rechten Flügel sich endlich entschlossen, ihre Toten zu beerdigen, dann sind wir wenigstens diesen Gestank los, und an den Geruch der Lebenden, der weniger faulig ist, werden wir uns leichter gewöhnen.

Was den ersten Saal angeht, war dort, vielleicht, weil er am längsten belegt und bereits an die Blindheit gewöhnt war, eine Viertelstunde, nachdem seine Insassen fertig gegessen hatten, kein einziges schmutziges Stück Papier mehr auf dem Boden zu sehen, kein vergessener Teller, kein kleckernder Behälter. Alles war eingesammelt worden, die kleineren Gefäße in die größeren, die schmutzigeren in die weniger schmutzigen, wie dies eine Hygieneverordnung vorschreiben würde, deren Ziel es ist, mit größtmöglicher Effizienz und einem optimal organisierten Arbeitseinsatz Reste und Abfälle einzusammeln. Die Voraussetzungen für solch ein soziales Verhalten lassen sich nicht einfach improvisieren und entstehen nicht spontan. Im vorliegenden Fall scheint der entscheidende Einfluß das pädagogische Verhalten der blinden Frau am Ende des Saals gewesen zu sein, jener Frau, die mit dem Augenarzt verheiratet ist, denn sie wurde nicht müde, uns zu sagen, Wenn wir nicht in der Lage sind, ganz wie Menschen zu leben, dann sollten wir wenigstens versuchen, nicht ganz wie Tiere zu leben, sie hatte es so oft wiederholt, daß die übrigen im Saal diesen Ausspruch schließlich zu ihrer Maxime erhoben, zu einer Sentenz, zu einer Doktrin, zu einer Lebensregel, jene im Grunde so einfachen und elementaren Worte. Wahrscheinlich trug gerade diese Haltung, mit Verständnis für die unter diesen Umständen entstehenden Bedürfnisse dazu bei, wenn auch auf nebensächliche Weise, daß der alte Mann mit der schwarzen Augenklappe so freundlich aufgenommen wurde, als er an der Tür erschien und fragte, Gibt es hier ein Bett für mich. Es war einem glücklichen, zweifellos vielversprechenden Umstand zu verdanken, daß es ein Bett gab, ein einziges, wer weiß, warum es noch frei war, sozusagen die Invasion überstanden hatte, in diesem Bett hatte der Autodieb unsägliche Schmerzen erlitten, vielleicht war ihm deshalb eine Aura des Leidens geblieben, die die anderen ferngehalten hatte. Das sind Winke des Schicksals, Geheimnisse im verborgenen, kein Unglück ist so groß, es ist ein Glück dabei, und dies war nicht der einzige Zufall, weit gefehlt, es sei nur daran erinnert, daß einige der Infizierten in diesem Saal in der Praxis gewesen waren, als der erste Blinde dort erschien, und damals dachte man, dabei würde es bleiben. Leise, wie gewohnt, um das Geheimnis ihrer Anwesenheit dort nicht preiszugeben, flüsterte die Frau des Arztes ihrem Mann ins Ohr, Vielleicht war das auch einer deiner Patienten, es ist ein älterer Mann mit Glatze, weißem Haar, er trägt eine schwarze Augenklappe über einem Auge, ich erinnere mich, daß du von ihm erzählt hast, Welches Auge, Das linke, Das wird er sein. Der Arzt ging zum Gang vor und sagte, etwas lauter, Ich würde denjenigen, der sich gerade zu uns gesellt hat, gerne berühren, bitte kommen Sie doch in diese Richtung, und ich gehe auf Sie zu. Sie trafen sich auf halbem Weg, Finger auf Finger, wie zwei Ameisen, die sich durch die Bewegungen der Fühler erkennen, in diesem Falle war es anders, der Arzt bat um Erlaubnis und tastete mit den Händen das Gesicht des Alten ab, schnell fand er die Augenklappe, Kein Zweifel, es war der letzte, der hier noch fehlte, der Patient mit der schwarzen Augenklappe, rief er aus, Was heißt das, wer sind Sie, fragte der Alte, Ich bin, ich war Ihr Augenarzt, erinnern Sie sich, wir hatten einen Termin für Ihre Staroperation ausgemacht, Wie haben Sie mich erkannt, Vor allem an der Stimme, die Stimme ist das Augenlicht dessen, der nicht sieht, Ja, die Stimme, jetzt erkenne ich Ihre auch, wer hätte das gedacht, Herr Doktor, jetzt brauchen Sie mich nicht mehr zu operieren, Wenn es ein Mittel gegen das hier gibt, brauchen wir es beide, Ich erinnere mich, Herr Doktor, daß Sie mir gesagt haben, daß ich nach der Operation die Welt, in der ich lebe, nicht mehr wiedererkennen würde, jetzt wissen wir, wie recht Sie hatten, Wann sind Sie erblindet, Gestern abend, Und schon hat man Sie hergebracht, Die Angst da draußen ist so groß, daß die Leute nicht zögern werden, die Menschen umzubringen, wenn sie merken, daß sie erblindet sind, Hier sind schon zehn liquidiert worden, sagte eine Männerstimme, Ich habe sie gefunden, antwortete der Alte mit der schwarzen Augenklappe einfach, Sie waren vom anderen Saal, unsere haben wir gleich beerdigt, fügte dieselbe Stimme hinzu, als beendete sie einen Bericht. Die junge Frau mit der dunklen Brille war näher gekommen, Erinnern Sie sich an mich, ich trug eine dunkle Brille, Ich erinnere mich gut, trotz meines Stars kann ich mich erinnern, daß Sie sehr hübsch waren, die junge Frau lächelte, Danke, sagte sie und kehrte an ihren Platz zurück. Von dort sagte sie, auch der Junge ist hier, Ich will meine Mutter, sagte die Stimme des kleinen Jungen, wie erschöpft von einem lang vergangenen, sinnlosen Weinen. Und ich bin der erste, der erblindet ist, sagte der erste Blinde, ich bin mit meiner Frau hier, Und ich bin die Sprechstundenhilfe, sagte die Arzthelferin aus der Praxis. Die Frau des Arztes sagte, Jetzt muß nur ich mich noch vorstellen, und sie sagte, wer sie war. Darauf erwiderte der Alte, als wolle er die freundliche Aufnahme erwidern, Ich habe ein Radio, Ein Radio, rief die junge Frau mit der dunklen Brille aus und klatschte in die Hände, Musik, wie schön, Ja, aber es ist ein kleines Radio, mit Batterien, und die Batterien halten auch nicht ewig, gemahnte der Alte, Sie wollen doch nicht sagen, daß wir für immer hierbleiben müssen, sagte der erste Blinde, Für immer nicht, für immer ist immer zu lang, Aber wir können die Nachrichten hören, bemerkte der Arzt, Und ein bißchen Musik, wiederholte die junge Frau mit der dunklen Brille, Nicht allen wird dieselbe Musik gefallen, aber wir sind sicher alle daran interessiert zu wissen, wie die Dinge da draußen stehen, es ist am besten, wenn wir sparsam mit dem Radio umgehen, Das finde ich auch, sagte der Alte mit der schwarzen Augenklappe. Er nahm den kleinen Apparat aus der Außentasche seines Mantels und stellte ihn an. Er suchte die Sender, aber seine Hand, die noch ein bißchen unsicher war, verfehlte einfach die genaue Wellenlänge, erst hörte man nur bruchstückhaft Geräusche, Fragmente von Musik und Wörtern, schließlich wurde seine Hand sicherer, man konnte die Musik erkennen, Lassen Sie sie doch nur ein bißchen, bat die junge Frau mit der dunklen Brille, die Wörter waren jetzt deutlicher zu hören, Es sind keine Nachrichten, sagte die Frau des Arztes, und dann, als sei ihr plötzlich etwas eingefallen, Wieviel Uhr ist es, fragte sie, aber sie wußte schon, daß niemand ihr antworten könnte. Der Suchzeiger entlockte dem kleinen Gerät weiterhin Geräusche, dann blieb er stehen, man hörte ein Lied, ein unbedeutendes Lied, aber die Blinden näherten sich langsam, sie schubsten sich nicht, sie hielten sofort inne, wenn sie jemanden vor sich spürten, und blieben dann stehen, um mit weit aufgerissenen Augen auf die Stimme zu horchen, die sang, einige weinten, wie wahrscheinlich nur Blinde weinen können, die Tränen liefen einfach wie aus einer Quelle herab. Das Lied war zu Ende, der Sprecher sagte, Achtung, beim dritten Ton ist es vier Uhr. Eine der Blinden fragte lachend, Nachmittags oder morgens, und es war, als schmerzte sie ihr Lachen. Unauffällig stellte die Frau des Arztes ihre Uhr und zog sie auf, es war vier Uhr nachmittags, obwohl es in Wahrheit einer Uhr gleich ist, sie geht von eins bis zwölf, der Rest ist eine Erfindung der Menschen. Was ist das für ein Geräusch, fragte wohl die junge Frau mit der dunklen Brille, Das war ich, ich habe im Radio gehört, daß es vier Uhr ist, und ich habe meine Uhr aufgezogen, es ist eine dieser mechanischen Handgriffe, die wir so oft ausführen, fügte die Frau des Arztes schnell hinzu. Dann dachte sie, das sei es nicht wert gewesen, solch ein Risiko einzugehen, es hätte gereicht, auf das Handgelenk eines der Blinden zu sehen, die heute angekommen waren, einer von ihnen hatte sicher noch eine funktionierende Uhr. Und der Alte mit der schwarzen Augenklappe hatte eine, sah sie in diesem Augenblick, und seine Uhr ging richtig. Da bat der Arzt, Erzählen Sie uns, wie es da draußen steht. Der Alte mit der schwarzen Augenklappe sagte, Nun gut, aber es ist besser, wenn ich mich setze, ich kann mich nicht mehr auf den Beinen halten. Jetzt saßen sie zu dritt oder zu viert auf einem Bett, miteinander, die Blinden hatten sich eingerichtet, so gut sie konnten, sie schwiegen, und da begann der Alte mit der schwarzen Augenklappe zu erzählen, was er wußte, was er mit eigenen Augen gesehen hatte, solange er noch sehen konnte, und was er in den wenigen Tagen gehört hatte, die zwischen dem Beginn der Epidemie und seiner eigenen Erblindung verstrichen waren.

Gleich in den ersten vierundzwanzig Stunden, sagte er, wenn die Nachricht, die im Umlauf war, stimmte, gab es Hunderte von Fällen, alle gleich, alle traten auf dieselbe Weise auf, plötzlich, merkwürdigerweise ohne Verletzung, das leuchtende Weiß im Blickfeld, kein Schmerz vorher, kein Schmerz danach. Am zweiten Tag, hieß es, habe die Zahl der Fälle wieder abgenommen, von Hunderten auf Dutzende, und das veranlaßte die Regierung zu der sofortigen Mitteilung, daß die Situation bei den derzeitigen Aussichten bald unter Kontrolle sein werde. Von diesem Moment an, abgesehen von einigen wenigen, unvermeidbaren Kommentaren, wird der Bericht des Alten mit der schwarzen Augenklappe nicht mehr wörtlich wiedergegeben, sondern wird der mündliche Diskurs zugunsten genauerer Information durch korrekte, angemessene Begriffe ersetzt. Grund für diesen unerwarteten Wechsel ist der eher formale, dem Erzähler nicht gebräuchliche Ausdruck ‹unter Kontrolle›, der den Alten beinahe als ergänzenden Berichterstatter disqualifiziert hätte, der jedoch ohne Zweifel wichtig war, denn ohne ihn hätten wir keine Möglichkeit gehabt zu erfahren, was in der Welt draußen geschehen war, als ergänzender Berichterstatter, so hatten wir gesagt, dieser außerordentlichen Vorkommnisse, wenn man weiß, daß die Beschreibung jedweder Fakten durch die Wahl präziser und angemessener Begriffe nur gewinnen kann. Kehren wir zurück zum Thema, die Regierung schloß also die zunächst erwogene Hypothese aus, daß das Land sich unter dem Einfluß einer Epidemie befand, die es in dieser Art noch nie gegeben hatte, hervorgerufen durch eine schädliche, noch nicht identifizierte Kraft von sofortiger Wirkung, ohne jegliches vorheriges Anzeichen einer Inkubation oder Latenz. Es mußte sich also nach der jüngsten wissenschaftlichen Auffassung und der daraus folgenden neusten Auslegung der Verwaltung um ein zufälliges, unglückliches, vorübergehendes Zusammenwirken von bisher nicht analysierten Umständen handeln, deren pathogene Entwicklung, wie das Kommuniqué der Regierung betonte, ausgehend von den verfügbaren Daten, die eine abfallende Kurve zeigten, bereits Anzeichen für ein Ende des Phänomens erkennen ließ. Ein Kommentator im Fernsehen hatte einen Geistesblitz und fand die richtige Metapher, als er die Epidemie, oder was immer es auch war, mit einem Pfeil verglich, der in die Höhe geschossen wird, und in dem Augenblick, in dem er die Spitze seines Höhenfluges erreicht, einen Moment innehält, um dann wie in der Schwebe gleich wieder die obligatorische, absteigende Kurve zu beschreiben, und so Gott will, mit diesem Ausdruck kehrte der Kommentator zur Trivialität menschlicher Kommunikation zurück und zur Epidemie im eigentlichen Sinne, wird die Krankheit sich noch schneller verbreiten, bis der schreckliche Alptraum, der uns alle quält, verschwindet, ein halbes Dutzend Worte, die nun ständig in den verschiedenen Medien wiederholt wurden, die ihrerseits mit dem frommen Wunsch schlossen, die unglücklichen Blinden möchten bald ihr Augenlicht wiedergewinnen, und unterdessen die Solidarität des gesamten organisierten Gemeinwesens versprachen, des offiziellen wie auch des privaten. In einer fernen Vergangenheit hatte es, einem unerschrockenen Optimismus der Menschen folgend, ähnliche Motive und

Metaphern gegeben wie zum Beispiel folgende Redewendungen, Kein Unglück ist von Dauer, oder in einer literarischen Version, Kein Glück, das immer währt, kein Unglück, das sich ewig nährt, Maximen derer, die Zeit gehabt hatten, aus den Widrigkeiten des Lebens und des Schicksals zu lernen, und die, auf das Land der Blinden übertragen, wie folgt interpretiert werden müssen, Gestern haben wir gesehen, heute sehen wir nicht, morgen werden wir sehen, mit einem leicht fragenden Unterton im letzten Drittel des Satzes, so, als würde sich die Klugheit im letzten Augenblick entscheiden, ob ja oder nein, ob sie eine zweifelnde Pause einlegte vor dem hoffnungsvollen Schluß des Satzes.

Unglücklicherweise dauerte es nicht lange, und es zeigte sich, wie wirkungslos derlei Wünsche waren, die Erwartungen der Regierung und die Voraussagen der Wissenschaftler gingen schlichtweg den Bach hinunter. Die Blindheit breitete sich aus, nicht wie eine plötzliche Flut, die alles überschwemmte und vor sich hertrug, sondern wie eine heimtückische Infiltration Tausender kleiner plätschernder Bäche, die, nachdem sie langsam die ganze Erde vollgesogen hatten, plötzlich alles auf einmal ertränkten. Angesichts des Schreckens in der Gesellschaft, der bereits die Oberhand gewann, organisierte die Obrigkeit nun eilig medizinische Versammlungen, vor allem mit Augenärzten und Neurologen. Da derlei Organisation jedoch unglücklicherweise Zeit brauchte, kam man gar nicht erst dazu, den Kongreß einzuberufen, für den sich einige eingesetzt hatten, statt dessen aber fehlte es nicht an Kolloquien, an Seminaren, an Diskussionsrunden, einige öffentlich, andere hinter verschlossenen Türen. Die offensichtliche Nutzlosigkeit der Diskussion im Verein mit einigen Fällen plötzlicher Erblindung, die sich während dieser Versammlungen ereigneten, wenn ein Redner plötzlich schrie, Ich bin blind, ich bin blind, veranlaßte die Zeitungen, die Rundfunkstationen und das Fernsehen, fast alle, sich nun nicht mehr mit derlei Initiativen zu beschäftigen, mit Ausnahme des diskreten und in jedem Sinne lobenswerten Verhaltens einiger Medienorgane, die aus Sensationsgier um jede Form des Glücks und Unglücks anderer willen nicht bereit waren, irgendeine sich ergebende Gelegenheit zu verpassen, um live und mit der gebotenen Dramatik zu berichten, was sich ereignet hatte, zum Beispiel die plötzliche Erblindung eines Professors der Augenheilkunde.

Einen Beweis für die zunehmende Verschlimmerung des allgemeinen Zustands lieferte die Regierung selbst, als sie zweimal in sechs Tagen ihre Strategie änderte. Zuerst hatte sie geglaubt, es sei möglich, das Übel einzudämmen, indem man die Blinden und die Infizierten an einigen dafür vorgesehenen Orten wie der Irrenanstalt einschloß, in der wir uns befinden. Dann jedoch vertraten einige einflußreiche Mitglieder der Regierung, angesichts der Unerbittlichkeit der Fälle, aus Angst, daß die offizielle Initiative nicht ausreiche und außerdem hohe Kosten auf die Politiker zukämen, die Vorstellung, daß die Familien die Blinden bei sich zu Hause betreuen und sie nicht auf die Straße lassen sollten, damit sie nicht den ohnehin schon schwierigen Verkehr behinderten oder die Empfindsamkeit der Menschen verletzten, die noch sehen konnten und die ungeachtet der mehr oder weniger beruhigenden Mitteilungen glaubten, das Weiße Übel übertrage sich über die Augen wie der böse Blick. In der Tat durfte man keine andere Reaktion von jemandem erwarten, der, vertieft in seine eigenen traurigen, gleichgültigen oder fröhlichen Gedanken, wenn es solche noch gab, unvermittelt einen Menschen auf sich zukommen sah, in dessen Gesicht sich plötzlich alle Anzeichen absoluten Schreckens abzeichneten, und dann der unvermeidliche Ausruf, Ich bin blind, ich bin blind. Niemand hatte die Nerven, das auszuhalten. Das schlimmste war, daß die Familien, vor allem die kleineren, sehr schnell zu Familien wurden, in denen alle erblindet waren, so daß es niemanden gab, der sie hätte führen und betreuen und auch die Nachbarschaft vor ihnen hätte schützen können, die noch ihr Augenlicht hatte, und es war klar, daß diese Blinden, und wenn sie noch so sehr Vater, Mutter und Sohn waren, nicht einer den anderen versorgen konnten, denn dann würde ihnen das gleiche zustoßen wie den Blinden auf dem Bild, sie würden gemeinsam gehen, gemeinsam fallen und gemeinsam sterben.

Angesichts dieser Situation hatte die Regierung keine andere Möglichkeit, als in aller Eile den Rückwärtsgang einzulegen und zusätzliche Kriterien für Orte und Räumlichkeiten zu entwickeln, die zu belegen waren, was zur unmittelbaren und improvisierten Nutzung stillgelegter Fabriken, nicht mehr genutzter Kirchen, Sporthallen und leerer Lagerräume führte, Seit zwei Tagen sprach man davon, Zeltlager aufzubauen, fügte der Alte mit der schwarzen Augenklappe hinzu. Zu Beginn, ganz zu Beginn, hatten einige karitative Organisationen noch Freiwillige geschickt, die sich um die Blinden kümmern sollten, ihnen die Betten machten, die Toiletten reinigten, die Wäsche wuschen, Essen zubereiteten, diese wenigen notwendigen Dienste, ohne die das Leben sehr schnell unerträglich wird, sogar für die, die sehen können. Die Ärmsten erblindeten sofort, aber wenigstens blieb die Schönheit dieser Geste für die Geschichte zurück. Ist einer von denen hier, fragte der Alte mit der schwarzen Augenklappe, Nein, sagte die Frau des Arztes, keiner, Vielleicht war es nur ein Gerücht, Und die Stadt, und die Verkehrsmittel, fragte der erste Blinde, der sich an sein eigenes Auto erinnerte und an den Taxifahrer, der ihn in die Praxis gefahren hatte und bei dessen Beerdigung er geholfen hatte, Die öffentlichen Verkehrsmittel sind ein Chaos, sagte der Alte mit der schwarzen Augenklappe und erzählte nun Einzelheiten, Fälle und Unfälle. Als zum ersten Mal ein Busfahrer erblindete, am Steuer und auf einer öffentlichen Straße, schenkten die Menschen dem kaum Beachtung, obwohl es Tote und Verwundete gegeben hatte, sie reagierten so aus Gewohnheit, genau wie der Public-Relations-Direktor des Transportunternehmens, der ohne Umschweife erklärte, das Unglück sei durch menschliches Versagen verursacht worden, ohne Zweifel bedauerlich, doch wenn man es recht bedenke, so unvorhersehbar wie ein tödlicher Infarkt bei einem Menschen, der noch nie etwas am Herzen hatte. Unsere Angestellten, erklärte der Direktor, ebenso wie die Mechanik und das elektrische System, werden in Abständen einer sehr strengen Inspektion unterworfen, was durch eine eindeutige Verbindung von Ursache und Wirkung bestätigt wird, da die Fahrzeuge unserer Gesellschaft, alles in allem, bisher in einen sehr niedrigen Prozentsatz von Unfällen verwickelt waren. Diese reichlich überflüssige Erklärung erschien in den Zeitungen, aber die Menschen hatten anderes zu bedenken, als sich mit dem simplen Unfall eines Busses zu beschäftigen, denn schließlich wäre es auch ebenso schlimm gewesen, wenn seine Bremsen versagt hätten. Übrigens war dies zwei Tage später der wirkliche Grund für einen weiteren Unfall, aber so ist die Welt eben, die Wahrheit versteckt sich oft hinter irgendwelchen Lügen, um ihr Ziel zu erreichen, es hieß, der Busfahrer sei plötzlich erblindet. Es war nicht möglich, die Öffentlichkeit von der tatsächlichen Ursache zu überzeugen, und das Ergebnis ließ nicht lange auf sich warten, denn von einem Augenblick zum anderen hörten die Menschen auf, Busse zu benutzen, und sagten, sie wollten lieber selbst erblinden als sterben, weil ein anderer erblindet war. Ein dritter Unfall, der kurz darauf aus dem gleichen Grund geschah, mit einem Fahrzeug ohne Passagiere, bot Gelegenheit zu Kommentaren in ausgesprochen volkstümlichem Ton wie, Da schau her, wenn ich da drin gewesen wär. Diejenigen, die so redeten, konnten nicht wissen, wie recht sie hatten. Wegen der gleichzeitigen Erblindung von zwei Piloten zerschellte bald ein Passagierflugzeug und brannte aus, als es auf den Boden stieß, alle Passagiere und die Besatzung kamen um, obwohl in diesem Fall die Mechanik und die Elektronik in perfektem Zustand gewesen waren, wie später eine Untersuchung der Black Box, der einzigen Überlebenden, ergeben sollte. Eine Tragödie dieses Ausmaßes war nicht das gleiche wie ein üblicher Busunfall, und so verloren auch jene, die noch welche gehabt hatten, ihre letzten Illusionen, von nun an hörte man kein Motorengeräusch mehr, kein Rad, ob groß oder klein, schnell oder langsam, setzte sich mehr in Bewegung. Menschen, die vorher immer über den zunehmend dichteren Verkehr geklagt hatten, Fußgänger, die ziellos herumzulaufen schienen, weil stehende oder fahrende Autos ihnen ständig den Weg abschnitten, und Autofahrer, nachdem sie tausendmal herumgefahren waren, bis sie endlich eine Stelle entdeckten, wo sie ihr Auto abstellen konnten, wurden zu Fußgängern und protestierten nun aus den gleichen Gründen wie die anderen, nachdem sie dies vorher als Fahrer getan hatten, sie alle müßten jetzt zufrieden sein, abgesehen von dem Umstand, daß nun, da es niemanden mehr gab, der es wagte, auch nur für eine kurze Strecke ein Fahrzeug zu benutzen, die Autos, die Lastwagen, die Motorräder, sogar die Fahrräder, so unauffällig sie waren, chaotisch über die ganze Stadt verteilt waren, dort zurückgelassen, wo die Angst gerade stärker gewesen war als der Sinn für Eigentum. Ein groteskes Symbol dafür war ein Abschleppwagen, der dastand und ein Auto an der Vorderachse in die Luft hielt, wahrscheinlich war der erste, der erblindet war, der Fahrer des Abschleppwagens. So schlecht die Situation für alle Menschen war, für die Blinden war sie eine Katastrophe, zumal sie, nach einem geläufigen Ausdruck, nicht sehen konnten, wo sie hintraten. Es war ein erbarmungswürdiger Anblick, wie sie an die stehengelassenen Autos stießen, einer nach dem anderen, sich die Schienbeine verletzten, einige stürzten und weinten, Ist da jemand, der mir helfen kann aufzustehen, aber es gab auch andere, von Natur aus oder vor Verzweiflung grob, die fluchten und eine wohlwollende Hand zurückwiesen, die ihnen zu Hilfe kam, Lassen Sie schon, Sie werden auch bald dran sein, und dann erschrak die mitleidige Person, ergriff die Flucht, verlor sich in der Dichte des weißen Nebels, sich plötzlich des Risikos bewußt, das sie mit ihrer Hilfsbereitschaft eingegangen war, wer weiß, vielleicht, um einige Meter weiter ebenfalls zu erblinden.

So steht es da draußen, sagte der Alte mit der schwarzen Augenklappe, und ich weiß noch nicht einmal alles, ich spreche nur von dem, was ich mit meinen eigenen Augen sehen konnte, hier unterbrach er sich, machte eine Pause und korrigierte sich, Mit meinen Augen nicht, denn ich hatte ja nur eins, und nun nicht mal mehr dieses, das heißt, ich habe eins, aber es nützt mir jetzt nichts, Ich habe Sie nie gefragt, warum Sie nicht ein Glasauge benutzen, statt diese Augenklappe zu tragen, Und was sollte ich bitteschön damit, können Sie mir das sagen, fragte der Alte mit der schwarzen Augenklappe, Das macht man so wegen der Ästhetik, und außerdem ist es hygienischer, man nimmt es heraus, man wäscht es und setzt es wieder ein, wie ein Gebiß, Ja nun, dann sagen Sie mir doch bitte, wie das heute wäre, wenn alle, die jetzt blind sind, beide Augen verloren hätten, ich meine materiell verloren, was würde es ihnen nützen, wenn sie jetzt mit zwei Glasaugen herumliefen, In der Tat, das würde nicht viel nützen, Wozu brauchen wir, da wir voraussichtlich alle erblinden werden, dann noch Ästhetik, und was die Hygiene angeht, sagen Sie mir doch, Herr Doktor, welche Art von Hygiene soll es denn hier geben, Wahrscheinlich sind nur in der Welt der Blinden die Dinge das, was sie wirklich sind, sagte der Arzt, Und die Menschen, fragte die junge Frau mit der dunklen Brille, Auch die Menschen, niemand ist da, um sie zu sehen, Ich habe eine Idee, sagte der Alte mit der schwarzen Augenklappe, wir können doch ein Spiel spielen, zum Zeitvertreib, Wie sollen wir denn spielen, wenn man nicht sieht, was man spielt, fragte die Frau des ersten Blinden, Es ist kein richtiges Spiel, ich nenne es nur so, jeder soll erzählen, was er in dem Augenblick, indem er erblindet ist, gesehen hat, Das ist vielleicht etwas unschicklich, bemerkte jemand, Wer nicht mitspielen will, bleibt draußen, nur erfinden darf man nichts, Geben Sie ein Beispiel, sagte der Arzt, Ja gut, sagte der Alte mit der schwarzen Augenklappe, ich bin erblindet, als ich mein blindes Auge anschaute, Was soll das heißen, Ganz einfach, es fühlte sich so an, als sei der leere Augapfel entzündet, und ich nahm die Klappe ab, um mich zu vergewissern, in diesem Augenblick bin ich erblindet, Wie eine Parabel, sagte eine unbekannte Stimme, das Auge, das sich weigert, seine eigene Abwesenheit zu erkennen, Ich, sagte der Arzt, las gerade zu Hause in einigen Büchern über Augenheilkunde, gerade wegen der Vorkommnisse jetzt, und das letzte, was ich sah, waren meine Hände auf einem Buch, Mein letztes Bild war anders, sagte die Frau des Arztes, das Innere einer Ambulanz, als ich meinem Mann hineinhalf, Meinen Fall habe ich dem Doktor schon geschildert, sagte der erste Blinde, ich hatte an einer Ampel gehalten, sie stand auf Rot, Menschen überquerten die Straße von einer Seite zur anderen, da erblindete ich, dann nahm mich der, der neulich gestorben ist, mit nach Hause, sein Gesicht habe ich natürlich nicht mehr gesehen, Und was mich angeht, sagte die Frau des ersten Blinden, das letzte, woran ich mich erinnere, ist, daß ich mein Taschentuch gesehen habe, ich war zu Hause und weinte, ich führte das Taschentuch an die Augen, und in diesem Augenblick bin ich erblindet, Und ich, sagte die Sprechstundenhilfe, war gerade in den Fahrstuhl gegangen, streckte die Hand aus, um auf den Knopf zu drücken, plötzlich konnte ich nichts mehr sehen, stellen Sie sich meine Verzweiflung vor, eingeschlossen, allein, ich wußte nicht, ob ich hinauf oder hinunter fahren sollte, fand den Knopf nicht, der die Tür öffnete, Mein Fall, sagte der Apothekengehilfe, war einfacher, ich hörte, daß es Menschen gab, die erblindeten, da dachte ich darüber nach, wie es wohl wäre, wenn auch ich erblindete, ich schloß die

Augen und probierte es aus, und als ich sie öffnete, war ich blind, Das scheint wieder eine Parabel zu sein, sagte die unbekannte Stimme, wenn du blind sein willst, wirst du es sein. Sie schwiegen alle. Die anderen Blinden waren zu ihren Betten zurückgekehrt, keine Kleinigkeit, denn auch wenn es wahr ist, daß sie die entsprechenden Nummern kannten, so mußten sie doch an einem Ende zu zählen anfangen, von eins nach oben oder von zwanzig zurück, um sicher zu sein, daß sie dort ankamen, wo sie hinwollten. Als das Gemurmel des Zählens, monoton wie ein Gebet, erstarb, erzählte die junge Frau mit der dunklen Brille, was ihr zugestoßen war, Ich war in einem Hotelzimmer, ein Mann lag auf mir, da schwieg sie, sie schämte sich zu sagen, warum sie dort war, daß sie alles weiß gesehen hatte, aber der Alte mit der schwarzen Augenklappe fragte, Und dann sahen Sie alles weiß, Ja, antwortete sie, Vielleicht ist Ihre Blindheit nicht wie unsere, sagte der Alte mit der schwarzen Augenklappe. Nun fehlte nur noch das Zimmermädchen des Hotels, Ich machte ein Bett, dort war gerade jemand erblindet, ich hob das weiße Laken vor mir und breitete es aus, steckte es an den Seiten ein, wie es sich gehört, und als ich es mit beiden Händen glattstrich, hörte ich in diesem Augenblick auf zu sehen, ich erinnere mich, wie ich das Laken glattstrich, ganz langsam, es war das untere, fügte sie hinzu, als sei das noch besonders wichtig. Haben nun schon alle ihre letzte Geschichte aus der Zeit, als sie noch sehen konnten, erzählt, fragte der Alte mit der schwarzen Augenklappe, Dann erzähle ich noch meine, wenn niemand sonst mehr dran ist, sagte die unbekannte Stimme, Und wenn, wird er nach Ihnen sprechen, erzählen Sie, Das letzte, was ich sah, war ein Bild, Ein Bild, wiederholte der Alte mit der schwarzen

Augenklappe, und wo waren Sie, Ich war ins Museum gegangen, es war ein Feld mit Raben und Zypressen und einer Sonne, die so aussah, als sei sie aus Stücken anderer Sonnen gemacht, Das hört sich ganz nach einem Holländer an, Ich glaube ja, aber da war ein Hund, der versank, er war schon halb begraben, der Unglückliche, Was den angeht, so kann es nur ein Spanier sein, vor ihm hat niemand einen Hund so gemalt, und nach ihm hat es niemand mehr gewagt, Wahrscheinlich, und es gab einen Wagen, der mit Heu beladen war, von Pferden gezogen, der durch eine Aue fuhr, Und links stand ein Haus, Ja, Dann ist es ein Engländer, Das kann sein, aber ich glaube es nicht, weil da auch eine Frau mit einem Kind auf dem Schoß war, Kinder auf dem Schoß von Frauen gibt es nun wirklich genug in der Malerei, In der Tat, das habe ich bemerkt, Was ich aber nicht verstehe, wie können sich in einem einzigen Bild so unterschiedliche Bilder von so unterschiedlichen Malern zusammenfinden, Und da waren noch Männer, die aßen, Es gibt so viele Mittagessen und Vespern und Abendessen in der Geschichte der Kunst, nur nach dieser Angabe ist es nicht möglich zu wissen, wer dort gegessen hat, Es waren dreizehn Männer, Ach, dann ist es leicht, fahren Sie fort, Und da war auch eine nackte Frau mit blondem Haar, in einer Muschel, die auf dem Meer schwamm, und viele Blumen um sie herum, Bestimmt ein Italiener, Und eine Schlacht, Jetzt sind wir da, wo wir bei den Mahlzeiten und den Müttern mit den Kindern auf dem Schoß waren, das reicht nicht, um zu wissen, wer das gemalt hat, Tote und Verwundete, Das ist natürlich, aber früher oder später sterben auch die Kinder, und die Soldaten auch, Und ein ängstliches Pferd, Und die Augäpfel springen ihm fast aus den Augenhöhlen, Ja genau,

Die Pferde sind so, und welche anderen Bilder gab es noch in diesem Bild, Das habe ich nicht mehr herausgefunden, ich bin genau in dem Augenblick erblindet, als ich das Pferd betrachtete. Die Angst macht blind, sagte die junge Frau mit der dunklen Brille, Das sind die richtigen Worte, wir waren schon blind in dem Augenblick, in dem wir erblindet sind, die Angst hat uns blind gemacht, und die Angst wird uns auch weiter blind sein lassen, Wer spricht da, fragte der Arzt, Ein Blinder, antwortete die Stimme, nur ein Blinder, wie wir alle hier. Da fragte der alte Mann mit der schwarzen Augenklappe, Wie viele Blinde sind notwendig, um Blindheit hervorzurufen. Niemand konnte ihm antworten. Die junge Frau mit der dunklen Brille bat ihn, das Radio einzuschalten, vielleicht gäbe es Nachrichten. Sie kamen später, unterdessen hörten sie alle ein wenig Musik. Irgendwann erschienen einige weitere Blinde in der Tür, einer von ihnen sagte, Wie schade, daß wir keine Gitarre dabeihaben. Die Nachrichten waren nicht gerade ermutigend, es ging das Gerücht um, daß in Kürze eine Regierung der Einheit und nationalen Erlösung gebildet werden sollte.

Als die Blinden hier zu Beginn noch an einer Hand abzuzählen waren, als zwei oder drei Worte genügten, damit sich die Unbekannten in Gefährten im Unglück verwandelten, und weitere drei oder vier, damit man sich gegenseitig alle Fehler verzieh, einige darunter recht gravierend, und wenn die Vergebung nicht vollständig sein konnte, man nur ein paar Tage Geduld haben mußte, sah man auch, wie viele lächerliche Nöte die Unglückseligen jedesmal zu erleiden hatten, wenn ihr Körper ihnen eine dringende Erleichterung abverlangte, die wir eine Befriedigung von Bedürfnissen nennen. Dennoch, obwohl wir wissen, daß eine vollkommene Erziehung sehr selten ist und selbst der diskreteste Anstand seine schwachen Punkte hat, muß man anerkennen, daß die ersten Blinden, die in diese Quarantäne geschickt wurden, in der Lage waren, mehr oder weniger bewußt, mit Würde das Kreuz der eminent eschatologischen Natur des menschlichen Wesens zu tragen. Aber jetzt, da alle Pritschen belegt sind, zweihundertvierzig, ohne die Blinden zu zählen, die auf dem Boden schlafen, kann sich niemand in seiner Phantasie, und sei sie noch so schöpferisch und reich an Vergleichen, Bildern und Metaphern, das Ausmaß der Schweinerei, die hier herrscht, auch nur annähernd vorstellen. Es ist nicht nur der Zustand der Toiletten, die sich in Windeseile in stinkende Behälter verwandelt haben, so wie die Abwässerkanäle verdammter Seelen wohl in der Hölle aussehen, sondern auch die fehlende Achtung der einen oder das plötzliche Drängen der anderen, die in kürzester Zeit die Flure und andere Durchgänge in Scheißhäuser verwandelten, erst durch Zufall und dann aus Gewohnheit. Die Achtlosen oder die, die unter großem Druck standen, dachten, Was soll's, niemand sieht mich, und gingen nicht weiter. Als es in jeglichem Sinne unmöglich geworden war, dorthin zu gelangen, wo sich die Toiletten befanden, begannen die Blinden, die Einfriedung als Ort für alle Arten der Erleichterung und Körperausscheidung zu benutzen. Diejenigen, die von Natur aus oder durch Erziehung rücksichtsvoll waren, brachten den ganzen Tag damit zu, sich zu krümmen, sich zusammenzunehmen, und warteten, so gut sie konnten, bis zum Einbruch der Nacht, zumindest nahm man an, daß es Nacht war, wenn die meisten Menschen in den Sälen waren und schliefen, und dann gingen sie hinaus, hielten sich den Bauch fest oder die Beine zusammengepreßt, auf der Suche nach drei Handbreit sauberen Bodens, wenn es das überhaupt noch gab, auf einem ununterbrochenen Teppich aus Exkrementen, auf die tausendfach getreten worden war, und darüber hinaus bestand die Gefahr, sich in dem unbegrenzten Raum in der Einfriedung zu verlieren, wo es keine anderen Anhaltspunkte gab als die wenigen Bäume, deren Stämme der Neugier der früheren verrückten Insassen hatten standhalten können, dazu die kleinen, flachen Erhebungen, die kaum die Toten bedeckten. Einmal am Tag, immer gegen Abend, wie ein stets auf dieselbe Uhrzeit gestellter Wecker, wiederholte die Stimme des Lautsprechers die schon bekannten Anweisungen und Verbote, betonte nachdrücklich, daß es von Vorteil sei, regelmäßig die Reinigungsprodukte zu benutzen, erinnerte daran, daß es ein Telefon in jedem Saal gab, um notwendigen Nachschub zu erbitten, wenn etwas fehlte, aber was dort wirklich vonnöten war, war ein kräftiger Wasserschlauch, der die ganze Scheiße vor sich herspülte, und dann eine Klempnerbrigade, die die Toiletten reparierte und funktionsfähig machte, und dann Wasser, viel Wasser, um all das in den Abfluß zu schwemmen, was in den Abfluß gehörte, und dann bitte Augen, einfach ein paar Augen, eine Hand, die in der Lage wäre, uns zu führen und zu leiten, eine Stimme, die mir sagte, Hier entlang. Diese Blinden, wenn wir ihnen nicht helfen, werden sich bald in Tiere verwandeln, schlimmer noch, in blinde Tiere. Das sagte nicht die unbekannte Stimme, jene, die von den Bildern der Malerei und den Bildern der Welt gesprochen hatte, das sagte in anderen Worten, mitten in der Nacht, die Frau des Arztes, die neben ihrem Mann lag, beide hatten die Köpfe unter die Decke gesteckt, Wir müssen etwas gegen diesen Horror unternehmen, ich halte das nicht aus, ich kann nicht weiterhin so tun, als würde ich nicht sehen, Denk an die Folgen, sie werden mit ziemlicher Sicherheit versuchen, eine Sklavin aus dir zu machen, ein Mädchen für alles, du wirst für alle und jedes dasein müssen, sie werden dich bitten, sie zu ernähren, sie zu waschen, sie zu betten und ihnen beim Aufstehen zu helfen, sie hierhin und dorthin zu führen, sie zu säubern und ihnen die Tränen zu trocknen, sie werden nach dir rufen, wenn du schläfst, und werden dich beschimpfen, wenn du nicht gleich kommst, Und du, wie willst du denn, daß ich dem ganzen Elend zusehe, ich habe all das ständig vor Augen und kann keinen Finger rühren, um zu helfen, Was du tust, ist schon viel, Was tue ich denn, wenn meine größte Sorge ist, zu vermeiden, daß jemand bemerkt, daß ich sehe, Einige werden dich hassen, weil du siehst, glaub doch nicht, daß die Blindheit uns besser gemacht hat, Aber auch nicht schlechter, Du wirst schon sehen, was geschieht, wenn das Essen verteilt wird, Genau, jemand, der sehen kann, könnte sich um die Verteilung der Nahrungsmittel an alle kümmern, die hier sind, es gerecht verteilen, mit Verstand, dann gäbe es keine Proteste, und dann würde dieser Streit aufhören, der mich verrückt macht, du weißt gar nicht, was es heißt, zwei Blinde zu sehen, die miteinander kämpfen, Kämpfen war immer mehr oder weniger eine Form der Blindheit, Das ist etwas anderes, Tu, was du für richtig hältst, aber vergiß nicht, was die hier sind, Blinde, einfach Blinde, Blinde ohne Wenn und Aber, die mildtätige pittoreske Welt der lieben Blinden ist vorbei, jetzt haben wir eine harte, grausame und unerbittliche Herrschaft der Blinden, Wenn du sehen könntest, was ich immer sehen muß, dann würdest du gerne blind sein, Das glaube ich, aber das brauche ich nicht, ich bin schon blind, Entschuldige, mein Lieber, wenn du wüßtest, Ich weiß, ich weiß, ich habe ein Leben damit zugebracht, den Menschen in die Augen zu sehen, das ist der einzige Ort des Körpers, wo vielleicht noch eine Seele existiert, und wenn die Augen verloren sind, Morgen werde ich ihnen sagen, daß ich sehen kann, Hoffentlich bereust du es nicht, Morgen werde ich es ihnen sagen, sie machte eine Pause und fügte dann hinzu, Wenn ich nicht selbst endlich in diese Welt eingetreten bin.

So weit war es noch nicht. Als sie am nächsten Morgen aufwachte, sehr früh, wie gewöhnlich, sahen ihre Augen so deutlich wie zuvor. Alle Blinden im Saal schliefen fest. Sie dachte darüber nach, wie sie es ihnen sagen würde, ob sie alle zusammenrufen und ihnen die Neuigkeit verkünden sollte, vielleicht wäre es besser, es auf eine diskrete Weise zu tun, ohne großes Aufsehen, zum Beispiel zu sagen, als wollte sie dem nicht soviel Bedeutung beimessen, Stellen Sie sich vor, wer hätte gedacht, daß ich mein Augenlicht unter so vielen Blinden behalten würde, oder vielleicht wäre es angebrachter, so zu tun, als sei sie wirklich blind gewesen und hätte plötzlich ihr Sehvermögen wiedererlangt, es wäre auch eine Art, ihnen Hoffnung zu geben, Wenn sie wieder sehen kann, würden die einen zu den anderen sagen, Wir vielleicht auch einmal, aber sie könnten auch zu ihr sagen, Wenn das so ist, dann gehen Sie, gehen Sie fort, in einem solchen Fall würde sie antworten, daß sie nicht ohne ihren Mann gehen könne und die Armee keinen Blinden aus der Quarantäne entlassen würde, also gab es keine andere Möglichkeit, als ihrem Bleiben zuzustimmen. Einige Blinde regten sich auf den Pritschen, wie jeden Morgen erleichterten sie sich durch Blähungen, aber die Luft wurde dadurch nicht ekelerregender, sie war wohl schon völlig gesättigt. Es war nicht nur der faulige Gestank, der stoßweise von den Latrinen kam, von den Ausdünstungen, die Brechreiz verursachten, es war auch der Geruch von zweihundertfünfzig Menschen, in ihrem eigenen Schweiß getränkte Körper, die sich nicht mehr waschen konnten, die Kleidung trugen, die mit jedem Tag schmutziger wurde, die auf Betten schliefen, in denen es nicht selten Exkremente gab. Wozu sollte die Seife gut sein, die Aschenlauge, die Reinigungsmittel, die dort herumstanden, wenn die Duschen, viele jedenfalls, verstopft waren oder lose, wenn die Abflüsse das schmutzige Wasser zurückstauten, das aus den Bädern hinausfloß, die Dielen auf dem Boden in den Fluren durchtränkte und durch die Ritzen der Fliesen sickerte. In was für einen Wahnsinn will ich mich da begeben, dachte die Frau des Arztes zweifelnd, selbst wenn sie nicht verlangten, daß ich sie bediene, und das ist nicht sicher, würde ich selbst es nicht aushalten, ohne zu waschen und zu säubern, wie lange würden meine Kräfte reichen, das ist keine Arbeit für einen Menschen allein. Ihr Wille, der zunächst so stark schien, begann zu zerbröckeln, zerfiel angesichts der widerlichen Realität, die ihr in die Nase stieg, ihre Augen beleidigte, jetzt, wo der Augenblick gekommen war, von Worten zu Taten zu schreiten. Ich bin feige, murmelte sie erbittert, es wäre wirklich besser, blind zu sein, dann hätte ich keine missionarischen Anwandlungen. Drei Blinde hatten sich erhoben, einer von ihnen war der Apothekengehilfe, sie wollten einen Platz in der Eingangshalle einnehmen, um das ihnen zustehende Essen für den ersten Saal in Empfang zu nehmen. Man konnte nicht sagen, gerade aus Mangel an Sehvermögen, daß die Aufteilung nach Augenmaß geschah, eine Kiste mehr, eine Kiste weniger, im Gegenteil, es war bedauernswert zu sehen, wie sie sich beim Zählen täuschten und wieder von vorn begannen, einer, der mißtrauischer war, wollte genau wissen, was die anderen mitnahmen, und dann gab es immer Auseinandersetzungen, den einen oder anderen Hieb, einen Kinnhaken ins Blinde, wie das so geht. Im Saal waren inzwischen alle wach, bereit, ihren Anteil entgegenzunehmen, aufgrund ihrer Erfahrung hatte sich eine ganz vernünftige Art der Verteilung entwickelt, erst trugen sie das Essen ans Ende des Saales, wo sich die Pritschen des Arztes und seiner Frau befanden und die der jungen Frau mit der dunklen Brille und des Jungen, der nach seiner Mutter rief, dorthin gingen sie, um das Essen zu holen, immer zu zweit, sie begannen mit den Betten, die dem Eingang am nächsten waren, einer rechts, einer links, Nummer zwei rechts und links, und so fort, ohne Streit oder Auseinandersetzungen, es dauerte länger, sicher, aber die Ruhe war es wert. Die ersten, das heißt, diejenigen, die das Essen in Reichweite hatten, waren die letzten, die es erhielten, ausgenommen der kleine schielende Junge natürlich, der immer schon seine Portion aufgegessen hatte, bevor die junge Frau mit der dunklen Brille ihre Ration bekam, so daß stets ein Teil ihrer Portion im Magen des Jungen landete. Die Blinden hatten alle den Kopf zur Tür gewandt und warteten auf die Schritte der anderen, auf das unsichere, unverwechselbare Geräusch von jemandem, der eine Last trägt, aber was man wirklich vernahm, war nicht dieses, sondern es schien, daß jemand schnell angerannt kam, wenn das überhaupt möglich war bei Menschen, die nicht sahen, wohin sie ihre Füßen setzten. Doch anders konnte man es wohl nicht nennen, als sie keuchend die Tür erreichten, Was ist wohl da draußen geschehen, daß sie so gerannt kommen, und da standen die drei, wollten alle gleichzeitig eintreten, um die unerwartete Nachricht mitzuteilen, Sie haben uns das Essen nicht mitnehmen lassen, sagte einer, und die anderen wiederholten, Nein, sie haben uns nicht gelassen, Wer, die Soldaten, fragte eine Stimme, Nein, die Blinden, Welche Blinden, Wir sind hier doch alle blind, Wir wissen nicht, wer sie sind, sagte der Apothekengehilfe, aber ich glaube, sie gehören zu denen, die alle zusammen als letzte angekommen sind, Und wieso haben sie euch das Essen nicht mitnehmen lassen, fragte der Arzt, es gab doch bisher kein Problem, Sie haben gesagt, damit ist jetzt Schluß, ab heute muß jeder, der essen will, bezahlen. Von allen Seiten im Saal hörte man Proteste, Unmöglich, Sie haben unser Essen weggenommen, Eine Bande von Schuften, Eine Schande, Blinde gegen Blinde, ich hätte nie gedacht, daß ich das erleben würde, Gehen wir uns beim Sergeanten beschweren. Einer der Entschlossenen schlug vor, daß sich alle zusammentun und fordern sollten, was ihnen gehörte, Das wird nicht einfach sein, sagte der Apothekengehilfe, es sind viele, ich habe den Eindruck, daß es eine große Gruppe ist, und das schlimmste ist, daß sie bewaffnet sind, Bewaffnet, wie, Zumindest haben sie Stöcke, mir tut noch dieser Arm weh von dem Schlag, den ich abbekommen habe, sagte einer der anderen, Versuchen wir das im Guten zu klären, sagte der Arzt, ich gehe mit euch und werde mit diesen Leuten reden, da muß es ein Mißverständnis geben, Nun gut, Herr Doktor, ich gehe mit, sagte der Apothekengehilfe, aber nach ihrer Art zu urteilen, bezweifle ich, daß Sie sie werden überzeugen können, Wie auch immer, wir müssen hingehen, wir können das nicht auf sich beruhen lassen, Ich gehe mit, sagte die Frau des Arztes. Die kleine Gruppe verließ den Saal, bis auf den, der über seinen Arm geklagt hatte, dieser fand, er hätte seiner Pflicht bereits Genüge getan, und erzählte den anderen von dem riskanten Abenteuer, das Essen in zwei Schritt Entfernung und eine Mauer aus Körpern zur Abwehr, Mit Stöcken, betonte er.

Sie gingen voran, eng aneinandergedrängt bahnten sie sich den Weg durch die Blinden der anderen Säle. Als sie die Eingangshalle erreicht hatten, begriff die Frau des Arztes sofort, daß kein diplomatisches Gespräch möglich sein würde und wahrscheinlich nie möglich wäre. In der Mitte der Halle, um die Kisten mit dem Essen herum, stand ein Kreis von Blinden, die mit Stöcken und Eisenstangen von den Betten bewaffnet waren und sie wie Bajonette oder Lanzen vor sich gerichtet hielten, so hatten sie sich gegen die verzweifelten Blinden aufgestellt, die sie umgaben und die ungeschickt versuchten, diese Linie zu durchstoßen, einige, in der Hoffnung, eine Lücke zu finden, die aus Nachlässigkeit nicht geschlossen war, parierten die Schläge mit erhobenen Armen, andere näherten sich auf allen vieren, bis sie an die Beine der Gegner stießen, die sie mit Schlägen auf den Rücken und Fußtritten empfingen. Blinde Gewalt, wie man zu sagen pflegt. Es mangelte in dieser Szene nicht an empörten Protesten, wütenden Schreien, Wir verlangen unser Essen, Wir haben ein Recht auf Brot, Schufte, Das hier ist eine einzige große Schweinerei, Es ist unmöglich, es gab sogar einen Naiven oder Zerstreuten, der sagte, Rufen wir die Polizei. Vielleicht gab es welche, Polizisten, die Blindheit, das weiß man ja, schaut nicht auf Herkunft und Beruf, aber ein blinder Polizist ist nicht das gleiche wie ein erblindeter Polizist, und was die beiden angeht, die wir kennengelernt haben, die sind tot und mit viel Mühe beerdigt worden. Angetrieben von der absurden Hoffnung, daß eine Autorität käme und den verlorenen Frieden in der Irrenanstalt wiederherstellen möge, der Gerechtigkeit zum Durchbruch verhelfen würde und wieder Ruhe einkehrte, näherte sich eine Blinde, so gut sie konnte, dem Haupteingang und rief in die Luft, Helft uns, die wollen uns hier unser Essen wegnehmen. Die Soldaten taten so, als hätten sie nichts gehört, die Befehle, die der Sergeant von einem Hauptmann entgegengenommen hatte, der zu einer Inspektion dort gewesen war, waren unmißverständlich, Wenn sie sich gegenseitig umbringen, um so besser, dann sind es weniger, die Blinde schrie sich die Kehle aus dem Leib wie die Verrückten früher, auch sie war fast verrückt, aber vor lauter Verzweiflung. Als sie schließlich merkte, wie sinnlos ihre Appelle waren, schwieg sie, wandte sich nach drinnen und schluchzte, und ohne zu sehen, wohin sie ging, erhielt sie auf den ungeschützten Kopf einen Hieb, der sie niederschlug, die Frau des Arztes wollte hingehen, um sie aufzurichten, aber die allgemeine Verwirrung war so groß, daß sie keine zwei Schritte tun konnte. Die Blinden, die das Essen gefordert hatten, zogen sich nun Hals über Kopf zurück, da sie jegliche Orientierung verloren hatten, stolperten sie übereinander, fielen hin, richteten sich auf, fielen wieder hin, einige versuchten es nicht einmal, gaben auf, blieben einfach auf dem Boden liegen, erschöpft, elend, von Schmerzen geplagt, mit dem Gesicht auf den Fliesen. Da sah die Frau des Arztes mit Entsetzen, wie einer der Blinden aus der Gruppe eine Pistole aus der Tasche zog und sie in die Luft hielt. Der Schuß ließ einen großen Brocken Stuck von der Decke fallen, der auf die Köpfe der Ungeschützten niederging und die Panik noch erhöhte. Der Blinde rief, Ruhe, alle miteinander, Ruhe, und wenn es jemand wagt zu sprechen, dann schieße ich sofort, egal, wen es trifft, und dann beklagt euch hinterher nicht. Die Blinden rührten sich nicht. Der mit der Pistole fuhr fort, Es ist bekanntgegeben worden, und es gibt kein Zurück, daß wir ab jetzt über das Essen bestimmen werden, alle sind benachrichtigt worden, und es soll mir niemand mit der Idee kommen, das Essen draußen zu holen, wir werden Wachposten an diesen Eingang stellen, und jeder Versuch, gegen die Anweisung zu verstoßen, wird Konsequenzen haben, das Essen wird jetzt verkauft, wer essen will, bezahlt, Wie sollen wir bezahlen, fragte die Frau des Arztes, Ich habe gesagt, es soll niemand reden, brüllte der mit der Pistole und fuchtelte mit seiner Waffe vor ihr herum, Aber jemand muß doch sprechen, wir müssen doch wissen, wie wir vorgehen sollen, wo wir das Essen holen sollen, ob wir alle zusammen gehen oder einer nach dem anderen, Du bist wohl besonders schlau, sagte einer aus der Gruppe, wenn du ihr eine Kugel verpaßt, haben wir ein Maul weniger zu stopfen, Wenn ich sie sehen könnte, hätte sie schon eine Kugel im Bauch, und dann, an alle gewandt, Kehren Sie sofort in Ihre Säle zurück, sofort, wenn wir das Essen nach drinnen gebracht haben, werden wir Ihnen sagen, was Sie zu tun haben, Und die Bezahlung, fragte die Frau des Arztes erneut, was wird uns ein Milchkaffee und ein Keks kosten, Das Mädchen verlangt ja nicht gerade viel, sagte dieselbe Stimme, Überlaß sie mir, sagte der andere, und in verändertem Ton, Jeder Saal wird zwei Verantwortliche ernennen, die beauftragt sind, Wertsachen einzusammeln, ganz gleich welcher Art, Geld, Juwelen, Ringe, Armbänder, Ohrringe, Uhren, was Sie haben, das werden Sie alles in den dritten Saal auf der linken Seite bringen, wo wir sind, und wenn Sie einen freundschaftlichen Rat wollen, lassen Sie sich nicht einfallen, uns zu täuschen, wir wissen, daß einige von euch einen Teil ihrer Wertsachen verstecken werden, aber ich sage euch gleich, das wär ein schlechter Scherz, denn wenn wir finden, daß ihr nicht genug abgegeben habt, dann werdet ihr einfach nichts zu essen bekommen und auf Banknoten herumkauen und Brillanten knabbern. Ein Blinder aus dem zweiten Saal rechts fragte, Und wie sollen wir das tun, übergeben wir alles auf einmal, oder bezahlen wir Stück für Stück unser Essen, Ich habe mich offenbar nicht deutlich genug ausgedrückt, sagte der mit der Pistole lachend, erst bezahlt ihr, und dann eßt ihr, und was den Rest angeht, Bezahlung je nach dem, was ihr gegessen habt, das würde ja eine ziemlich komplizierte Buchhaltung erfordern, am besten, ihr bringt alles auf einmal rüber, und wir werden sehen, wieviel Essen ihr damit verdient habt, aber daß eines klar ist, schlagt euch aus dem Kopf, irgendwas zu verstecken, weil euch das teuer zu stehen kommt, und damit ihr nicht behauptet, daß wir unloyal vorgehen, schreibt genau auf, was ihr uns übergeben habt, wir werden dann alles durchsuchen, und wehe euch, wenn wir noch etwas finden, und wenn es nur eine Münze ist, und jetzt alle raus, los. Er hob den Arm und feuerte noch einen Schuß ab, wieder fiel Stuck herab. Und du, sagte der mit der Pistole, deine Stimme werde ich nicht vergessen, Und ich nicht dein Gesicht, sagte die Frau des Arztes.

Niemand schien zu bemerken, wie absurd es war, wenn eine Blinde sagte, sie würde das Gesicht von jemandem, den sie nicht gesehen hatte, nicht vergessen. Die Blinden hatten sich, so schnell sie konnten, zurückgezogen, suchten die Türen, und kurz darauf erklärten die aus dem ersten Saal ihren Gefährten die Situation, Nach allem, was wir gehört haben, glaube ich nicht, daß wir im Augenblick mehr tun können, als zu gehorchen, sagte der Arzt, es müssen viele sein, und das Schlimmste ist, daß sie Waffen haben, Wir könnten auch welche besorgen, sagte der Apothekengehilfe, Ja, ein paar Knüppel von den Bäumen, wenn es überhaupt noch Äste in Reichweite gibt, und Stangen von den Betten, aber wir hätten kaum die Kraft, sie einzusetzen, während sie sogar eine Feuerwaffe haben, Ich gebe diesen Schweinehunden einer blinden Nutte nicht, was mir gehört, sagte jemand, Ich auch nicht, sagte ein anderer, Also gut, entweder geben wir alle etwas oder keiner, sagte der Arzt, Wir haben keine Wahl, sagte seine Frau, und außerdem müssen hier drin dieselben Regeln herrschen wie die, die uns da draußen auferlegt werden, wer nicht bezahlen will, soll nicht bezahlen, das ist sein gutes Recht, aber dann wird er auch nichts zu essen bekommen, und er kann sich nicht auf Kosten der anderen ernähren wollen, Wir geben alle, und wir geben alles, sagte der Arzt, Und wer nichts zu geben hat, fragte der Apothekengehilfe, Gut, der wird dann das essen, was die anderen hergeben, wie es ganz richtig heißt, jeder, wie er kann, jeder, wie er will. Es entstand eine Pause, und der Alte mit der schwarzen Augenklappe fragte, Wen erklären wir nun zu den Verantwortlichen, Ich wähle den Doktor, sagte die junge Frau mit der dunklen Brille. Es war nicht nötig abzustimmen, der ganze Saal war sich einig. Wir müssen zu zweit sein, sagte der Arzt, ist noch jemand bereit, fragte er, Ich, wenn sich sonst niemand meldet, sagte der erste Blinde, Sehr gut, also beginnen wir mit dem Einsammeln, wir brauchen einen Beutel oder eine Tasche, einen kleinen Koffer, irgend etwas, was sich dafür eignet, Ich kann das hier rausnehmen, sagte die Frau des Arztes und leerte eine Tasche aus, in der sie einige Kosmetikartikel und anderen Kleinkram verstaut hatte, als sie sich noch nicht hatte vorstellen können, unter welchen Bedingungen sie würde leben müssen. Zwischen den Fläschchen, Kästchen und Tuben aus einer anderen Welt befand sich eine lange spitze Schere. Sie konnte sich nicht erinnern, sie dazugelegt zu haben, aber da war sie. Die Frau des Arztes hob den Kopf. Die Blinden warteten, ihr Mann war zum Bett des ersten Blinden gegangen, unterhielt sich mit ihm, die junge Frau mit der dunklen Brille sagte zu dem kleinen schielenden Jungen, daß das Essen bald käme, auf dem Fußboden hinter dem Nachttisch, als hätte die junge Frau mit der dunklen Brille in einem kindlichen, sinnlosen Anfall von Scham sie vor den Blicken derer, die nicht sehen konnten, verstecken wollen, lag eine blutige Monatsbinde. Die Frau des Arztes betrachtete die Schere, überlegte, warum sie sie so ansah, wie denn, einfach so, aber sie fand keinen Grund dafür, welchen Grund konnte man schon finden in einer einfachen langen Schere, die in der offenen Hand lag, mit ihren zwei vernickelten Blättern und den scharfen, glänzenden Spitzen, Hast du die Tasche nun, fragte der Arzt, Ja, hier, antwortete sie, und hielt die leere Tasche mit dem ausgestreckten Arm hin, während sie mit dem anderen Arm hinter ihrem Rücken die Schere zu verstecken suchte, Was ist denn, fragte der Arzt, Nichts, antwortete die Frau, sie hätte genausogut antworten können, Nichts, was du sehen könntest, du wirst dich über meine Stimme gewundert haben, nur das war es, sonst nichts. Zusammen mit dem ersten Blinden kam der Arzt nun auf diese Seite, nahm die Tasche in die unschlüssigen Hände und sagte, Legen Sie alles bereit, was Sie haben, wir fangen jetzt mit dem Einsammeln an. Die Frau nahm ihre Uhr ab, tat das gleiche bei ihrem Mann, dann die Ohrringe, einen kleinen Ring mit einem Rubin, die Goldkette, die sie um den Hals trug, den Ehering, den ihres Mannes, es war nicht schwer, sie abzuziehen, Unsere Finger sind schmaler, dachte sie und legte alles in die Tasche, dann das Geld, das sie von zu Hause mitgebracht hatten, ein paar Banknoten unterschiedlichen Wertes, ein paar Münzen, Das ist alles, sagte sie, Bist du sicher, fragte der Arzt, schau gut nach, An Wertsachen ist es alles, was wir hatten. Die junge Frau mit der dunklen Brille hatte ihre Habe bereits zurechtgelegt, sie war nicht viel anders, zwei Armreifen dazu, dafür keinen Ehering. Die Frau des Arztes wartete, bis ihr Mann und der erste Blinde ihr den Rücken zuwandten, die junge Frau mit der dunklen Brille sich zu dem kleinen schielenden Jungen hinunterbeugte, Tu so, als sei ich deine Mutter, sagte sie, ich bezahle für mich und für dich, und dann ging sie zur hinteren Wand. Dort, wie überall an den Wänden, ragten lange Nägel heraus, die den Verrückten wohl dazu gedient hatten, wer weiß welche Schätze oder Eigentümlichkeiten daran aufzuhängen. Sie suchte sich den höchsten aus, den sie erreichen konnte, und hängte die Schere daran. Dann setzte sie sich auf das Bett. Langsam gingen ihr Mann und der erste Blinde auf die Tür zu, hielten an, um auf der einen und der anderen Seite einzusammeln, was jeder abzugeben hatte, einige protestierten, daß sie auf beschämende Weise beraubt würden, und es war die reine Wahrheit, andere machten sich mit einer Art Gleichgültigkeit frei von ihrem Besitz, als dächten sie, daß es, recht betrachtet, auf dieser Welt nichts gibt, was uns im absoluten Sinne gehört, eine nicht weniger offenkundige Wahrheit. Als sie zum Eingang des Saales gelangten und das Einsammeln beendet war, fragte der Arzt, Haben wir alles abgegeben, und einige resignierte Stimmen antworteten ihm mit Ja, andere schwiegen, wir werden noch erfahren, ob sie nur nicht lügen wollten. Die Frau des Arztes schaute zur Schere hinauf, es kam ihr seltsam vor, daß sie so weit oben hing, an einem der Griffe, als hätte nicht sie selbst sie dort hingehängt, und dann dachte sie bei sich, daß es eine hervorragende Idee gewesen war, diese Schere mitzubringen, jetzt würde sie ihrem Mann den Bart trimmen können, ihn ansehnlicher machen, zumal man ja weiß, daß es unter den Bedingungen, unter denen wir leben, für einen Mann unmöglich ist, sich einfach zu rasieren. Als sie wieder zur Tür schaute, waren die beiden Männer schon im Schatten des Ganges verschwunden, auf dem Weg zum dritten Saal links, wo sie das Essen bezahlen sollten. Das von heute, auch das von morgen, vielleicht für die ganze Woche, Und danach, auf diese Frage gab es keine Antwort, alles, was wir besitzen, haben sie mitgenommen.

Erstaunlicherweise waren die Korridore frei, normalerweise stolperte man, wenn man den Saal verließ, stieß sich ständig an etwas oder fiel hin, die Betroffenen fluchten, stießen grobe Verwünschungen aus, die anderen antworteten im selben Ton, aber niemand schenkte dem sonderliche Beachtung, man mußte sich einfach auf irgendeine Weise Luft machen, vor allem, wenn man blind ist. Weiter vorn hörten sie Schritte und Stimmen, das waren wahrscheinlich die Abgesandten des anderen Saales, die kamen, um dieselbe Aufgabe zu erfüllen. Was machen sie nur mit uns, Herr Doktor, sagte der erste Blinde, es reicht nicht, daß wir blind sind, jetzt sind wir auch noch in die Fänge von blinden Dieben geraten, es scheint wohl mein Schicksal zu sein, zuerst war es der mit dem Auto, jetzt sind es diese hier, die uns das Essen wegnehmen, und dann noch mit einer Pistole, Das ist der Unterschied, die Waffe, Aber die Munition wird auch nicht ewig reichen, Nein, nichts hält für immer vor, dennoch wäre es in diesem Fall vielleicht besser so, Warum, Wenn die Munition zu Ende ist, dann deshalb, weil jemand sie verschossen hat, und wir haben schon genug Tote, Wir sind in einer unerträglichen Situation, Es ist unerträglich, seit wir hier angekommen sind, trotzdem halten wir es aus, Der Herr Doktor ist sehr optimistisch, Ich bin nicht optimistisch, ich kann mir nur nichts Schlimmeres vorstellen als das, was wir hier durchmachen, Und ich habe den Verdacht, daß dem Bösen, dem Übel keine Grenzen gesetzt sind, Vielleicht haben Sie recht, sagte der Arzt, und danach, als würde er zu sich selbst sprechen, Irgend etwas muß hier passieren, diese Schlußfolgerung enthielt einen gewissen Widerspruch, entweder gab es doch noch etwas Schlimmeres als das hier, oder es wird von nun ab alles besser, auch wenn es nicht so scheint. Nach dem Weg zu urteilen, den sie zurückgelegt hatten, den Ecken, um die sie gebogen waren, mußten sie sich jetzt dem dritten Saal nähern. Weder der Arzt noch der erste Blinde waren jemals hier gewesen, aber die Konstruktion der beiden Flügel war logischerweise nach einer strikten Symmetrie angelegt, wer den rechten Flügel gut kannte, konnte sich auch leicht im linken zurechtfinden und umgekehrt, es reichte, dort links abzubiegen, wo man auf der anderen Seite rechts abgebogen wäre. Sie hörten Stimmen, es mußten die sein, die vor ihnen gekommen waren, Wir müssen warten, sagte der Arzt leise, Warum, Die da drin werden genau wissen wollen, was diese hier mitbringen, für sie ist das egal, denn sie haben schon gegessen, also haben sie keine Eile, Es fehlt sicher nicht viel bis zum Mittagessen, Selbst wenn sie sehen könnten, würde das denen hier nicht viel nützen, denn sie haben ja nicht mal mehr Uhren. Ungefähr eine Viertelstunde später war der Tausch perfekt. Die beiden Männer kamen an dem Arzt und dem ersten Blinden vorbei, ihrer Unterhaltung konnte man entnehmen, daß sie Essen trugen, Vorsicht, laß es nicht fallen, sagte einer, und der andere murmelte, Ich weiß nicht, ob das für alle reicht, Wir werden den Gürtel enger schnallen. Mit der Hand an der Wand entlangstreifend, der erste Blinde war unmittelbar hinter ihm, ging der Arzt voran, bis seine Finger den Türpfosten berührten, Wir sind aus dem ersten Saal rechts, rief er nach drinnen. Er wollte einen Schritt nach vorn tun, aber sein Bein stieß gegen ein Hindernis. Er begriff, daß es ein quergestelltes Bett war, das dort wie eine Theke in einem Laden stand, Die sind organisiert, dachte er, das steht da nicht von ungefähr. Er hörte Stimmen, Schritte, Wie viele sind es wohl, seine Frau hatte von etwa zehn gesprochen, aber möglicherweise waren es viel mehr, sicher waren nicht alle in der Eingangshalle gewesen, als sie das Essen beschlagnahmten. Der mit der Pistole war der Chef, es war seine spöttische Stimme, die sagte, Na, dann wollen wir doch mal sehen, welche Reichtümer uns der erste Saal rechts bringt, und dann, etwas leiser, zu jemandem, der ganz in seiner Nähe stehen mußte, Schreib auf. Der Arzt war verblüfft, was heißt das, er hat gesagt, Schreib auf, also gibt es hier jemanden, der schreiben kann, also gibt es hier jemanden, der nicht blind ist, dann haben wir schon zwei, Wir müssen vorsichtig sein, dachte er, morgen kann der Kerl neben uns stehen, ohne daß wir ihn bemerken, dieser Gedanke unterschied sich wenig von dem, was der erste Blinde dachte, Mit der Pistole und einem Spion sind wir geliefert, wir werden uns nie wieder wehren können. Der Blinde dort drin, Anführer der Diebe, hatte schon die Tasche geöffnet und mit geschickten Händen die Gegenstände und das Geld herausgenommen, betastet und identifiziert, ohne Zweifel konnte er erfühlen, was aus Gold war und was nicht, auch den Wert der Geldscheine und der Münzen, es ist leicht, wenn man etwas Erfahrung hat, nach wenigen Minuten hörte der Arzt ein unverwechselbares Geräusch, das er sofort erkannte, jemand schrieb in Brailleschrift, man hörte das zugleich dumpfe und deutliche

Geräusch der Taste, die das dicke Papier prägte und auf die Metallplatte darunter stieß. Es gab also einen normalen Blinden unter diesen blinden Delinquenten, einen jener Blinden, die man früher so genannt hatte, offensichtlich war er ins Netz gegangen mit all den anderen, und es war für die Jäger nicht die Zeit herauszufinden, Sind Sie einer von den neuen oder den alten Blinden, erklären Sie, wie Ihre Blindheit beschaffen ist. Welch ein Glück hatten die hier, nicht nur, daß ihnen das Los einen Schreiber beschert hatte, sie konnten ihn auch als Führer einsetzen, einer, der auf die Blindheit trainiert war, das war etwas anderes, der war nicht mit Gold aufzuwiegen. Die Inventur wurde fortgesetzt, gelegentlich bat der mit der Pistole seinen Buchhalter um seine Meinung, Was hältst du davon, und der unterbrach seine Arbeit, um etwas zu begutachten, sagte, Kupfergold, Woraufhin der mit der Pistole kommentierte, Wenn es davon eine Menge gibt, kriegen die nichts zu essen, oder, Das ist gut, und dann kam folgender Kommentar, Es geht doch nichts über ehrliche Menschen. Am Ende wurden drei Kästen auf das Bett gestellt, Nehmen Sie das mit, sagte der mit der Pistole. Der Arzt zählte sie, Drei sind nicht genug, wir haben vier Kästen erhalten, als das Essen nur für uns war, im selben Augenblick spürte er den kalten Lauf der Pistole im Nacken, für einen Blinden war das nicht schlecht gezielt, Ich werde jedesmal, wenn du reklamierst, einen Kasten wegnehmen lassen, und jetzt hau ab, nimm die hier mit, und danke Gott, daß du überhaupt noch zu essen kriegst. Der Arzt murmelte, Ist gut, nahm zwei Kästen, der erste Blinde kümmerte sich um den dritten, und jetzt gingen sie, weil sie eine Last trugen, langsamer, und kehrten auf dem Weg zurück, der sie zu ihrem Saal bringen würde. Als sie in die scheinbar menschenleere Eingangshalle kamen, sagte der Arzt, ich werde nie wieder eine solche Gelegenheit haben, Was wollen Sie damit sagen, fragte der erste Blinde, Er hat mir die Pistole an den Nacken gesetzt, ich hätte sie ihm aus der Hand reißen können, Das wäre riskant gewesen, Nicht so riskant, wie es schien, ich wußte, wo die Pistole war, aber er wußte nicht, wo meine Hände waren, Trotzdem, Ich bin sicher, daß in dem Augenblick er der Blindere von uns beiden war, schade, daß ich nicht eher daran gedacht habe, oder ich habe daran gedacht, hatte aber nicht den Mut, Und dann, fragte der erste Blinde, Dann was, Nehmen wir an, Sie hätten ihm wirklich die Waffe entreißen können, ich glaube nicht, daß Sie fähig wären, sie zu benutzen, Wenn ich sicher wäre, daß ich damit die Situation gelöst hätte, doch, Aber Sie sind nicht sicher, Nein, das stimmt, bin ich nicht, Dann ist es besser, daß die Waffen auf ihrer Seite bleiben, zumindest solange sie uns damit nicht angreifen, Mit einer Waffe zu drohen ist schon angreifen, Wenn Sie ihm die Pistole weggenommen hätten, wäre der richtige Krieg erst ausgebrochen, und es ist sehr wahrscheinlich, daß wir dort nicht mehr rausgekommen wären, Sie haben recht, sagte der Arzt, ich werde so tun, als hätte ich all das bedacht, Herr Doktor, Sie müssen an das denken, was Sie vor kurzem gesagt haben, Was habe ich denn gesagt, Daß etwas geschehen muß, Es ist geschehen, und ich habe es nicht genutzt, Dann eben etwas anderes.

Als sie den Saal betraten und das Wenige vorweisen mußten, was sie zum Auftischen mitgebracht hatten, meinten einige, es sei ihre Schuld, weil sie nicht reklamiert und mehr gefordert hatten, deshalb waren sie doch zu Vertretern der Gemeinschaft ernannt worden. Da erzählte der Arzt, was vorgefallen war, sprach von dem blinden Buchhalter, den unflätigen Methoden des Blinden mit der Pistole und auch von der Pistole. Die Unzufriedenen wurden leiser und stimmten zu, jawohl, die Verteidigung der Interessen des ersten Saales sei in guten Händen. Schließlich wurde das Essen verteilt, und es fehlte nicht an Leuten, die die Ungeduldigen daran erinnerten, daß das Wenige immer noch besser war als gar nichts, und außerdem, so spät, wie es jetzt schon sein mußte, würde es bald Mittagessen geben, Es wäre nur übel, wenn uns dasselbe passiert wie jenem Pferd, das starb, weil es sich schon das Essen abgewöhnt hatte. Die anderen lächelten schwach, und einer sagte, Keine schlechte Idee, sofern es stimmt, daß das Pferd, wenn es stirbt, nicht weiß, daß es sterben wird.

Der Alte mit der schwarzen Augenklappe hatte es so verstanden, daß das Kofferradio von der Liste der Wertsachen, die als Bezahlung für das Essen übergeben werden sollten, ausgeschlossen war, einmal, weil es nicht sonderlich stabil war, und außerdem, weil es, wie man wußte, kein langes Leben hatte, wenn man bedachte, daß das Funktionieren des Apparates zunächst davon abhing, ob Batterien darin waren, und darüber hinaus von ihrer Dauer. Nach dem heiseren Ton der Stimmen zu urteilen, die noch aus dem kleinen Kasten ertönten, konnte man nicht mehr viel von dem Radio erwarten. Daher beschloß der Alte mit der schwarzen Augenklappe, das Radio nicht mehr für alle einzuschalten, auch weil die Blinden aus dem dritten Saal auftauchen und anderer Meinung sein könnten, nicht wegen seines materiellen Wertes, der in kurzer Zeit praktisch Null sein würde, wie bereits gesagt, sondern wegen seines jetzt unmittelbaren Gebrauchswertes, der ohne Zweifel sehr hoch war, von der einleuchtenden Hypothese ganz zu schweigen, daß dort, wo eine Pistole existierte, vielleicht auch Batterien vorhanden waren. Also sagte der Alte mit der schwarzen Augenklappe, daß er die Nachrichten mit dem Kopf unter der Bettdecke hören würde, und wenn es eine interessante Neuigkeit gäbe, würde er gleich Bescheid sagen. Die junge Frau mit der dunklen Brille bat ihn noch, er möge sie hin und wieder ein wenig Musik hören lassen, Nur um die Erinnerung daran nicht zu verlieren, sagte sie zur Rechtfertigung, aber er war unnachgiebig, entgegnete, daß es wichtig sei, zu erfahren, was dort draußen geschehe, wer Musik hören wolle, sollte sie in seinem eigenen Kopf hören, für irgend etwas mußte unser Gedächtnis ja gut sein. Der Alte mit der schwarzen Augenklappe hatte recht, die Musik aus dem Radio schrammte vor sich hin, wie dies nur eine schlechte Erinnerung tun kann, deshalb hielt er die Lautstärke möglichst niedrig, in Erwartung der Nachrichten. Dann drehte er den Ton ein wenig auf und spitzte die Ohren, um keine einzige Silbe zu verpassen. Anschließend faßte er in eigenen Worten die Informationen zusammen und übermittelte sie dem nächsten Nachbarn. So wurden die Nachrichten von Bett zu Bett weitergegeben und machten langsam die Runde durch den Saal, jedesmal, wenn sie von einem Empfänger zum nächsten kamen, etwas mehr entstellt, weil die eine oder andere Information in ihrer Bedeutung herunter- oder heraufgespielt wurde, je nachdem, wie optimistisch oder pessimistisch der Übermittler eingestellt war. Bis der Augenblick kam, als die Wörter versiegten und der Alte mit der schwarzen Augenklappe nichts mehr zu sagen hatte. Und das nicht etwa, weil das Radio defekt oder die Batterien leer gewesen wären, die Erfahrung eines Lebens und vieler Leben hat hinreichend bewiesen, daß niemand die Zeit im Griff hat, und dieses kleine Gerät schien nicht lange zu halten, jedoch war nun vor ihm jemand in Schweigen verfallen. Während dieses ganzen ersten Tages, den sie unter den Klauen der niederträchtigen Blinden verbrachten, hatte der Alte mit der schwarzen Augenklappe Nachrichten gehört und sie weitergegeben, hatte auf eigene Rechnung den falschen Optimismus der offiziellen Hellseher korrigiert, und nun, nachdem es schon tief in der Nacht war und er den Kopf über der Decke hatte, hielt er das Ohr an das Rauschen und Knistern, in das die schwachen Batterien die Stimme des Sprechers verwandelt hatten, als er ihn plötzlich schreien hörte, Ich bin blind, dann ein heftiger Stoß gegen das Mikrophon, eine Folge von sich überschlagenden Geräuschen und Ausrufen, und plötzlich Stille. Die einzige Rundfunkanstalt, die man über diesen Apparat noch hatte empfangen können, schwieg. Lange Zeit hatte der Alte mit der schwarzen Augenklappe das Ohr noch an das nun leblose Gerät gehalten, als wartete er darauf, daß die Stimme zurückkehrte und die Nachrichten fortgesetzt würden. Doch er ahnte, daß dies nie wieder der Fall sein würde. Das Weiße Übel hatte nicht nur den Sprecher befallen. Wie eine Zündschnur hatte es schnell und nacheinander alle in der Sendeanstalt erreicht. Da ließ der Alte mit der schwarzen Augenklappe das Radio auf den Boden fallen. Wenn die niederträchtigen Blinden nun nach verborgenen Juwelen schnüffeln kämen, würden sie, sollten sie daran überhaupt gedacht haben, bestätigt finden, warum sie die Kofferradios nicht in die Liste der Wertsachen aufgenommen hatten. Der Alte mit der schwarzen Augenklappe zog die Decke über den Kopf, um ungehemmt weinen zu können.

Langsam fiel der Saal unter dem gelblich-schmutzigen Licht der schwachen Lampen in einen tiefen Schlaf, die Körper waren gestärkt durch drei Tagesmahlzeiten, wie es sie vorher kaum gegeben hatte. Wenn dies so bleibt, werden wir wieder einmal feststellen, daß noch dem schlimmsten Übel genügend Gutes abzugewinnen ist, um es geduldig zu ertragen, und dies, übertragen auf die gegenwärtige Situation, bedeutet, daß im Gegensatz zu den ersten beunruhigenden Vorhersagen die Konzentration der Lebensmittel in einer einzigen Einheit, die sie aufteilte und ausgab, schließlich doch ihre guten Seiten hatte, auch wenn sich einige Idealisten noch so sehr beklagten, weil sie es vorgezogen hätten, auf ihre Art um ihr Leben zu kämpfen, auch wenn sie bei solcher Hartnäckigkeit hätten hungern müssen. Noch sorglos, was den nächsten Tag anging, und ohne daran zu denken, daß, wer im voraus zahlt, immer schlecht bedient ist, fielen die meisten Blinden in allen Sälen in einen tiefen Schlaf. Die anderen, die es leid waren, vergebens nach einem ehrbaren Ausweg für die erlittenen Qualen zu suchen, schliefen auch allmählich ein und träumten von der Hoffnung auf bessere Tage als diese, in denen sie freier sein würden, wenn auch nicht besser versorgt. Im ersten Saal rechts schlief nur die Frau des Arztes noch nicht. Sie lag auf ihrem Bett und dachte an das, was ihr Mann erzählt hatte, als er für einen Augenblick angenommen hatte, unter den blinden Dieben gebe es einen, der sehen konnte, einen, den sie als Spion benutzen könnten. Es war seltsam, daß sie danach nicht mehr darüber gesprochen hatten, so als hätte der Arzt, schon aus Gewohnheit, völlig vergessen, daß seine eigene Frau immer noch sehen konnte. Dies dachte sie, aber sie schwieg, sie wollte nicht das Naheliegende aussprechen, Nein, er kann es nicht, aber ich kann es tun, Was denn, würde der Arzt fragen und so tun, als verstünde er nicht. Jetzt, die Augen auf die Schere an der Wand geheftet, fragte sich die Frau des Arztes, Was hilft es mir, daß ich sehen kann. Es hatte ihr geholfen, den Horror zu sehen, mehr als sie sich je hätte vorstellen können, hatte es ihr dazu gedient, auch die Blindheit herbeizuwünschen, nichts weiter als das. Vorsichtig setzte sie sich im Bett auf. Vor ihr schliefen die junge Frau mit der dunklen Brille und der kleine schielende Junge. Sie bemerkte, daß die beiden Betten sehr nah beieinander standen, die junge Frau hatte ihres herangerückt, sicher, um dem Jungen näher zu sein, falls er Trost brauchte, um ihm die Tränen zu trocknen, weil er seine Mutter verloren hatte. Warum bin ich nicht darauf gekommen, dachte sie, wir hätten die Betten zusammenrücken können, so würden wir dicht beieinander schlafen, ohne daß ich mich ständig darum sorgen müßte, daß er aus dem Bett fällt. Sie betrachtete ihren Mann, der, völlig erschöpft, in einen schweren Schlaf gesunken war. Sie hatte ihm nicht gesagt, daß sie die Schere mitgebracht hatte, daß sie ihm in nächster Zeit den Bart schneiden würde, eine Arbeit, die selbst ein Blinder tun kann, vorausgesetzt, er kommt mit der Klinge der Haut nicht zu nahe. Sie hatte sich selbst eine gute Rechtfertigung zurechtgelegt, um ihm nicht von der Schere zu erzählen, Dann würden die Männer alle kommen, und ich würde nichts anderes tun als Bärte schneiden. Sie schwang sich zur Seite, setzte die Füße auf den Boden und suchte ihre Schuhe, als sie hineinschlüpfen wollte, hielt sie inne, betrachtete sie, dann schüttelte sie den Kopf, lautlos stellte sie die Schuhe wieder hin. Langsam lief sie durch den Gang zwischen den Betten auf die Tür des Saales zu. Ihre nackten Füße spürten den klebrigen Schmutz auf dem Boden, aber sie wußte, daß es draußen auf den Korridoren noch viel schlimmer sein würde. Sie blickte nach der einen und der anderen Seite, um zu sehen, ob einer der Blinden wach war, obwohl es, wenn einer oder mehrere wachten oder sogar der ganze Saal, überhaupt nicht von Bedeutung wäre, solange sie keinen Lärm machte, und selbst wenn sie dies täte, wissen wir, wozu die Bedürfnisse des Körpers, die an keine Zeit gebunden sind, uns zwingen, sie wollte jedoch unbedingt vermeiden, daß ihr Mann aufwachte, rechtzeitig bemerkte, daß sie aufgestanden war, und sie fragte, Wo gehst du hin, vermutlich die Frage, die die Männer ihren Frauen am häufigsten stellen, die andere lautet, Wo bist du gewesen. Eine der blinden Frauen saß im Bett, mit dem Rücken an das niedrige Kopfteil gelehnt starrte sie mit leerem Blick auf die Wand gegenüber, ohne sie zu erreichen. Die Frau des Arztes hielt einen Moment inne, als zögerte sie, den unsichtbaren Faden zu berühren, der durch die Luft gespannt war, als könnte eine geringe Berührung ihn unwiderruflich zerstören. Die Blinde hob einen Arm, wahrscheinlich hatte sie eine leichte Erschütterung in der Luft wahrgenommen, dann ließ sie ihn gleichgültig fallen, es reichte schon, daß sie wegen der schnarchenden Nachbarn nicht schlafen konnte. Die Frau des Arztes lief weiter, immer schneller, je näher sie der Tür kam. Bevor sie zur Eingangshalle ging, blickte sie den Korridor hinunter, der zu den anderen Sälen auf dieser Seite führte, weiter vorn zu den Toiletten und schließlich zur Küche und zum Speisesaal. An der Wand entlang lagen Blinde, die bei ihrer Ankunft kein Bett hatten erobern können, weil sie bei dem Angriff hinten geblieben waren oder weil ihnen die Kraft fehlte, ein Bett zu erstreiten und in einem Kampf zu gewinnen. Zehn Meter weiter lag ein Blinder auf einer Blinden, zwischen ihren Beinen, sie taten es so diskret sie konnten, sie waren diskret in der Öffentlichkeit, doch man brauchte nicht besonders hinzuhorchen, um zu wissen, was sie taten, zumal sie das eine oder andere Oh und Ah, ein Stöhnen, ein unartikuliertes Wort nicht unterdrücken konnten, Anzeichen dafür, daß alles gleich zu Ende sein würde. Die Frau des Arztes hielt an, um sie zu betrachten, nicht aus Neid, sie hatte ihren Mann und die

Befriedigung, die er ihr gab, aber sie hatte einen Eindruck anderer Natur, für den sie kein Wort fand, vielleicht ein Gefühl der Sympathie, als wollte sie ihnen sagen, Macht euch nichts draus, daß ich hier bin, auch ich weiß, was das ist, macht nur weiter, es konnte auch Mitgefühl sein, Selbst wenn dieser Augenblick höchster Lust euch für ein ganzes Leben gegeben wäre, würdet ihr doch nie eins werden können. Der Blinde und die Blinde ruhten sich jetzt aus, schon getrennt, lagen nebeneinander, aber Hand in Hand, sie waren jung, vielleicht waren sie befreundet, ins Kino gegangen und dort erblindet, oder ein wunderbarer Zufall hatte sie hier zusammengeführt, und wenn es so war, wie hatten sie sich erkannt, nun, an der Stimme natürlich, nicht nur die Stimme des Blutes braucht keine Augen, auch die Liebe, so heißt es, macht blind und hat ein Wort mitzureden. Am wahrscheinlichsten war, daß man sie gleichzeitig aufgegriffen hatte, in diesem Fall waren sie schon Hand in Hand angekommen.

Die Frau des Arztes seufzte, führte die Hände zu den Augen, weil sie schlecht sah, und es erschreckte sie nicht, sie wußte, daß es nur Tränen waren. Dann setzte sie ihren Weg fort, als sie zur Eingangshalle kam, näherte sie sich der Tür, die zur äußeren Einfriedung führte. Sie sah hinaus. Hinter dem Tor war ein Licht, darunter zeichnete sich die schwarze Silhouette eines Soldaten ab. Auf der anderen Straßenseite lagen alle Gebäude im Dunkeln. Sie trat auf den Treppenabsatz hinaus. Es bestand keine Gefahr. Selbst wenn der Soldat die Gestalt erkannte, würde er nur schießen, wenn sie die Treppe hinabging, sich trotz einer Warnung jener unsichtbaren Linie näherte, die dort für ihn existierte, die Grenze seiner Sicherheit. Schon gewöhnt an die ständigen Geräusche im Schlafsaal, wunderte sich die Frau des Arztes über die Stille, eine Stille, die den Raum einer Abwesenheit einzunehmen schien, als sei die Menschheit, die gesamte Menschheit, verschwunden und hätte nur ein Licht hinterlassen und einen Soldaten, der es bewachte, sie und die übrigen Männer und Frauen, die es nicht sehen konnten. Sie setzte sich auf den Boden, mit dem Rücken an den Türrahmen gelehnt, in derselben Position, in der sie die Blinde im Saal gesehen hatte, und blickte vor sich hin wie diese. Es war eine kalte Nacht, der Wind blies an der Fassade des Gebäudes entlang, es schien unglaublich, daß es noch Wind auf der Welt gab und die Nacht so schwarz war, das meinte sie nicht ihretwegen, sondern weil sie an die Blinden dachte, für die es immer Tag war. Über der Lampe erschien eine andere Silhouette, es mußte die Wachablösung sein, Keine Vorkommnisse, würde der Soldat sagen, der sich jetzt für den Rest der Nacht im Zelt schlafen legte, sie konnten sich nicht vorstellen, was sich hinter jener Tür abspielte, wahrscheinlich waren die Schüsse nicht einmal nach draußen gedrungen, eine gewöhnliche Pistole macht nicht viel Lärm. Eine Schere noch weniger, dachte die Frau des Arztes. Sie fragte sich gar nicht erst, warum ihr dieser Gedanke kam, es überraschte sie nur, daß er sich so langsam entwickelt hatte, wie lange das erste Wort gebraucht hatte, bis es aufgetaucht war, und dann allmählich weitere Wörter, bis sie schließlich den Gedanken fand, der schon vorher dagewesen war, irgendwo, nur die Wörter dazu hatten ihr gefehlt, so wie ein Körper, der im Bett die Kuhle sucht, die für ihn vorbereitet ist allein durch den Gedanken, daß man sich hinlegen möchte. Der Soldat näherte sich dem Tor, obwohl er im Licht stand, konnte man sehen, daß er herüberschaute, er mußte die reglose Gestalt erkannt haben, es gab nur nicht genügend Licht, um zu erkennen, daß es nur eine Frau war, die auf dem Boden hockte, die Arme um die Beine geschlungen, das Kinn auf die Knie gestützt, da richtet der Soldat eine Taschenlampe auf sie, kein Zweifel, es ist eine Frau, die sich so langsam erhebt, wie ihr Gedanke sich vorher in Worte gefaßt hatte, aber das kann der Soldat nicht wissen, er weiß nur, daß er Angst hat vor jener Gestalt, die sich endlos zu erheben scheint, erst fragt er sich, ob er Alarm schlagen soll, dann beschließt er, nein, schließlich ist es nur eine Frau, und sie ist weit weg, auf jeden Fall richtet er zur Vorsicht die Waffe auf sie, dafür muß er die Taschenlampe beiseite legen, nun fällt das Licht der Taschenlampe direkt in seine Augen, wie ein plötzliches Feuer brannte es sich auf seiner Netzhaut ein. Als er wieder sehen konnte, war die Frau verschwunden, jetzt konnte diese Wache nicht mehr zur Wachablösung sagen, Keine Vorkommnisse.

Die Frau des Arztes war schon im Flügel auf der linken Seite, in dem Korridor, der sie zum dritten Saal führen würde. Auch hier schliefen Blinde auf dem Boden, mehr als im rechten Flügel. Langsam, geräuschlos geht sie weiter, sie spürt den klebrigen Boden unter ihren Füßen. Sie schaut in die beiden ersten Säle und sieht, wie sie es erwartet hatte, die unter den Decken liegenden Gestalten, ein Blinder, der ebenfalls nicht schlafen kann, und dies mit verzweifelter Stimme sagt, sie hört das stoßweise Schnarchen fast aller anderen. Was den Geruch betrifft, der von alldem ausgeht, wundert sie sich nicht, denn es gibt keinen anderen im ganzen Gebäude, es ist der Geruch des eigenen Körpers, der Kleidung, die sie trägt. Als sie um die Ecke biegt, in den Teil des Korridors, der zum dritten Saal führt, hält sie inne. An der Tür steht ein Mann, noch ein Wachposten. Er hält einen Stock in der Hand, bewegt ihn langsam hin und her, als wollte er jedem, der sich nähern möchte, den Zugang verwehren. Hier liegen keine Blinden auf dem Boden, der Korridor ist frei. Der Blinde an der Tür setzt sein eintöniges Hin und Her fort, er scheint nicht müde zu werden, dann aber, nach einigen Minuten, nimmt er den Stock in die andere Hand und fährt fort. Die Frau des Arztes ist auf der anderen Seite vorsichtig an der Wand entlanggegangen, ohne sie zu berühren. Der Bogen, den der Stock beschreibt, reicht nicht einmal bis zur Mitte des breiten Korridors, man möchte sagen, dieser Posten steht Wache mit entladener Waffe. Die Frau des Arztes steht jetzt genau vor dem Blinden, sie kann den Saal hinter ihm sehen. Die Betten sind nicht alle belegt. Wie viele sind es wohl, dachte sie, sie ging noch ein Stück weiter nach vorn, fast bis zur Reichweite des Stockes, dort hielt sie an, der Blinde hatte ihr den Kopf zugewandt, als hätte er etwas Ungewöhnliches bemerkt, ein Seufzen, ein Zittern in der Luft. Es war ein großer Mann mit großen Händen. Erst streckte er den Arm mit dem Stock vor und fegte mit schnellen Bewegungen durch die Leere vor sich, dann tat er einen kurzen Schritt, eine Sekunde lang befürchtete die Frau des Arztes, er könne sie sehen und versuche nur herauszufinden, von welcher Seite er sie am besten angreifen konnte, Diese Augen sind nicht blind, dachte sie erschrocken. Ja, natürlich waren sie blind, so blind wie die all der anderen, die unter diesem Dach lebten, zwischen diesen Wänden, alle, alle außer ihr. Leise, fast flüsternd, fragte der Mann, Wer ist da, er schrie nicht wie die richtigen Wachposten, Wer da, die angemessene Antwort wäre, Friedliche

Leute, und er würde antworten, Gehen Sie weiter, aber so war es nicht, er schüttelte nur den Kopf, als würde er sich selbst antworten, Unsinn, hier kann niemand sein, jetzt schlafen doch alle. Mit der freien Hand tastete er vor sich her, zog sich an die Tür zurück, und beruhigt durch seine eigenen Worte, ließ er die Arme hängen. Er war müde, lange schon stand er da, wartete darauf, daß einer seiner Gefährten ihn ablöste, aber dafür war es notwendig, daß ein anderer der inneren Stimme der Pflicht folgte, von selbst aufwachte, denn hier gab es keine Wecker und keine Möglichkeit, sie zu benutzen. Vorsichtig näherte sich die Frau des Arztes der anderen Seite des Türrahmens und sah hinein. Der Saal war nicht voll. Sie zählte rasch, ungefähr neunzehn oder zwanzig, glaubte sie. Ganz hinten sah sie ein paar aufeinandergestapelte Essenskisten, andere auf den leeren Betten. Das war zu erwarten, sie verteilen nicht einmal das ganze Essen, das sie bekommen, dachte sie. Der Blinde schien erneut unruhig zu werden, machte jedoch keine Anstalten, etwas herauszufinden. Die Minuten verstrichen. Man hörte einen heftigen Raucherhusten von drinnen. Der Blinde wandte ängstlich den Kopf, endlich könnte er schlafen gehen. Keiner von denen, die dort lagen, erhob sich. Da setzte sich der Blinde, als hätte er Angst, daß man ihn in flagranti dabei ertappen könnte, wie er seinen Posten verließ oder auf einmal alle Regeln verletzte, die die Wachposten zu befolgen hatten, auf die Kante des Bettes, das den Eingang versperrte. Für einige Minuten noch schaukelte er mit dem Kopf, dann aber ließ er sich vom Strom des Schlafes davontragen, sicher hatte er noch gedacht, Nicht so wichtig, niemand sieht mich. Die Frau des Arztes zählte noch einmal, wie viele im Saal waren, Mit diesem sind es zwanzig, wenigstens nahm sie eine genaue Information mit, ihr nächtlicher Ausflug war nicht umsonst gewesen, Bin ich denn nur deshalb hierhergekommen, fragte sie sich und wollte nicht nach der Antwort suchen. Der Blinde schlief nun mit dem Kopf an den Türrahmen gelehnt, der Stock war geräuschlos auf den Boden geglitten, ein entwaffneter Blinder ohne Säulen, die zerstört werden sollten. Die Frau des Arztes wollte fest daran glauben, daß dieser Mann ein Essensdieb war, der die anderen um das beraubte, was ihnen rechtmäßig zustand, die Kinder um ihr Essen brachte, doch obwohl sie dies dachte, empfand sie keine Verachtung, nicht einmal leichte Empörung, nur ein seltsames Mitgefühl mit diesem zusammengefallenen Körper, dem nach hinten geneigten Kopf und dem langen Hals mit den dicken Venen. Zum ersten Mal, seit sie den Saal verlassen hatte, schauderte es sie vor Kälte, als würden die Fliesen auf dem Boden ihre Füße gefrieren lassen, als würden sie sie verbrennen, Hoffentlich ist das kein Fieber, dachte sie. Nein, das war es nicht, sondern nur grenzenlose Müdigkeit und das Bedürfnis, sich in sich selbst einzurollen, die Augen, ja vor allem die Augen nach innen zu wenden, mehr, immer mehr, bis sie das Innere des eigenen Hirns erreichten und beobachten konnten, dort, wo der Unterschied zwischen dem Sehen und dem Nichtsehen dem einfachen Blick verborgen bleibt. Langsam, sehr langsam schleppte sie sich zurück an den Ort, an den sie gehörte, sie ging vorbei an Blinden, die wie Schlafwandler wirkten, Schlafwandlerin war auch sie für jene, sie brauchte nicht einmal so zu tun, als sei sie blind. Die verliebten Blinden hielten sich nicht mehr an den Händen, sie schliefen auf der Seite, eingerollt, um die Wärme zu halten, sie lag wie in einer Muschel, die sein Körper bildete, bei näherem Hinsehen hielten sich beide doch an den Händen, sein Arm lag über ihrem Körper, ihre Finger waren ineinander verschlungen. Dort drin im Saal konnte die Blinde nicht schlafen, sie saß immer noch auf ihrem Bett und wartete darauf, daß der sich weigernde Verstand endlich dem erschöpften Körper nachgab. Alle anderen schienen zu schlafen, einige hatten den Kopf bedeckt, als seien sie immer noch auf der Suche nach einer unmöglichen Dunkelheit. Auf dem Nachttisch der jungen Frau mit der dunklen Brille sah man das Fläschchen mit den Augentropfen. Die Augen waren schon geheilt, nur wußte sie es nicht.

Wenn der Blinde mit dem Auftrag, die unrechtmäßigen Gewinne im Saal der niederträchtigen Blinden zu notieren, in einer klärenden Erleuchtung seines zweifelnden Geistes beschlossen hätte, mit seinen Schreibunterlagen, dem dicken Papier und der Blindenschriftmaschine auf diese Seite zu kommen, dann wäre er jetzt sicher dabei, eine aufschlußreiche, beklagenswerte Chronik der schlechten täglichen Kost und vieler anderer Leiden dieser neuen und derart beraubten Mitinsassen zu schreiben. Er würde damit beginnen, daß dort, wo er herkam, die Usurpatoren nicht nur die ehrlichen Blinden aus dem Saal verstoßen hatten, um selbst Herren über den ganzen Raum zu sein, sondern daß sie außerdem noch den Insassen der anderen zwei Säle des linken Flügels den Zugang und die Benutzung der sanitären Anlagen, wie man sie nennt, verboten hatten. Er würde berichten, daß die unmittelbare Folge der infamen Machtübernahme der Ansturm all jener bedrängten Menschen auf die Toiletten auf dieser Seite war, und es läßt sich leicht ausmalen, was das bedeutet, wenn man nicht vergessen hat, in welchem Zustand diese sich vorher schon befunden hatten. Er würde feststellen, daß man nicht über den Innenhof gehen konnte, ohne über Blinde zu stolpern, die unter Durchfall litten und sich entleerten oder sich krümmten, weil sie einen Drang verspürten, der zunächst viel versprochen hatte und dann zu nichts führte, und da er ein beobachtender Mensch war, würde er ebenfalls den offensichtlichen Gegensatz registrieren zwischen dem wenigen, was man zu sich nahm, und der Menge, die ausgeschieden wurde, womit erwiesen war, daß die berühmte, so oft zitierte Wechselbeziehung zwischen Ursache und Wirkung zumindest von einem quantitativen Standpunkt aus gesehen nicht immer zutrifft. Er würde auch sagen, daß hier, während um diese Zeit der Saal der niederträchtigen Blinden sicher vollgestopft war mit Essen, die Unglücklichen bald soweit wären, die Krümel von dem verdreckten Boden aufzulesen. Der blinde Buchhalter würde in seiner doppelten Eigenschaft als Teilnehmer und Chronist der Ereignisse auch nicht versäumen, das kriminelle Vorgehen der Unterdrücker zu registrieren, die es vorzogen, das Essen verderben zu lassen, statt es den Menschen zu geben, die es so nötig brauchten, denn manche Lebensmittel konnten sich zwar einige Wochen halten, andere jedoch, vor allem die, die gekocht waren, würden, wenn man sie nicht gleich verzehrte, in kurzer Zeit sauer werden oder verschimmeln, also unbrauchbar sein für Menschen, wenn das hier überhaupt noch Menschen sind. Und der Chronist würde zu einem anderen Aspekt übergehen, ohne das Thema zu wechseln, und mit kummervollem Herzen schreiben, daß die Krankheiten hier nicht nur den Verdauungsapparat beträfen, das heißt von mangelnder Nahrungsaufnahme herrührten oder von der Zersetzung des Aufgenommenen, sondern auch, daß nicht nur gesunde Menschen, gleichwohl blind, hergekommen seien, denn einige von denen, die mit einer unerschütterlichen Gesundheit gesegnet zu sein schienen, seien jetzt soweit wie die anderen, konnten sich von den ärmlichen Pritschen nicht erheben, hingestreckt von einer schweren Grippe, die sich, man wußte nicht wie, verbreitet habe. Und nirgendwo in den fünf Sälen gebe es eine Aspirintablette, die dieses Fieber hätte senken und die Kopfschmerzen lindern können, in kurzer Zeit sei alles aufgebraucht worden, selbst das Futter in den Handtaschen der Frauen habe man durchsucht. Der Chronist würde aus Rücksicht keinen detaillierten Bericht über andere Krankheiten abgeben, die so viele der dreihundert Menschen in einer so unmenschlichen Quarantäne befallen hatten, aber er müßte wenigstens zwei Fälle von weit fortgeschrittenem Krebs erwähnen, die die Behörden ohne Rücksicht auf humanitäre Erwägungen, als sie die Blinden einfingen, ebenfalls hierhergebracht hatten, sogar mit der Bemerkung, daß das Gesetz, wenn es geboren wird, für alle gleich und die Demokratie nicht mit Sonderbehandlungen vereinbar sei. Unter so vielen Menschen, so wolle es das Schicksal, gebe es nur einen einzigen Arzt, und der sei auch noch Augenarzt, was hier am wenigsten fehlte. Wenn er an diesem Punkt angelangt war, würde der blinde Buchhalter, des Beschreibens von soviel Elend und Schmerz müde, seine Blindenschriftmaschine auf dem Tisch stehenlassen und mit zitternder Hand das Stückchen harten Brotes suchen, das er irgendwo hingelegt hatte, als er seine Pflicht als Chronist vom Ende der Zeiten erfüllte, aber er würde es nicht finden, weil es ihm ein anderer Blinder, so viel konnte der Geruchssinn in einer solchen Situation nützen, gestohlen hatte. So würde er die brüderliche Geste verfluchen, den aufopfernden Impuls, der ihn veranlaßt hatte, auf diese Seite zu kommen, und beschließen, daß es das beste sei, wenn noch Zeit dazu war, wieder in den dritten Saal auf der linken Seite zurückzukehren, denn auch wenn die aufrichtige Empörung gegen die Ungerechtigkeiten der niederträchtigen Blinden ihn aufrührte, würde er dort wenigstens keinen Hunger leiden.

Darum geht es in Wirklichkeit. Jedesmal, wenn die Beauftragten für die Essensbeschaffung mit dem wenigen in die Säle zurückkehren, was ihnen zugeteilt wurde, brechen wütende Proteste aus. Es gibt immer jemanden, der eine gemeinsame organisierte Aktion fordert, eine massive Demonstration, und als schlagendes Argument die so oft bewiesene Macht zunehmender Mengen anführt, verstärkt durch die dialektische Feststellung, daß sich der Wille der Menschen, den man im allgemeinen addierte, sehr wohl unter bestimmten Umständen bis ins Endlose multiplizieren ließe. Es dauerte jedoch nicht lange, und die Gemüter beruhigten sich wieder, es brauchte nur jemand, der umsichtiger war, einfach und sachlich Vorzüge und Risiken der vorgeschlagenen Aktion gegeneinander abzuwägen und die begeisterten Aktivisten an die gemeinhin tödlichen Auswirkungen von Pistolen zu erinnern, Wer nach vorne geht, weiß, was ihn dort erwartet, und was die hinten betrifft, ist es besser, sich nicht einmal vorzustellen, was in dem sehr wahrscheinlichen Fall geschehen würde, daß wir es schon beim ersten Schuß mit der Angst kriegen, denn mehr von uns würden zu Tode gedrückt werden, als unter Schüssen zu sterben. Als eine Zwischenlösung wurde in einem der Säle entschieden, und diese Entscheidung wurde in die anderen Säle weitergegeben, daß nicht die schon übel zugerichteten Abgeordneten wie bisher das Essen holen sollten, sondern eine stärkere Gruppe, welch unpassender Ausdruck, zehn oder zwölf Personen, die versuchen sollten, gemeinsam die Unzufriedenheit der anderen vorzutragen. Man bat um Freiwillige, aber vielleicht aufgrund der bereits bekannten Vorbehalte vorsichtiger Insassen erklärten sich nicht sehr viele in den einzelnen Sälen zu dieser Mission bereit. Gott sei Dank hatte dieser offensichtliche Beweis moralischer Schwäche keine Bedeutung mehr, und es bestand auch kein Grund zur Scham, als sich herausstellte und damit der Vorsicht recht gegeben wurde, welches Ergebnis die Expedition hatte, die von dem Saal ausgegangen war, der den Vorschlag gemacht hatte. Die acht mutigen Männer, die sich vorwagten, wurden hemmungslos mit Stöcken vertrieben, und wenn auch nur eine Kugel abgefeuert wurde, so ist es doch immerhin so, daß diesmal tiefer gezielt wurde als beim ersten Mal, denn die Blinden, die davon berichteten, schwörten, daß sie sie direkt an ihren Köpfen hatten vorbeipfeifen hören. Wenn es eine mörderische Absicht gegeben hatte, dann werden wir das vielleicht später erfahren, im Augenblick sollte man im Zweifel zugunsten des Schützen annehmen, daß dieser Schuß entweder nur eine Warnung war, wenn auch eine ernsthafte, oder der Chef der Gauner sich, was die Größe der Demonstranten anging, geirrt und sie sich kleiner vorgestellt hatte, oder, diese Vermutung war allerdings beunruhigend, der Irrtum war darauf zurückzuführen, daß er sie sich größer vorgestellt hatte, als sie in Wirklichkeit waren, in diesem Fall müßte man unweigerlich zugeben, daß eine Tötungsabsicht bestanden hatte. Wenn man nun diese Kleinigkeiten beiseite ließ und sich den allgemeinen Interessen zuwandte, denn die zählen jetzt, dann war es wahrlich vorausschauend, wenn auch nur zufällig, daß die Demonstranten sich als Delegierte des Saales Nummer soundso angekündigt hatten, auf diese Weise mußte nur dieser Saal zur Strafe drei Tage fasten, und sie hatten noch Glück, denn man hätte ihnen die Versorgung für immer streichen können, was gerecht ist, wenn jemand es wagt, die Hand dessen zu beißen, der ihn ernährt. So hatten die aus dem aufständischen Saal also keine andere Wahl, als in diesen drei Tagen von Tür zu Tür zu gehen und beim Allerheiligen um eine Brotrinde als Almosen zu bitten, wenn möglich noch mit etwas Aufstrich, sie starben nicht vor Hunger, gewiß, aber sie mußten sich einiges anhören, Schert euch zum Teufel mit euren Ideen, In welcher Lage wären wir jetzt, wenn wir auf euch gehört hätten, aber schlimmer als all das war, wenn man ihnen sagte, Geduld, Geduld, solche Worte waren härter als eine Beleidigung. Und als die drei Tage der Strafe verstrichen waren und man glaubte, es würde ein neuer Tag anbrechen, war klar, daß die Bestrafung des unglücklichen Saales, in dem jene vierzig aufständischen Blinden untergebracht waren, noch nicht zu Ende war, denn das Essen, das bis dahin kaum für zwanzig gereicht hatte, wurde jetzt so knapp, daß nicht einmal zehn ihren Hunger damit stillen konnten. Man kann sich daher die Auflehnung, Empörung und, mag es auch schmerzlich sein, aber Tatsachen sind Tatsachen, die Angst der übrigen Säle vorstellen, die sich schon den Angriffen derer ausgesetzt sahen, die in Bedrängnis geraten waren, man war nun hin- und hergerissen zwischen der klassischen Verpflichtung zu menschlicher Solidarität und der Anwendung eines alten, nicht weniger klassischen Prinzips, daß jeder sich selbst der Nächste ist.

So standen die Dinge, als von den Gaunern der Befehl kam, es sollten mehr Geld und Wertsachen übergeben werden, denn sie glaubten, das bereits gelieferte Essen hätte schon den Wert der bisherigen Bezahlung überschritten, und wie sie bekräftigten, entspreche das einer großzügigen Rechnung. Die Säle antworteten besorgt, daß sie nicht einen Pfennig mehr in der Tasche hätten, daß alle Wertsachen pünktlich eingesammelt und übergeben worden seien und, dieses ein wahrhaft beschämendes Argument, auch nicht einfach eine Entscheidung hinzunehmen sei, die absichtlich den unterschiedlichen Wert der verschiedenen Beiträge mißachte, kurz, es sei nicht in Ordnung, daß der Gerechte für den Sünder zahlen solle, und deshalb sollte man nicht jenen das Essen verweigern, die wahrscheinlich noch einen Saldo zu ihren Gunsten hatten. Keiner der Säle kannte natürlich den Wert, der von den anderen übergeben worden war, aber jeder dachte, er habe noch ein Anrecht, weiter zu essen, und die übrigen Säle hätten keinen Kredit mehr. Glücklicherweise waren die Gauner, und das erstickte die Konflikte im Keim, unerbittlich, der Befehl galt für alle, wenn es Unterschiede in der Bewertung gegeben hatte, dann blieben sie ein Geheimnis des blinden Buchhalters. In den Sälen entspann sich eine heftige, erhitzte Diskussion, die bisweilen in Gewalt ausartete. Manche vermuteten, daß einige Egoisten mit unlauteren Absichten einen Teil ihrer Wertsachen zur Zeit des Einsammelns versteckt und deshalb auf Kosten der anderen gegessen hatten, die auf ehrliche Weise zum Wohl der Gemeinschaft alles abgegeben hatten. Andere wiederum argumentierten nun für sich, während sie vorher für die Gemeinschaft gesprochen hatten, und behaupteten, das, was sie abgegeben hätten, sei nur für sie selbst gewesen und würde noch für viele Tage Essen reichen, statt daß sie jetzt Schmarotzer mitunterhalten müßten. Die Drohung, die die niederträchtigen Blinden zu Beginn ausgesprochen hatten, daß sie die Säle durchsuchen und alle bestrafen würden, die ihre Anweisung nicht befolgt hatten, wurde schließlich in jedem einzelnen Saal wahr gemacht, gute Blinde gegen böse Blinde, auch diese ruchlos. Man fand keine großartigen Reichtümer mehr, aber es wurden immer noch einige

Uhren und Ringe gefunden, mehr bei Männern als bei Frauen. Was die Strafen der internen Gerechtigkeit anging, kam es nur zu ein paar Rempeleien, einigen schwachen, schlecht gezielten Hieben, und dann hörte man Beschimpfungen, einen Satz aus alter, verleumderischer Rhetorik wie zum Beispiel, Du wärst imstande, deine eigene Mutter zu berauben, man stelle sich das vor, als müsse man für eine solche Untat und andere, größere, auf den Tag warten, an dem alle Menschen erblindet sind, die, weil sie das Augenlicht verloren haben, auch den Leitstern gegenseitiger Achtung nicht mehr erkennen. Die niederträchtigen Blinden nahmen die Bezahlung mit der Androhung harter Repressalien entgegen, die zum Glück nicht ausgeführt, wahrscheinlich einfach vergessen wurden, gewiß ist jedoch, daß sie sich schon etwas anderes ausgedacht hatten, wie man bald erfahren wird. Hätten sie die Drohungen wahr gemacht, hätten weitere Ungerechtigkeiten die Lage wohl unmittelbar mit dramatischen Konsequenzen belastet, insofern, als zwei der Säle, um die Anschuldigung, noch etwas zurückgehalten zu haben, von sich zu weisen, im Namen der anderen vorstellig wurden und damit die unschuldigen Säle mit einer Schuld belasteten, die sie nicht betraf, ein Saal war sogar so ehrlich gewesen und hatte alles am ersten Tag übergeben. Zum Glück hatte der blinde Buchhalter, um sich keine zusätzliche Arbeit zu machen, beschlossen, auf einem separaten Blatt Papier die verschiedenen neuen Beiträge aufzuführen, und das war für alle gut, die Unschuldigen wie die Schuldigen, denn mit Sicherheit wäre ihm bei einer Abstimmung der Konten die ungleiche Bezahlung aufgefallen.

Nach einer Woche ließen die niederträchtigen Blinden

ausrichten, daß sie Frauen wollten. Einfach so, Bringt uns Frauen. Diese unerwartete, wenn auch nicht gänzlich ungewöhnliche Forderung löste selbstverständlich Empörung aus, die Abgesandten, die verlegen diesen Befehl überbrachten, kehrten gleich zurück, um mitzuteilen, daß die Säle, die drei rechts und die zwei links, ohne die blinden Frauen und Männer auszunehmen, die auf dem Fußboden schliefen, einstimmig beschlossen hatten, dieser demütigenden Forderung nicht nachzukommen, weil die menschliche Würde, in diesem Fall die Würde der Frauen, sich nicht so weit erniedrigen könne, und wenn es im dritten Saal links keine Frauen gab, so könne die Verantwortung, wenn es sie denn gab, nicht ihnen angelastet werden. Die Antwort war kurz und trocken, Wenn ihr uns keine Frauen bringt, gibt es kein Essen. Gedemütigt kehrten die Abgesandten mit diesem Befehl in die Säle zurück, Entweder geht ihr hin, oder wir bekommen kein Essen. Sofort protestierten die Frauen, die alleine waren, keinen Partner hatten oder keinen festen Freund, sie seien nicht bereit, das Essen für die Männer der anderen Frauen mit dem zu bezahlen, was sie zwischen den Beinen hätten, eine von ihnen, die Achtung vor dem eigenen Geschlecht vergessend, sagte sogar dreist, Ich bin Frau genug, da hinzugehen, aber was ich damit verdiene, ist meins, und wenn es mir gefällt, bleibe ich bei denen, dann sind mir wenigstens Bett und Tisch sicher. Das waren deutliche Worte, doch zu ihrer Umsetzung kam es nicht, denn sie dachte rechtzeitig daran, wie schlecht es ihr erginge, wenn sie alleine die erotische Wut von zwanzig enthemmten Kerlen über sich ergehen lassen müßte, die vor lauter Bedrängnis und Geilheit blind zu sein schienen. Diese Erklärung, die im zweiten Saal rechts so leicht dahingesprochen worden war, fiel jedoch nicht auf unfruchtbaren Boden, einer der Abgesandten, mit einem besonderen Gespür für den Augenblick, schloß sich gleich an und schlug vor, für diese Arbeit sollten sich freiwillige Frauen melden, in Anbetracht der Tatsache, daß man etwas aus eigenem Antrieb lieber tut als unter Zwang. Nur aus Vorsicht und Klugheit hütete er sich schließlich, noch ein bekanntes Sprichwort hinzuzufügen, Unwillig macht schlechte Arbeit, dennoch hagelte es von allen Seiten wütende Proteste, kaum daß er ausgesprochen hatte, ohne Rücksicht oder Mitleid wurden die Männer moralisch fertiggemacht, beschimpft als Dreckschweine, Kuppler, Schmarotzer, Vampire, Ausbeuter, Zuhälter, je nach Bildung, gesellschaftlicher Herkunft und dem persönlichen Stil der zu Recht empörten Frauen. Einige erklärten, sie bedauerten, daß sie aus reiner Großzügigkeit und Mitleid den sexuellen Nöten der Gefährten im Unglück nachgegeben hatten, die es ihnen jetzt so schlecht dankten und sie dem schlimmsten Schicksal ausliefern wollten. Die Männer versuchten sich zu verteidigen, so sei es doch gar nicht, sie sollten die Sache nicht dramatisieren, zum Teufel, man würde sich schon verständigen, es sei doch nur, weil der Brauch es so verlange, daß man in einer schwierigen, gefährlichen Situation nach Freiwilligen fragt, und dies hier sei eine solche Situation, Wir laufen alle Gefahr, vor Hunger zu sterben, ihr und wir. Einige der Frauen beruhigten sich, hatten sich besonnen, aber eine andere goß plötzlich erneut Öl ins Feuer, als sie spöttisch fragte, Und was würdet ihr tun, wenn sie statt Frauen Männer verlangten, na, was würdet ihr dann tun, los, laßt mal hören. Die Frauen jubelten, Los doch, na los, riefen sie im Chor, begeistert, daß sie die Männer mit dem Rücken an die Wand gestellt und sie in ihrer eigenen Argumentation gefangen hatten, aus der sie nicht entkommen konnten, jetzt wollten sie doch sehen, wohin die so oft gerühmte männliche Logik führen würde, Hier gibt's keine Schwulen, wagte ein Mann zu protestieren, Und keine Huren, erwiderte die Frau, die die provozierende Frage gestellt hatte, und wenn es sie gäbe, kann es sein, daß sie nicht bereit sind, das für euch hier zu sein. Die Männer, unangenehm berührt, gingen in sich, sie wußten, daß es nur eine Antwort gab, die die rachsüchtigen Frauen zufriedenstellen würde, nämlich, Wenn sie um Männer gebeten hätten, würden wir gehen, aber keiner von ihnen hatte den Mut, diese kurzen, unmißverständlichen Worte einfach auszusprechen, außerdem waren sie so verwirrt, daß sie nicht einmal daran dachten, wie wenig gefährlich es wäre, dies auszusprechen, da jene Hurensöhne sich nicht mit Männern, sondern mit Frauen Erleichterung verschaffen wollten.

Nun, was keiner der Männer dachte, schienen die Frauen zu denken, denn es konnte keine andere Erklärung für das Schweigen geben, das sich in dem Saal ausbreitete, in dem diese Auseinandersetzungen stattfanden, als hätten sie verstanden, daß sich der Sieg in diesem Wortgefecht für sie nicht von der Niederlage unterscheiden würde, die unweigerlich darauf folgte, in den übrigen Sälen wird die Diskussion nicht anders gewesen sein, zumal man weiß, daß sich sinnvolle und sinnlose Argumente der Menschen sehr oft wiederholen. Hier hatte eine Frau, die schon fünfzig Jahre alt war und ihre alte Mutter bei sich hatte und keine andere Wahl, um ihr etwas zu essen zu geben, den letzten Satz gesprochen, Ich gehe, sagte sie, sie wußte nicht, daß diese Worte das Echo derer im ersten Saal rechts gewesen waren, ausgesprochen von der Frau des Arztes, Ich gehe, in diesem Saal gibt es wenig Frauen, vielleicht waren deshalb nicht so viele und heftige Proteste zu hören, da war die junge Frau mit der dunklen Brille, die Frau des ersten Blinden, die Sprechstundenhilfe, das Zimmermädchen und eine, von der man nicht wußte, wer sie war, dann die, die nicht schlafen konnte, aber diese war so unglücklich, die Ärmste, daß man sie besser in Ruhe ließ, von der Solidarität der Frauen brauchten nicht nur die Männer zu profitieren. Der erste Blinde erklärte nun, daß seine Frau sich auf gar keinen Fall der Schande unterwerfen und ihren Körper einem Unbekannten, im Austausch für was auch immer, hingeben würde, außerdem würde sie dies auch nicht wollen, er würde es nicht zulassen, und die Würde hat keinen Preis, wenn ein Mensch beginnt, in diesen kleinen Dingen nachzugeben, dann verliert er insgesamt den Sinn seines Lebens. Der Arzt fragte ihn, welchen Sinn seines Lebens er denn in dieser Situation sehe, in der sich alle befänden, hungrig, bis zu den Ohren im Dreck, von Läusen zerfressen, von Wanzen gebissen und mit Flohstichen übersät, Ich habe es auch nicht gerne, daß meine Frau dahin geht, aber das nützt mir gar nichts, sie ist bereit zu gehen, das war ihre Entscheidung, ich weiß, daß mein Stolz als Mann, das, was wir den Stolz eines Mannes nennen, wenn wir überhaupt nach soviel Erniedrigung noch etwas besitzen, was diesen Namen verdient, ich weiß, daß er leiden wird, und er leidet schon, das läßt sich nicht vermeiden, aber es ist wahrscheinlich das einzige Mittel, wenn wir leben wollen, Jeder handelt nach seiner eigenen Moral, denke ich, und ich habe nicht die Absicht, meine Meinung zu ändern, erwiderte aggressiv der erste Blinde. Da entgegnete die junge Frau mit der dunklen Brille, Die andern wissen nicht, wie viele Frauen es hier gibt, also können Sie Ihre zu Ihrem eigenen exklusiven Verbrauch behalten, wir werden Sie ernähren, Sie beide, ich möchte nur wissen, wie Sie sich dann fühlen mit Ihrer Würde, danach, wie Ihnen das Brot dann schmeckt, das wir Ihnen bringen, Das ist nicht die Frage, antwortete der erste Blinde, die Frage ist, aber der Satz blieb in der Luft hängen, in Wirklichkeit wußte er nicht, was die Frage war, alles, was er zuvor gesagt hatte, waren nicht mehr als ein paar versprengte Meinungsäußerungen, nichts als Meinungen, die zu einer anderen Welt gehörten, nicht zu dieser, eigentlich müßte er dankbar die Hände zum Himmel erheben und froh sein, daß die Schande sozusagen im Hause blieb, statt die Qual zu ertragen, daß er von den Frauen der anderen ausgehalten wurde. Um genau zu sein, von der Frau des Arztes, denn was die übrigen anging, ausgenommen die junge Frau mit der dunklen Brille, die ledig und unabhängig war und von deren zügellosem Leben wir schon genügend erfahren haben, wenn sie Männer hatten, dann waren sie jedenfalls nicht dort. Das Schweigen, das auf den nicht beendeten Satz folgte, schien darauf zu warten, daß jemand endgültig die Situation klärte, so dauerte es auch nicht lange, bis jemand sprach, der sprechen mußte, nämlich die Frau des ersten Blinden, die ohne ein Beben in ihrer Stimme sagte, Ich bin soviel wie die anderen, ich tue das, was sie tun, Du tust nur das, was ich sage, unterbrach sie ihr Mann, Spiel dich nicht als Autorität auf, das nützt dir hier gar nichts, du bist so blind wie ich, Es ist unanständig, Es liegt an dir, ob du unanständig bist, also ißt du ab heute nichts mehr, das war die grausame, unerwartete Antwort einer Frau, die bisher sanft und respektvoll zu ihrem Mann gewesen war. Man hörte ein abruptes Lachen, es war das Zimmermädchen, Na, iß doch, iß doch, was soll er denn tun, der Arme, plötzlich verwandelte sich das Lachen in Weinen, die Stimme änderte sich, Was sollen wir bloß tun, sagte sie, es war fast eine Frage, eine resignierte Frage, auf die es keine Antwort gab, wie ein verzweifeltes Kopfschütteln, so sehr, daß auch die Sprechstundenhilfe sie wiederholte, Was sollen wir nur tun. Die Frau des Arztes hob den Blick zur Schere an der Wand, ihrem Ausdruck nach zu urteilen stellte sie dieselbe Frage, nur gab sie auf die gesuchte Antwort eine Frage zurück, Und was willst du von mir.

Alles zu seiner Zeit, man wird nicht früher sterben, weil man früher aufgestanden ist. Die Blinden aus dem dritten Saal links sind gut organisiert, sie haben schon beschlossen, daß sie mit dem Saal anfangen werden, der ihrem am nächsten liegt, also mit den Frauen aus den Sälen in ihrem Flügel. Die Anwendung des Rotationsprinzips, ein mehr als zutreffendes Wort, bringt alle Vorteile und keinen Nachteil mit sich, zunächst, weil man in jedem Moment weiß, was geschehen ist und was geschehen wird, als blicke man auf eine Uhr und würde über den verstreichenden Tag sprechen, Bis hier und hierher habe ich gelebt, jetzt fehlt mir noch so viel oder so wenig, und zweitens würde, nachdem alle Säle an der Reihe gewesen waren, die Rückkehr zum Ausgangspunkt zweifelsohne einen Hauch des Neuen beinhalten, vor allem für jene mit einem kürzeren Gedächtnis für Sinneswahrnehmungen. Sollen sich zunächst einmal die Frauen aus dem Saal des rechten Flügels erheitern, mit dem Mißgeschick meiner Nachbarinnen komme ich gut zurecht, Worte, die keine von ihnen aussprach, die aber alle dachten, in Wahrheit muß noch das erste menschliche Wesen geboren werden, das jene zweite

Haut nicht trägt, die wir Egoismus nennen und die viel fester ist als die andere, die bei dem kleinsten Anlaß blutet. Es sei noch gesagt, daß diese Frauen sich nun intensiver vergnügten, so sind die Geheimnisse der menschlichen Seele, denn die Androhung der bevorstehenden Demütigung stachelte in jedem Saal den Appetit auf sinnliche Genüsse an, nachdem das Verlangen durch das Zusammenleben schwächer geworden war, als wollten die Männer verzweifelt ihre Spuren in den Frauen hinterlassen, bevor man sie wegbrachte, und als wollten die Frauen die Erinnerung mit Gefühlen anfüllen, die sie freiwillig erlebt hatten, um sich besser gegen den Ansturm der Empfindungen zu wehren, denen sie sich verweigern würden, wenn sie nur könnten. Nun muß man sich fragen, wie zum Beispiel im ersten Saal rechts das Problem der unterschiedlichen Anzahl von Männern und Frauen gelöst wurde, auch wenn man die Männer ausnimmt, die sexuell nicht mehr aktiv waren, und es gibt sie, wie es wahrscheinlich bei dem Alten mit der schwarzen Augenklappe der Fall ist und bei anderen, die nicht bekannt sind, alte oder jüngere, die aus dem einen oder anderen Grund nichts gesagt oder getan haben, was für diesen Bericht von Bedeutung wäre. Es wurde bereits erwähnt, daß sieben Frauen im Saal sind, die Blinde, die unter Schlaflosigkeit leidet und von der man nicht weiß, wer sie ist, mitgerechnet, und daß es hier nur zwei reguläre Ehepaare gibt, das heißt, es gibt eine Reihe von Männern, die allein sind, wobei der kleine schielende Junge nicht zählt. Vielleicht gibt es in den anderen Sälen mehr Frauen als Männer, aber eine ungeschriebene Regel, die aus dem Zusammenleben hier entstand und dann zu einem Gesetz wurde, besagt, daß alle Fragen dort, wo sie sich stellen, auch gelöst werden müssen, einem Beispiel folgend, das von den Alten überliefert ist, deren Weisheit zu loben wir nie müde werden, Ich bat die Nachbarin um Hilfe, doch helfen mußte ich mir selbst. So befriedigten also die Frauen im ersten Saal rechts die Bedürfnisse der Männer, die mit ihnen unter einem Dach lebten, mit Ausnahme der Frau des Arztes, die, wer weiß warum, niemand zu fragen wagte, weder mit Worten noch mit der ausgestreckten Hand. Die Frau des ersten Blinden aber, die ihrem Mann so entschieden geantwortet hatte, tat auf diskrete Weise das, was alle taten, so wie sie es angekündigt hatte. Es gibt jedoch Widerstände, gegen die weder der Verstand noch das Gefühl ankommen, wie im Fall der jungen Frau mit der dunklen Brille, die der Apothekengehilfe mit noch so vielen Argumenten und schließlich noch so vielen Bitten nicht hatte gefügig machen können, und so zahlte sie ihm den mangelnden Respekt heim, den er zu Beginn gezeigt hatte. Eben diese junge Frau, da verstehe einer die Frauen, die die hübscheste von allen hier ist, mit dem schönsten Körper, die attraktivste, die alle begehrten, als sich ihre Schönheit herumsprach, hatte sich schließlich in einer dieser Nächte selbst und aus eigenem Willen in das Bett des Alten mit der Augenklappe gelegt, der sie wie einen Sommerregen empfing, und sie hatte, so gut sie irgend konnte, ihre Aufgabe erfüllt, er hatte, so gut er irgend konnte, seine Aufgabe erfüllt, ziemlich gut für sein Alter, womit wieder einmal bewiesen ist, daß der Schein trügt und daß man am Ausdruck des Gesichtes und an der Gestalt des Körpers nicht die Kraft des Herzens erkennen kann. Alle Menschen im Saal verstanden, daß die junge Frau mit der dunklen Brille sich aus reiner Wohltätigkeit dem Alten mit der schwarzen Augenklappe hingegeben hatte, aber es gab auch sensible, träumerische Männer, die schon vorher mit ihr geschlafen hatten und sich nun ihrer Phantasie überließen in der Vorstellung, daß es nichts Besseres auf der Welt gab, als ausgestreckt im Bett zu liegen, allein, sich alles Unmögliche auszumalen und dann zu merken, wie sich eine Frau nähert, langsam die Decke hebt, darunter schlüpft und sich an den Körper schmiegt, bis sie schließlich ruhig daliegt, schweigend, und darauf wartet, daß die Glut des Blutes das plötzliche Erbeben der aufgereizten Haut befriedet. Und das alles für nichts, einfach weil sie es so wollte, das sind glückliche Zufälle, die es nicht im Überfluß gibt, bisweilen ist es notwendig, alt zu sein und eine schwarze Augenklappe zu tragen, die ein endgültig blindes Auge überdeckt. Oder man sollte gewisse Dinge nicht zu erklären suchen, man sagt einfach, was geschehen ist, fragt nicht nach dem geheimsten Innern der Menschen, wie jenes Mal, als die Frau des Arztes ihr Bett verlassen hatte, um den kleinen schielenden Jungen zuzudecken, der sich entblößt hatte. Sie legte sich nicht gleich wieder hin, sie stand an die hintere Wand gelehnt, in dem schmalen Raum zwischen den beiden Pritschenreihen und blickte verzweifelt auf die Tür am anderen Ende, jene Tür, durch die sie eines Tages, der schon weit entfernt schien, hereingekommen waren und die jetzt nirgendwohin führte. Da sah sie, wie ihr Mann sich erhob und mit starrem Blick wie ein Schlafwandler auf das Bett der jungen Frau mit der dunklen Brille zuging. Sie tat nichts, um ihn aufzuhalten, sie stand, ohne sich zu rühren, und sah, wie er die Decke hob und sich dann neben die junge Frau legte, wie diese aufwachte und ihn ohne Protest empfing, wie beide Münder sich suchten und fanden und wie dann das geschah, was geschehen mußte, die Lust des einen, die Lust der anderen, die Lust beider, das unterdrückte Murmeln, sie sagte, Oh, Herr Doktor, und diese Worte hätten lächerlich klingen können, sie waren es aber nicht, er sagte, Entschuldige, ich weiß nicht, was über mich gekommen ist, in der Tat hatten wir recht, wie könnten wir, die wir einfach nur sehen, wissen, was nicht einmal er weiß. Auf der schmalen Pritsche liegend konnten sie nicht ahnen, daß sie beobachtet wurden, der Arzt vielleicht doch, plötzlich wurde er unruhig, fragte sich, ob seine Frau schlief, vielleicht lief sie wie jede Nacht durch die Korridore, er machte eine Bewegung zu seinem Bett hin, doch eine Stimme sagte, Bleib liegen, und eine Hand legte sich auf seine Brust, so leicht wie ein Vogel, er wollte etwas sagen, vielleicht noch einmal, daß er nicht wußte, was über ihn gekommen war, aber die Stimme sagte, Wenn du nichts sagst, kann ich es besser verstehen. Die junge Frau mit der dunklen Brille begann zu weinen, Wie unglücklich wir doch sind, murmelte sie, und dann, Ich wollte es doch auch, ich wollte es doch auch, der Herr Doktor hat keine Schuld, Sei still, sagte die Frau des Arztes sanft, seien wir alle still, es gibt Situationen, da sind Wörter nutzlos, ich wollte, ich könnte auch weinen, alles mit Tränen sagen, und müßte nicht sprechen, um verstanden zu werden. Sie setzte sich auf den Bettrand, streckte den Arm über die beiden Körper aus, als wollte sie sie mit einer Umarmung umschlingen, und dann beugte sie sich tief zu der jungen Frau mit der dunklen Brille herab und flüsterte ihr leise ins Ohr, Ich kann sehen. Die junge Frau blieb reglos, gelassen, nur etwas verblüfft darüber, daß sie keinerlei Überraschung verspürte, als hätte sie es schon vom ersten Tag an gewußt und hätte es nur nicht laut sagen wollen, weil es ein Geheimnis war, das ihr nicht gehörte. Sie wandte den Kopf ein wenig und flüsterte ihrerseits der Frau des Arztes ins Ohr, Ich wußte es, ich weiß nicht, ob ich ganz sicher war, aber ich glaube, ich wußte es, Es ist ein Geheimnis, du darfst es niemandem sagen, Keine Sorge, Ich vertraue dir, Das können Sie, ich würde eher sterben, als Sie zu hintergehen, Du solltest mich duzen, Nein, das kann ich nicht. Sie flüsterten sich ins Ohr, erst die eine, dann die andere, berührten mit den Lippen das Haar, das Ohrläppchen, es war ein kleiner, doch bedeutender Dialog, eine kleine, komplizenhafte Unterhaltung, der Mann, der zwischen den beiden lag, schien gar nicht da zu sein, und dennoch war er in diese Unterhaltung eingebunden, außerhalb aller üblichen Vorstellungen und Wirklichkeiten. Dann sagte die Frau des Arztes zu ihrem Mann, Bleib noch ein bißchen liegen, wenn du möchtest, Nein, ich gehe zu unserem Bett zurück, Dann helfe ich dir. Sie erhob sich, um ihn nicht zu behindern, betrachtete für einen Augenblick die beiden blinden Köpfe, die nebeneinander auf dem schmutzigen Kopfkissen lagen, die dreckigen Gesichter, die verklebten Haare, nur ihre Augen glänzten sinnlos. Er erhob sich langsam, versuchte sich abzustützen, dann blieb er neben dem Bett stehen, unentschlossen, als hätte er plötzlich den Orientierungssinn verloren und wüßte nicht, wo er sich befand, da nahm sie, wie sie es immer getan hatte, seinen Arm, aber jetzt hatte diese Geste einen neuen Sinn, noch nie hatte er so sehr jemanden gebraucht, der ihn führte, wie in diesem Augenblick, jedoch wüßte er nicht zu sagen, bis zu welchem Punkt, nur die beiden Frauen wußten es wirklich, als die Frau des Arztes mit der anderen Hand das Gesicht der jungen Frau berührte und diese impulsiv ihre Hand nahm und sie an die Lippen führte. Dem Arzt war, als hörte er jemanden weinen, ein kaum hörbarer Ton, wie er nur von Tränen kommen kann, die langsam zu den Mundwinkeln hinunterlaufen und dort versiegen, um den ewigen Zyklus unerklärlicher menschlicher Schmerzen und Freuden von neuem zu beginnen. Die junge Frau mit der dunklen Brille würde nun alleine bleiben, sie war es, die getröstet werden müßte, deswegen hatte die Hand der Frau so lange gezögert, sich wieder loszumachen.

Am nächsten Tag erschienen zur Stunde des Abendessens, wenn ein paar elende Stücke harten Brotes und stinkenden Fleisches diesen Namen verdienen, drei Blinde von der anderen Seite an der Tür, Wie viele Frauen habt ihr hier, fragte einer von ihnen, Sechs, antwortete die Frau des Arztes, in der guten Absicht, die schlaflose Blinde auszuschließen, aber dann verbesserte sie sich mit erloschener Stimme, Wir sind sieben. Die Blinden lachten, zum Teufel noch mal, dann werdet ihr heute nacht ganz schön arbeiten müssen, und der andere schlug vor, Vielleicht wäre es besser, in dem Saal nebenan Verstärkung zu holen, Das lohnt nicht, sagte der dritte Blinde, der rechnen konnte, es sind praktisch drei Männer für jede Frau, das halten sie aus. Sie lachten erneut, und der, der gefragt hatte, wie viele Frauen es gab, ordnete an, Wenn ihr fertig seid, dann kommt zu uns rüber, und fügte hinzu, Das heißt, wenn ihr morgen essen und eure Männer füttern wollt. So sprachen sie in allen Sälen, und es amüsierte sie dieses Schelmenstück so sehr wie an dem Tag, an dem sie es sich ausgedacht hatten. Sie bogen sich vor Lachen, klopften sich auf die Schultern, schlugen mit kräftigen Stöcken auf den Boden, und einer warnte plötzlich, He, wenn eine von euch Blutungen hat, dann wollen wir sie nicht, die sparen wir uns fürs nächste Mal auf, Keine hat Blutungen, sagte die Frau des Arztes ruhig, Dann macht euch bereit, und kommt nicht zu spät, wir warten auf euch. Sie drehten sich um und verschwanden. Der Saal schwieg. Eine Minute später sagte die Frau des ersten Blinden, Ich kann nichts mehr essen, sie hatte fast nichts in der Hand, und sie konnte es nicht essen, Ich auch nicht, sagte die Frau mit der Schlaflosigkeit, Und ich auch nicht, sagte jene, von der man nicht weiß, wer sie ist, Ich bin schon fertig, sagte das Zimmermädchen, Ich auch, sagte die Sprechstundenhilfe, Ich werde dem ersten, der sich mir nähert, ins Gesicht kotzen, sagte die junge Frau mit der dunklen Brille. Sie hatten sich alle erhoben, zitternd, aber entschlossen. Da sagte die Frau des Arztes, Ich gehe vor. Der erste Blinde bedeckte seinen Kopf mit der Decke, als nützte das irgend etwas, blind wie er schon war, der Arzt zog seine Frau an sich, ohne ein Wort, gab ihr einen flüchtigen Kuß auf die Stirn, was sonst konnte er tun, den anderen Männern mußte es egal sein, sie hatten weder Rechte noch Pflichten eines Ehemannes irgendeiner der Frauen gegenüber, die nun fortgingen, deshalb konnte niemand ihnen sagen, Ein Gehörnter, der zustimmt, ist doppelt gehörnt. Die junge Frau mit der dunklen Brille ging hinter der Frau des Arztes, dann folgten das Zimmermädchen, die Sprechstundenhilfe, die Frau des ersten Blinden, jene, von der man nicht weiß, wer sie ist, und schließlich die Blinde mit der Schlaflosigkeit, eine groteske Reihe übelriechender Frauen, in schmutziger, zerlumpter Kleidung, es scheint unglaublich, daß die animalische Kraft des Geschlechts so mächtig ist, daß sie sogar den Geruchssinn erblinden läßt, der der empfindlichste aller Sinne ist, es gibt sogar Theologen, die behaupten, wenn auch nicht mit genau den gleichen Worten, daß die größte Schwierigkeit, es in der Hölle einigermaßen auszuhalten, vom dort herrschenden Gestank herrührt. Langsam, angeführt von der Frau des Arztes, jede hatte eine Hand auf der Schulter der anderen, setzten die Frauen sich in Bewegung. Sie waren alle barfuß, weil sie in all dem Kummer und den Ängsten, die sie würden ausstehen müssen, die Schuhe nicht verlieren wollten. Als sie in die Eingangshalle kamen, ging die Frau des Arztes zur Tür, sicher wollte sie wissen, ob die Welt noch existierte. Als sie die frische Luft spürte, fiel dem Zimmermädchen mit Schrecken ein, Wir können nicht hinausgehen, die Soldaten sind da draußen, und die Blinde mit der Schlaflosigkeit sagte, Um so besser, in weniger als einer Minute wären wir alle tot, und das sollten wir sein, alle tot, Wir, fragte die Sprechstundenhilfe, Nein, alle, alle, die wir hier sind, wenigstens hätten wir dann die besten Gründe für unsere Blindheit. Noch nie hatte sie so viele zusammenhängende Worte gesprochen, seit man sie hergebracht hatte. Die Frau des Arztes sagte, Gehen wir, nur wer sterben muß, wird sterben, der Tod sucht sich die Menschen ohne Vorankündigung aus. Sie gingen zur Tür, die zum linken Flügel führte, schlüpften durch die langen Korridore, die Frauen der ersten beiden Säle hätten ihnen, wenn sie wollten, erzählen können, was sie erwartete, aber sie saßen zusammengekauert auf ihren Betten wie geschlagene Tiere, die Männer trauten sich nicht, sie zu berühren, sie versuchten nicht einmal, sich ihnen zu nähern, denn dann begannen sie zu schreien.

Im letzten Korridor, ganz am Ende, sah die Frau des Arztes einen Blinden, der wie üblich Wache stand. Er mußte die schlurfenden Schritte gehört haben und gab Bescheid, Sie kommen, sie kommen. Von drinnen hörte man Schreie, Gewieher und Gelächter. Vier Blinde schoben schnell das Bett, das den Eingang versperrte, zur Seite, Schnell, Mädchen, kommt rein, kommt rein, wir warten hier alle wie die Hengste, den Bauch werden wir euch füllen, sagte einer von ihnen. Die Blinden umringten sie, versuchten sie abzutasten, aber sie zogen sich gleich stolpernd zurück, als der Anführer, der die Pistole hatte, rief, Wie ihr wißt, bin ich der erste, der hier aussucht. Die Augen all jener Männer suchten unruhig die Frauen, einige streckten die gierigen Hände aus, wenn sie dann eine von ihnen berührten, wußten sie wenigstens, wohin sie blicken sollten. Mitten im Gang zwischen den Betten standen die Frauen aufgereiht wie Soldaten zur Parade, die darauf warteten, daß man sie inspizierte. Der Anführer der Blinden mit der Pistole in der Hand näherte sich, so geschickt und zielsicher, als könnte er mit seinen Augen sehen. Er legte die freie Hand auf die Blinde mit der Schlaflosigkeit, sie war die erste, er tastete sie vorne und hinten ab, den Hintern, die Brust, zwischen den Beinen. Die Blinde begann zu schreien, und er stieß sie fort, Du taugst nichts, Nutte. Dann ging er zur nächsten, das war die, von der man nicht weiß, wer sie ist, auch sie tastete er jetzt mit beiden Händen ab, er hatte seine Pistole in die Hosentasche gesteckt, Schaut her, die ist gar nicht schlecht, und dann kam er zur Frau des ersten Blinden, dann zur Sprechstundenhilfe, schließlich zum Zimmermädchen, da rief er aus, Jungs, diese Miezen sind wirklich gut. Die Blinden wieherten, stampften auf den Boden, Also, drauf, es wird spät, brüllten einige, Ruhe, sagte der mit der Pistole, laßt mich erst sehen, wie die anderen sind. Er tastete die junge Frau mit der dunklen Brille ab und stieß einen Pfiff aus,

Hoppla, wir haben das große Los gezogen, so ein gutes Stück ist uns bisher noch nicht untergekommen. Während er erregt die junge Frau abtastete, ging er zur Frau des Arztes, pfiff wieder, Das ist eine von den Reifen, aber es scheint so, als wär sie auch ein Prachtweib. Er zog beide Frauen an sich, fast sabberte er, als er sagte, Ich behalte diese beiden, wenn ich fertig bin mit ihnen, gebe ich sie an euch weiter. Er schleifte sie nach hinten in den Saal, wo die Essenskisten aufeinandergestapelt waren, Pakete, Büchsen, ein Lebensmittelvorrat, der ein Regiment hätte ernähren können. Alle Frauen schrien nun schon, man hörte Schläge, Ohrfeigen, Befehle, Seid still, ihr Nutten, diese Miezen sind doch alle gleich, immer müssen sie anfangen zu brüllen, Gib's ihr, gib's ihr, dann wird sie schon still sein, Na, warte erst mal, wenn ich dran bin, dann werden sie noch um mehr bitten, Los, mach schon, ich halte es keine Sekunde länger aus. Die Blinde mit der Schlaflosigkeit heulte vor Verzweiflung unter einem dicken Blinden, die anderen vier waren von Männern umzingelt, die ihre Hosen heruntergelassen hatten und sich einer nach dem anderen wie die Hyänen um das Aas hin- und herstießen. Die Frau des Arztes stand neben der Pritsche, zu der sie hingeführt worden war, aufrecht, beide Hände umklammerten das Eisengestänge des Bettes, sie sah, wie der Blinde mit der Pistole am Rock der jungen Frau mit der dunklen Brille zog und ihn zerriß, die Hosen herunterließ und mit den Fingern sein Geschlecht zum Geschlecht der jungen Frau führte, dann stieß er hinein, sie hörte das Röcheln, Obszönitäten, die junge Frau mit der dunklen Brille sagte gar nichts, sie öffnete nur den Mund, um sich zu übergeben, den Kopf seitwärts gewendet, die Augen zur anderen Frau gerichtet, er merkte nicht einmal, was geschah, den Gestank des Erbrochenen bemerkt man nur, wenn die Luft und der Rest nicht genauso stinken, schließlich bebte der ganze Mann, stieß noch dreimal heftig hinein, als müßte er drei Stützen einrammen, keuchte dann wie ein abgeschlachtetes Schwein und kam zum Ende. Die junge Frau mit der dunklen Brille weinte leise. Der Blinde mit der Pistole zog sein Geschlecht heraus, das noch tropfte, und sagte mit zitternder Stimme, während er den Arm nach der Frau des Arztes ausstreckte, Sei nicht eifersüchtig, gleich werde ich mich um dich kümmern, und dann lauter, He, Jungs, die hier könnt ihr schon holen, aber behandelt sie gut, ich werd sie noch brauchen können. Ein halbes Dutzend Blinde drängte sich nun durch den Gang, sie legten die Hände auf die junge Frau mit der dunklen Brille, schleiften sie fast hinter sich her, Erst ich, erst ich, sagten sie alle. Der Blinde mit der Pistole hatte sich aufs Bett gesetzt, das schlaffe Geschlecht lag auf dem Matratzenrand, seine Hose lag um seine Füße gerollt. Knie dich hier hin, zwischen meine Beine, sagte er. Die Frau des Arztes kniete sich hin. Lutschen, sagte er, Nein, sagte sie, Entweder du lutschst, oder ich schlage dich, und du wirst kein Essen bekommen, sagte er, Hast du keine Angst, daß ich ihn dir mit den Zähnen abreiße, fragte sie, Du kannst es ja probieren, ich habe die Hände an deinem Hals und werde dich sofort erwürgen, ehe du das tun kannst. Dann sagte er, Ich kenne deine Stimme, Und ich dein Gesicht, Du bist blind, du kannst mich nicht sehen, Nein, ich kann dich nicht sehen, Und warum sagst du dann, daß du mein Gesicht wiedererkennst, Weil diese Stimme nur dieses Gesicht haben kann, Lutschen, und hör auf rumzureden, Nein, Entweder du lutschst, oder es wird nie wieder ein Krümel Brot deinen Saal erreichen, sag denen dort, daß sie nichts zu essen haben, weil du dich geweigert hast, ihn zu lutschen, und dann kommst du zurück und erzählst mir, was los war. Die Frau des Arztes beugte sich vor, mit der Spitze von zwei Fingern ihrer rechten Hand hielt sie das klebrige Geschlecht des Mannes fest und hob es hoch, die linke Hand stützte sich auf dem Boden ab, berührte die Hose, tastete, fühlte die metallische, kalte Härte der Pistole, Ich kann ihn töten, dachte sie. Das konnte sie nicht. So wie er seine Hose trug, um die Füße gewickelt, war es unmöglich, an die Tasche zu kommen, in der sich die Waffe befand. Ich kann ihn jetzt nicht töten, dachte sie. Sie beugte den Kopf nach vorn, öffnete den Mund, schloß ihn, schloß die Augen, um nichts zu sehen, und begann zu lutschen.

Es dämmerte, als die niederträchtigen Blinden die Frauen gehen ließen. Die schlaflose Blinde mußte von den Gefährtinnen getragen werden, die sich selber kaum auf den Beinen halten konnten. Sie waren für einige Stunden von Mann zu Mann weitergereicht worden, von Erniedrigung zu Erniedrigung, von Beleidigung zu Beleidigung, alles, was man einer Frau nur antun kann, so daß sie aber noch am Leben bleibt, Ihr wißt ja, die Bezahlung ist in Naturalien, sagt euern kleinen Männern, die ihr da habt, daß sie die Suppe holen können, spottete der Blinde mit der Pistole beim Abschied. Und er fügte höhnisch hinzu, Auf Wiedersehen, Mädchen, bereitet euch schon auf die nächste Sitzung vor. Die anderen Blinden wiederholten mehr oder weniger im Chor, Auf Wiedersehen, einige sagten Miezen, andere sagten Nutten, aber an den wenig überzeugenden Stimmen merkte man, daß ihre Libido erschöpft war. Stumm, blind, schweigsam stolperten die Frauen durch den Gang, gerade noch so willensstark, daß sie nicht die Frau losließen, die vor ihnen ging, nun nicht die Hand auf der Schulter, wie sie hergekommen waren, sondern Hand in Hand, sicher würde keine von ihnen, wenn man sie fragte, darauf antworten können, Warum habt ihr euch an der Hand gehalten, so hatte es sich ergeben, es gibt Gesten, für die man nicht immer eine einfache Erklärung findet, und selbst eine schwierige gibt es dann kaum. Als sie die Eingangshalle durchschritten, sah die Frau des Arztes nach draußen, da standen die Soldaten, auch ein Lastwagen stand da, der wahrscheinlich das Essen an die Quarantänestationen verteilte. Genau in diesem Augenblick sackte die schlaflose Frau in sich zusammen, als hätte man ihr die Beine mit einem Schlag abgeschnitten, ihr Herz setzte aus, es verkrampfte sich, endlich wissen wir, warum diese Blinde nicht schlafen konnte, jetzt wird sie schlafen, wecken wir sie nicht auf. Sie ist tot, sagte die Frau des Arztes, und ihre Stimme war ausdruckslos, wenn eine solche Stimme möglich war, so tot wie das Wort, das sie ausgesprochen hatte, aber aus einem lebenden Mund. Sie hob den plötzlich so willenlosen Körper, die blutigen Beine, den geschundenen Bauch, die armen, entblößten Brüste voller Spuren der Wut, ein Biß auf der Schulter, Das ist das Abbild meines Körpers, dachte sie, das Abbild aller unserer Körper, die wir hier gehen, zwischen diesem geschundenen Wesen und unseren Schmerzen gibt es nur einen Unterschied, wir sind im Augenblick noch am Leben. Wohin sollen wir sie bringen, fragte die junge Frau mit der dunklen Brille, Jetzt in den Saal, später werden wir sie beerdigen, sagte die Frau des Arztes.

Die Männer warteten an der Tür, nur der erste Blinde fehlte, er hatte wieder den Kopf unter die Decke gesteckt, als er merkte, daß die Frauen kamen, und der kleine schielende Junge schlief. Ohne jedes Zögern, ohne die Betten zählen zu müssen, legte die Frau des Arztes die schlaflose Blinde auf die Pritsche, die ihr gehört hatte. Es kümmerte sie nicht, daß die anderen sich womöglich wunderten, schließlich wußten sie alle, daß sie die Blinde war, die die Winkel dieses Hauses am besten kannte. Sie ist tot, wiederholte sie, Wie ist das geschehen, fragte der Arzt, doch die Frau antwortete ihm nicht, seine Frage konnte einfach sein, was sie zu sein schien, Wie ist sie gestorben, aber sie hätte auch bedeuten können, Was haben sie euch dort getan, nun, weder auf die eine noch die andere Frage sollte es eine Antwort geben, sie ist gestorben, ganz einfach, es ist unwichtig, woran, zu fragen, woran jemand gestorben ist, ist dumm, mit der Zeit vergißt man den Grund, und nur ein Wort bleibt zurück, Gestorben, und wir sind nicht mehr dieselben Frauen, die diesen Raum verlassen haben, die Worte, die sie sagen würden, können wir nicht mehr aussprechen, und was die anderen angeht, das Unbenennbare existiert, das ist sein Name, nichts weiter. Geht das Essen holen, sagte die Frau des Arztes. Der Zufall, das Schicksal, das Glück, das Geschick, die Bestimmung oder wie immer man das nennen will, was so viele Namen hat, ist aus purer Ironie gemacht, anders könnte man nicht verstehen, warum ausgerechnet die beiden Ehemänner der zwei Frauen gewählt worden waren, um den Saal zu vertreten und die Nahrungsmittel abzuholen, wobei niemand sich den Preis vorstellen konnte, der gerade dafür hatte bezahlt werden müssen. Es hätten auch andere Männer sein können, die ledigen, unabhängigen, die keine eheliche Ehre zu verteidigen hatten, aber nun waren es ausgerechnet diese beiden, sicher möchten sie jetzt nicht die Hand nach Almosen ausstrecken, vor diesen grausamen, niederträchtigen Männern, die gerade ihre Frauen vergewaltigt haben. Da sagte der erste Blinde ganz entschieden, Soll gehen, wer will, ich gehe nicht, Ich gehe, sagte der Arzt, Ich gehe mit, sagte der Alte mit der schwarzen Augenklappe, Es wird nicht viel Essen sein, aber es wird doch etwas wiegen, Um das Brot zu tragen, das ich esse, habe ich noch genug Kraft, Was am meisten wiegt, ist immer das Brot der anderen, Ich habe kein Recht, mich zu beklagen, das Gewicht des Anteils für die anderen ist das, was meinen Unterhalt bezahlt. Stellen wir uns nicht diesen Dialog, der gerade stattfand, vor, sondern die Männer dazu, da stehen sie einander gegenüber, als könnten sie sich sehen, was in diesem Fall nicht ausgeschlossen ist, es reicht, wenn die Erinnerung eines jeden von ihnen aus dem leuchtenden Weiß der Welt den Mund hervorhebt, der die Wörter ausspricht, und dann breitet sich von hier aus langsam das Licht aus und beleuchtet das ganze Gesicht, das eines alten Mannes und des anderen, der nicht ganz so alt ist, sage man nicht, daß blind ist, wer noch auf diese Weise sehen kann. Als sie sich entfernten, um den Lohn der Schande einzulösen, wie der erste Blinde mit rhetorischer Empörung protestierte, sagte die Frau des Arztes zu den anderen Frauen, Bleibt hier, ich komme gleich zurück. Sie wußte, was sie wollte, sie wußte nur nicht, wo sie es finden konnte. Sie wollte einen Eimer oder etwas in der Art, sie wollte ihn mit Wasser füllen, auch wenn es stank oder faulig war, sie wollte die schlaflose Blinde waschen, sie von dem eigenen Blut und dem Dreck der anderen reinigen, wollte sie gereinigt der Erde übergeben, wenn es überhaupt einen Sinn hat, von der Reinheit des Körpers zu sprechen in dieser Irrenanstalt, in der wir leben, denn zur Reinheit der Seele, wie man weiß, gelangt keiner von uns.

Auf den langen Tischen im Speisesaal lagen Blinde. Aus einem schlecht zugedrehten Wasserhahn lief ein dünner Faden Wasser über ein Becken voller Abfälle. Die Frau des Arztes sah sich nach einem Eimer um, nach einem Gefäß, aber sie entdeckte nichts, was als solches dienen könnte. Einer der Blinden wunderte sich über ihre Anwesenheit und fragte, Wer ist da, sie antwortete nicht, sie wußte, daß sie nicht willkommen war, niemand würde ihr sagen, Willst du Wasser, ja, dann nimm es mit, auch wenn es für eine Tote ist, die gewaschen werden soll, alles, was du brauchst. Über den Boden verstreut lagen Plastiktüten vom Essen, einige große darunter. Da vielleicht welche kaputt waren, steckte sie zwei oder drei ineinander, dann würde nicht soviel Wasser verlorengehen. Sie handelte schnell, die Blinden stiegen schon von den Tischen herunter und fragten, Wer ist da, sie waren noch beunruhigter, als sie das laufende Wasser hörten, gingen darauf zu, die Frau des Arztes verschob einen Tisch, damit sie sich ihr nicht nähern konnten, kehrte dann zu dem Beutel zurück, das Wasser lief langsam hinein, verzweifelt versuchte sie, an dem Hahn zu drehen, und dann, als sei es aus seinem Gefängnis befreit, strömte das Wasser kräftig heraus und spritzte sie vom Kopf bis zu den Füßen naß. Die Blinden erschraken und wichen zurück, sie dachten, ein Rohr sei geborsten, und sie hatten allen Grund, das zu glauben, denn das Wasser umspielte jetzt ihre Füße, sie konnten nicht wissen, daß eine Fremde, die hereingekommen war, es verschüttet hatte, denn die Frau hatte begriffen, daß sie soviel Gewicht nicht würde tragen können, sie drehte und verknotete das

Ende des Beutels, warf ihn sich über die Schulter und lief, so schnell sie konnte, hinaus.

Als der Arzt und der Alte mit der schwarzen Augenklappe mit dem Essen zurückkamen, sahen sie die sieben nackten Frauen nicht und konnten sie auch nicht sehen, die schlaflose Blinde auf der Pritsche ausgestreckt, so sauber wie nie zuvor in ihrem Leben, während eine andere Frau eine nach der anderen ihre Gefährtinnen wusch und dann sich selbst.

Am vierten Tag tauchten die niederträchtigen Blinden wieder auf. Sie kamen, um die Frauen des zweiten Saales zu rufen, die die Dienstleistungssteuer bezahlen sollten, aber für einen Augenblick hielten sie an der Tür zum ersten Saal inne und fragten, ob sich die Frauen hier schon von dem erotischen Ansturm von neulich Nacht erholt hätten. Was für eine Nacht, jawohl, rief einer von ihnen aus und leckte sich die Lippen, und ein anderer bekräftigte, Diese sieben waren so gut wie vierzehn, sicher war eine von ihnen nicht viel wert, aber in all diesem Durcheinander fiel das kaum auf, die Jungs hier haben wirklich Glück, wenn sie Manns genug sind für sie, Lieber nicht, so bringen die Frauen mehr Lust auf uns mit. Von hinten aus dem Saal sagte die Frau des Arztes, Wir sind nicht mehr sieben, Dann ist wohl eine geflohen, fragte lachend einer aus der Gruppe, Nein, sie ist nicht geflohen, sie ist gestorben, Teufel noch mal, dann müßt ihr nächstes Mal noch mehr arbeiten, Der Verlust ist nicht groß, die war nicht viel wert, sagte die Frau des Arztes. Irritiert wußten die Boten nicht recht, wie sie antworten sollten, das, was sie gerade gehört hatten, schien ihnen schamlos, einer von ihnen dachte bestimmt, Die Frauen sind doch alle Schlampen, was für ein Mangel an Respekt, von einer Frau so zu sprechen, nur weil sie eine Hängebrust hatte und keinen festen Hintern mehr. Die Frau des Arztes betrachtete sie, wie sie da unentschlossen am Eingang standen und ihre Körper wie mechanische Puppen bewegten. Sie erkannte sie, sie war von den dreien vergewaltigt worden. Schließlich klopfte einer mit dem Stock auf den Boden, Gehen wir, sagte er. Das Klopfen und der Ruf, Platz da, Platz da, wir kommen, verloren sich langsam hinten im Korridor, dann trat Schweigen ein, wirre Geräusche, die Frauen des zweiten Saales erhielten den Befehl, sich nach dem Abendessen einzufinden. Wieder hörte man das Klopfen auf dem Boden, Platz da, Platz da, die Gestalten der drei Blinden kamen an der Tür vorbei und verschwanden.

Die Frau des Arztes, die gerade dem kleinen schielenden Jungen eine Geschichte erzählt hatte, hob den Arm und nahm geräuschlos die Schere vom Nagel. Dann sagte sie zum Jungen, nachher erzähle ich dir das Ende des Abenteuers. Niemand aus dem Saal hatte sie gefragt, warum sie von der schlaflosen Blinden mit solcher Verachtung gesprochen hatte. Nach einer Weile zog sie die Schuhe aus und sagte zu ihrem Mann, ich werde nicht lange wegbleiben, ich komme gleich zurück. Sie ging zur Tür, dort hielt sie an und wartete. Zehn Minuten später erschienen die Frauen des zweiten Saales im Korridor. Es waren fünfzehn. Einige weinten. Sie kamen nicht in einer Reihe, sondern in Gruppen, die untereinander durch Stoffbahnen verbunden waren, offensichtlich hatten sie sie aus Decken gerissen. Als sie vorüber waren, folgte ihnen die Frau des Arztes. Keine von ihnen merkte, daß sie Gesellschaft hatten. Sie wußten, was sie erwartete, die Nachricht von den Qualen war für niemanden mehr ein Geheimnis, und in Wahrheit waren sie auch nichts Neues, gewiß hatte die Welt so begonnen. Was sie entsetzte, war nicht so sehr die Vergewaltigung, sondern die Orgie, die Schamlosigkeit, die Aussicht auf eine grauenhafte Nacht, fünfzehn Frauen, die über die Betten verteilt waren und über den Boden, Männer, die von einer zur andern gingen und wie die Schweine schnaubten, Am schlimmsten ist es noch, wenn ich dabei Lust empfinde, dachte eine der Frauen. Als sie den Flur betraten, durch den man den schicksalhaften Saal erreichte, gab der Blinde, der Wache stand, Alarm, Ich höre sie schon, da kommen sie. Das Bett, das als Barriere diente, wurde schnell entfernt, eine nach der anderen traten die Frauen ein, Hoppla, so viele, rief der blinde Buchhalter aus und zählte sie begeistert, elf, zwölf, dreizehn, vierzehn, fünfzehn, fünfzehn, es sind fünfzehn. Er ging hinter der letzten her, faßte ihr mit den begierigen Händen unter den Rock, Diese hier singt schon, diese hier ist meine, sagte er. Sie hatten die Frauen nicht untersucht, nicht erst ihre physischen Qualitäten veranschlagt. Wirklich, wenn sie alle dazu verdammt waren, dort dasselbe durchzumachen, lohnte es nicht, damit Zeit zu vergeuden, so daß die Geilheit sich abkühlte mit der Auswahl von Größe und Brustumfang und Hüften. Sie nahmen sie gleich mit auf ihre Betten und zogen sie mit Gewalt aus, dann dauerte es nicht lange, und man hörte das übliche Wimmern, das Bitten und Betteln, doch die Antworten, wenn es welche gab, waren immer die gleichen, Wenn du essen willst, mach die Beine breit. Und sie machten die Beine breit, einigen von ihnen wurde befohlen, ihren Mund zu benutzen, wie jene, die jetzt zwischen den Knien des Anführers dieser Niederträchtigen hockte, sie sagte gar nichts. Die Frau des Arztes betrat den Saal, schlüpfte langsam zwischen den Betten hindurch, aber sie brauchte gar nicht so vorsichtig zu sein, niemand würde sie hören, auch wenn sie mit Holzpantinen gekommen wäre, und wenn in all diesem Durcheinander ein Blinder sie berührte und merkte, daß es sich um eine Frau handelte, wäre das Schlimmste, was ihr zustoßen könnte, daß sie sich den anderen anschließen mußte, niemandem würde es auffallen, in so einer Situation ist nicht leicht festzustellen, ob fünfzehn oder sechzehn Frauen da sind.

Das Bett des Anführers der niederträchtigen Blinden stand immer noch hinten im Saal, wo sich die Kisten mit dem Essen übereinandertürmten. Die Pritschen daneben waren weggeräumt worden, der Mann bewegte sich gerne ungehindert, ohne über seinen Nachbarn zu stolpern. Es wird einfach sein, ihn zu töten. Während sie langsam durch den schmalen Gang lief, beobachtete die Frau des Arztes die Bewegungen jenes Mannes, den sie gleich töten würde, vor Lust hatte er seinen Kopf nach hinten gebogen, als wolle er ihr schon seinen Hals entgegenstrecken. Langsam näherte sich die Frau des Arztes, ging um das Bett herum und stellte sich hinter ihm auf. Die Blinde fuhr in ihrer Arbeit fort. Die Hand hob langsam die Schere, die beiden Spitzen ein wenig auseinander, damit sie wie zwei Dolche eindringen konnten. In diesem, dem letzten Augenblick, schien der Blinde jemanden zu bemerken, aber der Orgasmus hatte ihn aus der Welt der gemeinen Empfindungen davongetragen, ihn seiner Reflexe beraubt, Du wirst keine Lust mehr verspüren, dachte die Frau des Arztes und stieß heftig zu. Die Schere drang mit aller Macht in den Hals des Blinden ein, drehte sich um sich selbst, kämpfte gegen die Knorpel und die Membranen an, dann bohrte sie sich weiter vor, bis sie an die Halswirbel stieß. Den Schrei hörte man kaum, es konnte auch das animalische Röcheln eines Mannes sein, der gerade ejakulierte, so wie es bei den anderen der Fall war, und vielleicht war es das, denn in dem Augenblick, in dem das Blut hervorschoß, ihr genau ins Gesicht, empfing die

Blinde seinen konvulsivischen Samenerguß im Mund. Es war ihr Schrei, der die Blinden aufscheuchte, sie hatten genügend Erfahrung mit Schreien, aber dieser war nicht wie die anderen. Die Blinde schrie, sie wußte nicht, was geschehen war, aber sie schrie, woher kam dieses Blut, wahrscheinlich hatte sie, ohne es zu wissen, getan, was sie sich vorgestellt hatte, ihm den Penis mit den Zähnen abgerissen. Die Blinden ließen von den Frauen ab und näherten sich tastend, Was ist los, warum schreist du denn so, fragten sie, doch jetzt legte sich eine Hand auf den Mund der Blinden, jemand flüsterte ihr ins Ohr, Sei still, und dann fühlte sie, wie jemand sie sanft fortzog, Sag nichts, es war eine Frauenstimme, und das beruhigte sie, wenn man überhaupt unter derartigen Umständen von Beruhigung sprechen kann. Der blinde Buchhalter kam vor, er berührte als erster den Körper, der quer über dem Bett lag, fuhr mit den Händen darüber, Er ist tot, rief er nach einem Augenblick aus. Der Kopf hing über die eine Seite der Pritsche, das Blut sprudelte noch hervor, Er ist umgebracht worden, sagte er. Die Blinden hielten sprachlos inne, sie konnten nicht glauben, was sie hörten, Wie, umgebracht worden, wer hat ihn getötet, Man hat ihm einen riesigen Schnitt durch die Gurgel verpaßt, das muß die verfluchte Nutte gewesen sein, die bei ihm war, wir müssen sie kriegen. Nun bewegten sich die Blinden wieder, langsamer, als hätten sie Angst, auf die Klinge zu treffen, die ihren Anführer getötet hatte, sie konnten nicht sehen, daß der blinde Buchhalter rasch die Taschen des Toten durchsuchte, die Pistole fand und einen kleinen Plastiksack mit einem Dutzend Patronen. Die Aufmerksamkeit der Blinden war plötzlich durch das Geschrei der Frauen abgelenkt worden, die sich schon in Panik aufgerichtet hatten, um zu fliehen, aber einige von ihnen wußten nicht mehr, wo sich der Eingang des Saales befand, gingen in die falsche Richtung und stießen auf die Blinden, diese dachten, sie würden angegriffen, so daß nun im Durcheinander der Körper ein wahrer Hexenkessel entstand. Ruhig wartete die Frau des Arztes im Hintergrund eine Gelegenheit ab zu entkommen, sie hatte die Blinde fest im Griff, mit der anderen Hand hielt sie die Schere, bereit zum ersten Stoß, falls sich ihr ein Mann näherte. Noch war es ein Vorteil für sie, weil der Raum um sie herum frei war, aber sie wußte, daß sie dort nicht lange würde bleiben können. Einige Frauen hatten endlich die Tür gefunden, andere kämpften, um sich aus den Händen, die sie festhielten, zu befreien, eine von ihnen versuchte noch, den Feind zu erwürgen und dem einen Toten einen weiteren Toten hinzuzufügen. Der blinde Buchhalter rief respektheischend seinen Leuten zu, Ruhe, ganz ruhig, wir werden diesen Fall sofort klären, und da er seinem Ausspruch mehr Autorität verleihen wollte, schoß er einmal in die Luft. Das Ergebnis war genau das Gegenteil von dem, was er erwartet hatte. Überrascht, weil sie merkten, daß die Pistole schon den Besitzer gewechselt hatte, sie also einen neuen Anführer haben würden, ließen die Blinden von den Frauen ab, gaben es auf, sie unterwerfen zu wollen, einer von ihnen hatte es schon aufgegeben, weil er, wie man sah, erwürgt worden war. Jetzt beschloß die Frau des Arztes loszugehen, sie teilte nach links und rechts Schläge aus und machte sich so den Weg frei. Nun waren es die Männer, die schrien, die sich anrempelten und übereinander stiegen, wer Augen gehabt hätte zu sehen, hätte festgestellt, daß das erste Durcheinander im Vergleich zu diesem ein Witz gewesen war. Die Frau des Arztes wollte nicht töten, sie wollte nur so schnell wie möglich hinaus, vor allem wollte sie keine Frau zurücklassen. Wahrscheinlich wird auch der nicht überleben, dachte sie, als sie einem die Schere in die Brust rammte. Man hörte einen weiteren Schuß, Gehen wir, gehen wir, sagte die Frau des Arztes und schob die blinden Frauen auf ihrem Weg vor sich her. Sie half ihnen aufzustehen und wiederholte, Schnell, schnell, und jetzt war es der blinde Buchhalter, der von hinten brüllte, Haltet sie fest, laßt sie nicht entkommen, aber es war zu spät, sie waren schon alle auf dem Korridor, stolpernd flüchteten sie, halb bekleidet hielten sie die Fetzen zusammen, so gut sie konnten. Vom Eingang des Saales rief die Frau des Arztes wütend, Denkt an das, was ich neulich gesagt habe, ich würde sein Gesicht nicht vergessen, und von heute an merkt euch das, was ich euch jetzt sage, auch eure Gesichter werde ich nicht vergessen, Das wirst du mir büßen, sagte der blinde Buchhalter drohend, du und deine Freundinnen und die Hurenböcke von Männern, die ihr bei euch habt, Du weißt ja gar nicht, wer ich bin und woher ich komme, Du bist aus dem ersten Saal auf der anderen Seite, sagte einer von denen, die gekommen waren, um die Frauen zu rufen, und der blinde Buchhalter fügte hinzu, Die Stimme trügt nicht, du brauchst nur ein Wort neben mir auszusprechen, und du bist tot, Das hat der andere auch gesagt, und da hast du ihn, Aber ich bin kein Blinder wie er oder ihr, als ihr erblindet seid, da kannte ich schon alles auf dieser Welt, Und über meine Blindheit weißt du gar nichts, Du bist nicht blind, mich täuschst du nicht, Vielleicht bin ich die Blindeste von allen, ich habe schon getötet, und ich werde wieder töten, wenn es nötig ist, Eher wirst du vor Hunger sterben, ab heute ist Schluß mit dem Essen, und wenn ihr herkommt und die drei Löcher, mit denen ihr geboren seid, auf dem Tablett anbietet, Für jeden Tag, den wir durch eure Schuld kein Essen haben, wird einer von euch hier sterben, ihr braucht nur den Fuß vor diese Tür zu setzen, Das wird dir nicht gelingen, Doch, das wird es, ja, und ab heute werden wir das Essen abholen, ihr werdet das essen, was ihr hier habt, Du Hurentochter, Die Hurentöchter sind weder Männer noch Frauen, es sind die Töchter der Huren, und jetzt weißt du ja, was die wert sind. Wütend gab der blinde Buchhalter einen weiteren Schuß zur Tür hin ab. Die Kugel flog zwischen den Köpfen der Blinden hindurch, ohne einen von ihnen zu treffen, und bohrte sich im Korridor in die Wand. Du hast mich nicht erwischt, sagte die Frau des Arztes, und paß auf, wenn deine Munition zu Ende ist, dann wird es hier noch andere geben, die gerne Anführer sein wollen.

Sie entfernte sich, tat einige noch feste Schritte vorwärts, ging dann an der Wand des Korridors entlang und wurde fast ohnmächtig, plötzlich wurden ihr die Knie weich, und sie fiel der Länge nach hin, vor ihren Augen wurde es trübe, Ich werde erblinden, dachte sie, begriff aber gleich, daß es noch nicht dieses Mal sein würde, es waren nur Tränen, die ihren Blick verschleierten, Tränen, wie sie sie nie in ihrem Leben geweint hatte, Ich habe getötet, sagte sie leise, ich wollte töten, und ich habe getötet. Sie wandte den Kopf zum Eingang des Saales hin, wenn die Blinden kämen, wäre sie nicht in der Lage, sich zu wehren. Der Korridor war verlassen. Die Frauen waren verschwunden, die Blinden, noch geschockt von den Schüssen und viel mehr noch wegen der Leichen ihrer eigenen Leute, trauten sich nicht heraus. Allmählich kehrten ihre Kräfte zurück. Die Tränen liefen noch herab, aber langsam, gelassen, wie für etwas Unwiederbringliches. Sie erhob sich mühsam. Sie hatte Blut an den Händen und an der Kleidung, und plötzlich gab ihr erschöpfter Körper ihr zu verstehen, daß sie alt war, Alt und eine Mörderin, dachte sie, aber sie wußte, daß sie, wenn es nötig wäre, erneut töten würde, Und wann ist es nötig zu töten, fragte sie sich selbst, während sie auf die Eingangshalle zuging und sich selbst eine Antwort gab, Wenn der schon tot ist, der noch am Leben ist. Sie wiegte den Kopf und dachte, Und was heißt das, Worte, nur Worte, nichts weiter. Sie ging allein voran, sie näherte sich der Tür, die zur Einfriedung führte. Zwischen den Gitterstäben des Tores konnte sie vage die Gestalt des Soldaten erkennen, der Wache stand. Noch immer sind da draußen Leute, Menschen, die sehen. Das Geräusch von Schritten ließ sie erzittern, Das sind sie, dachte sie und drehte sich rasch um, mit der Schere in der Hand. Es war ihr Mann. Die Frauen aus dem zweiten Saal waren schreiend angelaufen gekommen und hatten erzählt, was auf der anderen Seite geschehen war, daß eine Frau den Anführer der niederträchtigen Blinden mit Messerstichen getötet hatte, daß es Schüsse gegeben hatte, der Arzt hatte nicht gefragt, wer diese Frau gewesen war, es konnte nur seine sein, sie hatte dem kleinen schielenden Jungen gesagt, sie würde ihm später den Rest des Abenteuers erzählen, und wie ging es ihr wohl jetzt, vielleicht war auch sie tot, Hier bin ich, sagte sie, sie ging auf ihn zu und umarmte ihn, ohne zu bemerken, daß sie ihn mit Blut beschmierte, oder sie bemerkte es, aber es war unwichtig, bis heute hatten sie alles geteilt. Was ist denn passiert, fragte der Arzt, sie haben gesagt, daß ein Mann getötet wurde, Ja, ich habe ihn getötet, Warum, Jemand mußte es tun, und es gab niemand anderen, Und jetzt, Jetzt sind wir frei, sie wissen, was sie erwartet, wenn sie uns noch mal benutzen wollen, Es wird einen Kampf geben, einen Krieg, Die Blinden sind immer im Krieg und sind immer im Krieg gewesen, Wirst du wieder töten, Wenn es sein muß, von dieser Blindheit werde ich mich nicht befreien, Und das Essen, Wir werden es selbst holen, ich glaube nicht, daß sie es wagen, bis hierher zu kommen, wenigstens nicht in den nächsten Tagen, da haben sie Angst, daß ihnen dasselbe zustößt, daß eine Schere ihren Hals durchbohrt, Wir hätten uns schon widersetzen müssen, als sie mit den ersten Forderungen kamen, Ja, eben, wir hatten Angst, und Angst ist nicht immer ein guter Ratgeber, und jetzt werden wir zur größeren Sicherheit die Türen der Säle verbarrikadieren und einige Betten übereinanderstellen, so wie sie es tun, auch wenn welche von uns auf dem Boden schlafen müssen, sei's drum, lieber so, als vor Hunger zu sterben.

In den folgenden Tagen fragte sie sich, ob nicht genau das sie erwartete. Zunächst wunderten sie sich nicht, denn von Anfang an waren sie daran gewöhnt, es hatte immer Stockungen in der Lieferung des Essens gegeben, die niederträchtigen Blinden hatten recht, als sie sagten, daß die Militärs sich manchmal verspäteten, aber diese Ursache kehrten sie sogleich um, als sie in spöttischem Ton sagten, sie hätten deshalb die Rationierung einführen müssen, schmerzhafte Verpflichtung der Machthaber. Am dritten Tag, als man in den Sälen kein Stück Brotrinde, keinen Krümel mehr hätte finden können, ging die Frau des Arztes mit einigen Gefährten hinaus an den Zaun und fragte, Hallo, was ist das für eine Verzögerung, was ist mit der Verpflegung los, wir haben schon seit zwei Tagen nichts mehr gegessen. Der Sergeant, ein anderer, nicht der von vorher, trat an das Gitter, um zu erklären, daß die Verantwortung nicht bei der Armee lag, dort nahm man niemandem das Brot vom Munde weg, das würde die Ehre des Militärs nicht zulassen, wenn es kein Essen gab, dann weil es kein Essen gab, und tut keinen Schritt weiter, der erste, der sich vorwagt, weiß ja, was ihn erwartet, die Befehle haben sich nicht geändert. Solchermaßen eingeschüchtert kehrten sie zu ihrem Saal zurück und sprachen miteinander, Und jetzt, was sollen wir tun, wenn sie uns nichts zu essen bringen, Vielleicht bringen sie morgen etwas, Oder übermorgen, Oder wenn wir uns schon nicht mehr rühren können, Wir sollten hinausgehen, Wir würden nicht einmal das Tor erreichen, Wenn wir sehen könnten, Wenn wir sehen könnten, hätten sie uns nicht in diese Hölle gesteckt, Wie wohl das Leben da draußen ist, Vielleicht würden die Schufte uns etwas zu essen geben, wenn wir sie darum bitten, denn wenn es bei uns fehlt, wird es auch bei ihnen bald fehlen, Genau deshalb würden sie uns nichts abgeben, Und bevor es bei ihnen ausgeht, werden wir vor Hunger gestorben sein, Also, was können wir tun. Sie saßen auf dem Boden unter dem gelblichen Licht der einzigen Lampe im Eingang, bildeten mehr oder weniger einen Kreis, der Arzt und die Frau des Arztes, der Alte mit der schwarzen Augenklappe und andere Männer und Frauen, zwei oder drei aus jedem Saal, sowohl vom linken als auch vom rechten Flügel, und dann, da diese Welt der Blinden so ist, wie sie ist, geschah das, was eben immer geschieht, einer der Männer sagte, Ich weiß nur, daß wir nicht in dieser Lage wären, wenn nicht ihr Anführer getötet worden wäre, was macht es schon, wenn die Frauen zweimal im Monat dorthin gehen, um ihnen das zu geben, was sie von Natur aus geben können, frage ich mich. Es gab welche, die diese Bemerkung witzig fanden, und welche, die sich ein Lächeln verkniffen, und wer protestieren wollte, der sagte nichts, weil sein Magen es nicht zuließ, und derselbe Mann fuhr fort, Wer hat diese Tat wohl vollbracht, das würde ich gerne wissen, Die Frauen, die zu dieser Zeit dort waren, schwören, daß es keine von ihnen war, Wir sollten die Gerechtigkeit selbst in die Hand nehmen und denjenigen bestrafen, Wenn wir wissen, wer es war, Wir würden ihnen sagen, hier ist der Typ, den ihr sucht, jetzt gebt uns unser Essen, Ja, aber nur, wenn wir wüßten, wer es war. Die Frau des Arztes senkte den Kopf und dachte, Er hat recht, wenn hier jemand vor Hunger stirbt, dann ist es meine Schuld, doch dann ließ sie die Stimme der Wut, die sie in sich aufsteigen fühlte, sprechen und wollte die Verantwortung nicht übernehmen, Aber dann sollen diese die ersten sein, die sterben, damit ihre Schuld mit meiner Schuld bezahlt wird. Dann dachte sie und hob den Blick, wenn ich ihnen jetzt sagte, daß ich es war, die ihn getötet hat, sie würden mich ausliefern und wissen, daß es der sichere Tod für mich wäre. Ob es der Hunger war oder daß dieser Gedanke sie plötzlich wie ein Abgrund verführte, ihr schwirrte der Kopf vor Benommenheit, ihr Körper bewegte sich nach vorn, ihr Mund öffnete sich, um zu sprechen, als jemand ihren Arm packte und drückte, sie sah hin, es war der Alte mit der schwarzen Augenklappe, Ich würde mit meinen eigenen Händen denjenigen umbringen, der sich hier selbst denunziert, Warum, fragten die aus dem Kreis, Wenn die Scham noch irgendeine Bedeutung hat in dieser Hölle, in die sie uns gesteckt haben und die wir zur Hölle der Hölle gemacht haben, dann dank dieses Menschen, der den Mut hatte, die Hyäne in ihrer eigenen Höhle zu töten, Ja gut, aber es wird nicht die Scham sein, die unsere Teller füllt, Egal, wer du bist, du hast recht mit dem, was du sagst, es hat immer Leute gegeben, die sich den Bauch vollschlagen, weil es ihnen an Scham fehlt, aber wir, die wir schon nichts mehr haben außer dieser letzten unverdienten Würde, wir jedenfalls sollten in der Lage sein, um das zu kämpfen, was uns rechtmäßig zusteht, Was willst du damit sagen, Wir haben damit angefangen, die Frauen hinzuschicken, und wir haben auf ihre Kosten gegessen wie kleine Provinzluden, und jetzt ist es an der Zeit, Männer hinzuschicken, wenn es hier überhaupt noch welche gibt, Wie meinst du das, aber erst sag uns, woher du bist, Aus dem ersten Saal rechts, Sprich, Es ist ganz einfach, wir werden das Essen mit unseren eigenen Händen holen, Sie haben Waffen, Soweit wir wissen, haben sie nur eine Pistole, und die Munition wird nicht ewig reichen, Mit dem, was sie haben, werden noch welche von uns sterben, Andere sind schon aus nichtigeren Gründen gestorben, Ich bin nicht bereit, mein Leben zu verlieren, damit die anderen hier genießen können, Wirst du auch bereit sein, nicht mehr zu essen, wenn jemand sein Leben verliert, damit du essen kannst, fragte voller Hohn der Alte mit der schwarzen Augenklappe, und der andere antwortete nicht mehr.

In der Tür, die zu den Sälen des rechten Flügels führte, erschien eine Frau, die heimlich zugehört hatte. Es war die, der das Blut ins Gesicht gespritzt war, in deren Mund der Tote ejakuliert hatte, der die Frau des Arztes ins Ohr geflüstert hatte, Sei still, und jetzt denkt diese Frau, von hier aus, wo ich unter den anderen sitze, kann ich dir nicht sagen, Sei still, denunziere mich nicht, aber du erkennst mich sicher an der Stimme, es ist unmöglich, daß du sie vergessen hast, meine

Hand war auf deinem Mund, dein Körper an meinem Körper, und ich habe gesagt, Sei still, jetzt ist der Augenblick gekommen, wirklich zu wissen, wen ich gerettet habe, zu wissen, wer du bist, und deshalb werde ich sprechen, deshalb werde ich laut und deutlich etwas sagen, damit du mich anklagen kannst, wenn das dein Schicksal ist und meines, dann werde ich jetzt sagen, Nicht nur die Männer gehen, auch die Frauen, wir werden dorthin zurückkehren, wo sie uns erniedrigt haben, damit von der Erniedrigung nichts bleibt, damit wir uns von ihr befreien können, genauso wie wir ausgespuckt haben, was sie in unseren Mund gefüllt haben. Sagte es und wartete ab, bis die Frau sprach, Wo du hingehst, werde ich hingehen, das sagte sie. Der Alte mit der schwarzen Augenklappe lächelte, es schien ein glückliches Lächeln zu sein, und vielleicht war es das, hier ist nicht die Gelegenheit, ihn zu fragen, aber es ist aufschlußreich, den verwunderten Gesichtsausdruck der anderen Blinden zu registrieren, als sei ihnen etwas entgangen, über ihre Köpfe hinweg, ein Vogel, eine Wolke, ein erstes, schüchternes Licht. Der Arzt hielt die Hand seiner Frau, dann fragte er, Gibt es hier noch jemanden, der daran denkt, den zu denunzieren, der den Kerl getötet hat, oder sind wir uns alle darin einig, daß die Hand, die ihm die Kehle durchgeschnitten hat, unser aller Hand war, genauer gesagt, die Hand von jedem einzelnen von uns. Niemand antwortete. Die Frau des Arztes sagte, Geben wir ihnen noch ein wenig Zeit, warten wir bis morgen, wenn die Soldaten dann kein Essen gebracht haben, gehen wir. Sie erhoben sich, teilten sich auf, die einen nach rechts, die anderen nach links, unvorsichtigerweise hatten sie nicht daran gedacht, daß einer der Blinden aus dem Saal der Schufte sie hätte belauschen können, glücklicherweise ist der Teufel nicht immer da, wenn man von ihm spricht, diese Redensart kam gerade recht. Eher unpassend kam jedoch der Lautsprecher, in der letzten Zeit war er an einigen Tagen zu hören, an anderen nicht, und wenn, dann immer zur selben Zeit, wie versprochen, sicher gab es eine Art Uhrwerk, das zur gewünschten Zeit die Bandaufnahme abspielte, warum dies allerdings einige Male nicht geklappt hatte, werden wir nicht erfahren, das sind Fragen der Welt dort draußen, in jedem Falle ernst genug, weil dadurch der Kalender durcheinandergeriet, das Zählen der Tage, das einige Blinde, von Natur aus davon besessen oder Liebhaber einer gewissen Ordnung, was eine moderate Form der Besessenheit ist, auf das genaueste mit kleinen Knoten in einer Kordel vornahmen, weil sie sich nicht auf ihr Gedächtnis verlassen wollten wie jemand, der ein Tagebuch führt. Jetzt kam die Ansage außerhalb der Zeit, wahrscheinlich war der Mechanismus defekt, ein verbogenes Relais, eine aufgeplatzte Schweißnaht, hoffentlich würde das Band nicht endlos zum Anfang zurückspulen, das fehlte uns gerade noch, blind und verrückt dazu. Durch die Korridore und Säle hörte man wie einen letzten, sinnlosen Aufruf die herrische Stimme erklingen, Die Regierung bedauert, daß sie gezwungen ist, auf energischste Weise auszuführen, was sie als ihr Recht und ihre Pflicht ansieht, um in der gegenwärtigen Krise mit allen Mitteln die Bevölkerung zu schützen, da es sich offenbar um den Ausbruch einer Blindenepidemie handelt, die provisorisch als Weißes Übel bezeichnet wird, und hofft auf den gesunden Menschenverstand und die Zusammenarbeit all ihrer Bürger, um die Ansteckungsgefahr einzudämmen, in der Annahme, daß es sich um eine ansteckende Krankheit handelt, das heißt, daß wir es nicht nur mit einer Reihe noch unerklärlicher Zufälle zu tun haben. Die Entscheidung, an einem Ort in der Nähe, jedoch getrennt, alle betroffenen Personen zusammenzuführen, die in irgendeiner Weise mit den Erblindeten in Kontakt gestanden haben, wurde nicht ohne gründliche vorherige Überlegung getroffen. Die Regierung ist sich vollkommen ihrer Verantwortung bewußt und hofft, daß die, an die sie diese Botschaft richtet, ebenfalls als pflichtbewußte Bürger die Verantwortung übernehmen, die ihnen zukommt, eingedenk der Tatsache, daß die Isolierung, in der sie sich augenblicklich befinden, jenseits aller persönlichen Überlegungen ein Akt der Solidarität gegenüber dem Rest der nationalen Gemeinschaft ist. Nun bitten wir Sie alle um Aufmerksamkeit für die nachfolgenden Anweisungen, erstens, das Licht wird immer eingeschaltet bleiben, jeglicher Versuch, die Schalter zu manipulieren, ist sinnlos, sie funktionieren nicht, zweitens, ohne Erlaubnis das Gebäude zu verlassen, bedeutet den sofortigen Tod, drittens, in jedem Raum gibt es ein Telefon, das ausschließlich dazu benutzt werden kann, um von der Außenwelt Nachschub an Hygiene- und Reinigungsartikeln zu fordern, viertens, die Internierten werden ihre Wäsche mit der Hand waschen, fünftens, es wird die Wahl eines Verantwortlichen für jeden Schlafsaal empfohlen, dies ist eine Empfehlung, kein Befehl, die Internierten werden sich nach eigenem Ermessen organisieren, solange sie die vorangegangenen Regeln erfüllen und die noch folgenden, sechstens, dreimal am Tag werden Kisten mit Essen am Eingang deponiert, rechts und links, jeweils bestimmt für die Infizierten und jene, die unter dem Verdacht der Ansteckung stehen, siebtens, alle Reste müssen verbrannt werden, unter Resten sind außer den Essensresten die Kisten, Teller und Bestecke zu verstehen, die aus brennbarem Material hergestellt wurden, achtens, das Verbrennen wird auf dem Innenhof vorgenommen oder in der Einfriedung um das Gebäude, neuntens, die Internierten sind verantwortlich für alle negativen Folgen dieser Brände, zehntens, im Falle eines Brandes, sei er zufällig oder absichtlich, wird die Feuerwehr nicht eingreifen, elftens, ebenso können die Internierten im Krankheitsfall mit keinerlei Intervention von außen rechnen, genausowenig bei Vorkommnissen von Aggression oder Tumult, zwölftens, im Todesfall, gleich aus welchem Grund, begraben die Internierten ohne Formalitäten die Leiche in der Einfriedung, dreizehntens, als Verbindung zwischen dem Flügel der Infizierten und dem Flügel der unter Ansteckungsverdacht Stehenden dient der Mittelteil des Gebäudes, derselbe, durch den sie hineingekommen sind, vierzehntens, die der Ansteckung Verdächtigen, die erblinden, werden sich sofort in den Flügel der bereits Erblindeten begeben, fünfzehntens, diese Mitteilung wird jeden Tag zur selben Zeit zur Kenntnisnahme der neu Eingetroffenen wiederholt. Die Regierung, in diesem Augenblick erloschen die Lichter, und der Lautsprecher schwieg. Ungerührt machte ein Blinder einen Knoten in die Kordel, die er in der Hand hatte, dann versuchte er, sie zu zählen, die Knoten, die Tage, aber er gab es auf, denn es gab Knoten, die übereinander lagen, blind sozusagen. Die Frau des Arztes sagte zu ihrem Mann, Die Lichter sind ausgegangen, Vielleicht ist eine Lampe durchgebrannt, das wundert mich nicht, nachdem sie so viele Tage die ganze Zeit über angeblieben sind, Nein, alle sind aus, das Problem ist wohl da draußen, Dann bist du jetzt auch erblindet, Ich warte, bis die Sonne aufgeht. Sie verließ den Saal, durchquerte die Eingangshalle und sah nach draußen. Dieser Teil der Stadt lag völlig im Dunkeln, die Scheinwerfer der Soldaten waren erloschen, sie mußten ihn an das allgemeine Stromnetz angeschlossen haben, und jetzt gab es offenbar keine Stromzufuhr mehr.

Am nächsten Tag wachten die einen früher, die anderen später auf, denn die Sonne geht nicht für alle Blinden zur gleichen Zeit auf, sehr oft hängt es von der Empfindlichkeit des Gehörs ab, draußen auf den Stufen des Gebäudes begannen sich Männer und Frauen aus den verschiedenen Sälen zu versammeln, mit Ausnahme der Halunken, die zu dieser Zeit wahrscheinlich gerade ihr Frühstück einnahmen. Sie warteten auf das Geräusch des sich öffnenden Tores, das hohe Quietschen der ungefetteten Scharniere, ein Geräusch, das das Essen ankündigte, dann die Stimme des Sergeanten vom Dienst, Rühren Sie sich nicht von der Stelle, niemand soll sich nähern, die Schritte der Soldaten, das dumpfe Geräusch der Kisten, wenn sie auf dem Boden abgesetzt werden, der rasche Rückzug, dann erneut das Quietschen des Tores und schließlich die Erlaubnis, Sie können kommen. Sie warteten den ganzen Vormittag, bis zum Mittag und bis zum Nachmittag, niemand, nicht einmal die Frau des Arztes, wollte nach dem Essen fragen. Solange sie die Frage nicht stellten, würden sie auch das gefürchtete Nein nicht vernehmen, und solange dies nicht ausgesprochen würde, könnten sie weiterhin hoffen, Worte wie diese zu hören, Es kommt gleich, es kommt gleich, haben Sie Geduld, halten Sie noch ein bißchen aus mit Ihrem Hunger. So sehr sich einige auch Mühe gaben, sie konnten nicht mehr durchhalten, als seien sie plötzlich eingeschlafen, wurden sie einfach ohnmächtig, die Frau des Arztes kam ihnen zu Hilfe, es war unglaublich, wie diese Frau immer alles bemerkte, was vor sich ging, sie mußte einen sechsten Sinn haben, eine Art Augenlicht ohne Augen, und zum Glück mußten die Ärmsten nicht dort liegenbleiben und in der Sonne braten, sondern wurden gleich auf einer Bahre in das Gebäude gebracht, und mit der Zeit, ein bißchen Wasser und kleinen Schlägen ins Gesicht wachten sie schließlich alle aus der Ohnmacht auf. Aber es war sinnlos, für den Kampf auf diese Leute zu zählen, sie könnten nicht mal eine Katze am Schwanz ziehen, wie die Alten zu sagen pflegen. Schließlich bemerkte der Alte mit der schwarzen Augenklappe, Das Essen ist nicht gekommen, das Essen wird nicht kommen, also gehen wir das Essen holen. Sie erhoben sich, Gott weiß, wie, und versammelten sich in dem Saal, der am weitesten von der Festung der niederträchtigen Blinden entfernt war, sie waren am Vortag unvorsichtig genug gewesen. Von dort schickten sie jemanden zum Aushorchen in den anderen Saal, natürlich Blinde, die dort lebten, weil sie sich dort besser auskannten. Bei der ersten verdächtigen Bewegung sagt ihr uns Bescheid. Die Frau des Arztes ging mit und brachte eine wenig ermutigende Nachricht zurück, Sie haben den Eingang mit vier übereinandergestapelten Betten versperrt, Woher weißt du, daß es vier waren, fragte jemand, Das war nicht schwer, ich habe sie abgetastet, Sie haben dich nicht bemerkt, Ich glaube nicht, Was machen wir, Wir gehen jetzt hin, sagte der Alte mit der schwarzen Augenklappe, wir tun jetzt das, was wir beschlossen haben, entweder tun wir's, oder wir werden zu einem langsamen Tod verurteilt sein. Einige werden schneller sterben, wenn wir jetzt gehen, sagte der erste Blinde, Wer sterben wird, ist schon tot und weiß es nur nicht, Daß wir sterben müssen, wissen wir seit unserer Geburt, Deshalb ist es in gewisser Weise so, als seien wir schon tot geboren, Hört mit diesem unsinnigen Gerede auf, sagte die junge Frau mit der dunklen Brille, ich kann nicht alleine hingehen, aber wenn wir uns jetzt nicht an das halten, was wir besprochen haben, dann lege ich mich ins Bett und sterbe, Es wird nur der sterben, dessen Tage gezählt sind, sonst niemand, sagte der Arzt, und dann lauter, Wer bereit ist mitzugehen, der soll die Hand heben, so ist das, wenn einer nicht nachdenkt, bevor er den Mund aufmacht, was half es schon, sie um das Handzeichen zu bitten, wenn es niemanden gab, der sie hätte zählen können, damit sie sagten, Wir sind dreizehn, in diesem Fall würde erneut eine Diskussion entfacht, um herauszufinden, was, im Lichte der Logik betrachtet, richtiger wäre, darum zu bitten, daß sich noch ein Freiwilliger meldet, damit es nicht bei dieser unglücklichen Zahl bliebe, oder durch das Los einen zu bestimmen, der ausscheiden soll. Einige hatten ohne große Überzeugung die Hand gehoben, mit einer Bewegung, die ihr Zögern und ihren Zweifel erkennen ließ, entweder weil ihnen die Gefahr bewußt war, der sie sich aussetzten, oder weil ihnen klargeworden war, wie absurd die Aufforderung war. Der Arzt lachte, So ein Unsinn, da bitte ich Sie, die Hand zu heben, wir werden anders vorgehen, all die, die nicht mitgehen können oder wollen, ziehen sich bitte zurück, und die anderen bleiben hier, damit wir über die Aktion beraten können. Es gab ein Gedränge und Geschiebe, Geflüster, Seufzen, nach und nach gingen die Schwachen und die Ängstlichen hinaus, der Vorschlag des Arztes war so hervorragend wie großzügig, denn so wußte man nicht recht, wer blieb und wer gegangen war. Die Frau des Arztes zählte die, die geblieben waren, es waren siebzehn, sie und ihr Mann mitgerechnet. Vom ersten Saal rechts waren der Alte mit der schwarzen Augenklappe dabei, der Apothekengehilfe, die junge Frau mit der dunklen Brille, und aus den anderen Sälen waren alle Freiwilligen Männer, mit Ausnahme jener Frau, die gesagt hatte, Wo du hingehst, werde ich hingehen, sie war auch dabei. Sie stellten sich im Gang zwischen den Betten auf, der Arzt zählte sie, Siebzehn, wir sind siebzehn, Wir sind wenige, sagte der Apothekengehilfe, so werden wir nichts ausrichten, Die Vorhut, wenn mir dieser eher militärische Ausdruck gestattet sei, muß sehr schmal sein, sagte der Alte mit der schwarzen Augenklappe, was uns erwartet, ist genau die Breite einer Tür, ich glaube, das Ganze wäre nur schwieriger, wenn wir mehr wären, Sie würden in die Menge schießen, sagte einer zustimmend, und alle schienen zufrieden, daß sie nur so wenige waren.

Ihre Bewaffnung kennen wir schon, die Eisenstangen von den Betten, die ihnen als Hebel und als Lanze dienen konnten, je nachdem, ob sie sich als Angriffstruppe oder als Pioniere in den Kampf stürzten. Der Alte mit der schwarzen Augenklappe, der in seiner Jugend einige Lektionen in Taktik gelernt haben mußte, meinte, es sei sinnvoll, immer zusammenzubleiben und in derselben Richtung zu gehen, denn nur so würden sie sich nicht gegenseitig angreifen, und sie müßten in absoluter Stille vordringen, damit der Angriff ein Überraschungsmoment hatte, Ziehen wir unsere Schuhe aus, Später wird es schwer sein für jeden einzelnen, seine Schuhe wiederzufinden, sagte jemand, und ein anderer antwortete, Die Schuhe, die übrig sind, werden dann die Schuhe der Verstorbenen sein, mit einem Unterschied, daß es in diesem Fall wenigstens immer jemanden geben wird, dem sie nützen werden, Was ist denn das für eine Geschichte mit den Schuhen und den Verstorbenen, Das ist eine Redewendung, man wartet auf die Schuhe eines Verstorbenen, das bedeutet, man wartet auf gar nichts, Warum, Weil die Schuhe, mit denen die Toten beerdigt werden, immer aus Pappe waren, und es stimmt ja auch, daß das ausreichte, denn Seelen habe keine Füße, wie man weiß. Da ist noch etwas, unterbrach der Alte mit der schwarzen Augenklappe, sechs, die sechs unter uns, die sich am ehesten dazu in der Lage fühlen, sollten, wenn wir da sind, an der Tür mit aller Kraft die Betten nach innen stoßen, so daß wir alle hinein können, Dann müssen wir aber die Eisenstangen beiseite legen, Ich glaube, das ist nicht nötig, die können uns helfen, wenn ihr sie senkrecht benutzt. Er machte eine Pause, dann fügte er mit einem düsteren Unterton hinzu, vor allem dürfen wir uns nicht trennen, wenn wir uns trennen, sind wir erledigt, Und die Frauen, sagte die junge Frau mit der dunklen Brille, vergiß nicht die Frauen, Wirst du auch gehen, fragte der Alte mit der schwarzen Augenklappe, es wäre mir lieber, du gingest nicht, Und warum, darf man fragen, warum, Du bist noch sehr jung, Aber hier drin zählt das Alter nicht, auch nicht das Geschlecht, also vergiß die Frauen nicht, Nein nein, ich vergesse sie nicht, der Alte mit der schwarzen Augenklappe sprach diese Worte mit einer Stimme, die zu einem anderen Gespräch zu gehören schien, dann aber fing er sich wieder und sagte, Im Gegenteil, wie gut wäre es doch, wenn eine von euch das sehen könnte, was wir nicht sehen, uns den richtigen Weg wiese und die Spitzen unserer Eisenstangen so sicher gegen die Kehlen der niederträchtigen Blinden richten würde, wie die andere das getan hat, Das wäre zuviel verlangt, einmal ist nicht viele Male, und außerdem, wer sagt uns denn, daß sie nicht tot zurückgeblieben ist, zumindest haben wir nichts von ihr gehört, sagte die Frau des Arztes, Die Frauen erstehen eine in der anderen wieder auf, die Ehrbaren in den Huren, die Huren in den Ehrbaren, sagte die junge Frau mit der dunklen Brille. Danach herrschte ein tiefes Schweigen, für die Frauen war alles gesagt, die Männer müßten noch nach Worten suchen, und von vornherein wußten sie, daß sie sie nicht finden würden.

Sie gingen in einer Reihe hinaus, die sechs stärksten vorn, wie vereinbart, unter ihnen der Arzt und der Apothekengehilfe, dann kamen die anderen, jeder mit seiner Eisenstange vom Bett bewaffnet, eine Brigade blasser, zerlumpter Lanzenträger, als sie die Eingangshalle durchquerten, ließ einer die Stange fallen, die auf den Fliesen widerhallte wie eine verirrte Salve aus einem Maschinengewehr, wenn die niederträchtigen Blinden diesen Lärm hören und merken, was wir vorhaben, sind wir verloren. Ohne jemandem etwas zu sagen, auch ihrem Mann nicht, lief die Frau des Arztes voraus, sie blickte durch den langen Korridor, dann ging sie ganz langsam an der Wand entlang und näherte sich dem Eingang des Saales, dort horchte sie, die Stimmen von drinnen klangen nicht alarmiert. Sie lief rasch zurück, um Bescheid zu geben, und die Gruppe ging weiter. Obwohl sie sich langsam und schweigend vorwärtsbewegten, traten die Insassen der beiden anderen Säle vor dem Bollwerk der Halunken an die Tür, da sie wußten, was geschehen würde, um dem bevorstehenden Schlachtengetümmel besser zuhören zu können, und einige Blinde, ruhelos, angeregt von einem Pulvergestank, der erst noch entstehen mußte, beschlossen im letzten Moment, die

Gruppe zu begleiten, einige wenige kamen zurück, um sich zu bewaffnen, es waren nicht mehr siebzehn, sondern mindestens doppelt so viele, diese Verstärkung würde dem Alten mit der schwarzen Augenklappe sicher nicht gefallen, doch er erfuhr nicht, daß er zwei Regimenter statt einem anführte. Durch die wenigen Fenster, die zum Innenhof hinausgingen, fiel ein letztes gräuliches, sterbendes Licht herein, das schnell schwächer wurde und schon in dem schwarzen tiefen Brunnen der bevorstehenden Nacht versank. Wenn man von der unheilbaren Traurigkeit absieht, verursacht durch eine Blindheit, an der sie unerklärlicherweise noch litten, waren die Blinden, wenigstens das kam ihnen zugute, vor der deprimierenden Melancholie geschützt, die sonst durch ähnliche atmosphärische Veränderungen hervorgerufen wird und erwiesenermaßen verantwortlich ist für unzählige Verzweiflungstaten in vergangener Zeit, als die Menschen noch Augen hatten, um zu sehen. Als sie den Eingang des verfluchten Saals erreichten, herrschte schon eine solche Dunkelheit, daß die Frau des Arztes nicht sehen konnte, daß statt vier nun acht Betten die Barriere bildeten, sie hatten sich inzwischen also verdoppelt wie die Angreifer, für die es jedoch unmittelbare Folgen hatte, wie man sogleich feststellen wird. Die Stimme des Alten mit der schwarzen Augenklappe ertönte wie ein Schrei, Jetzt, lautete der Befehl, er erinnerte sich nicht an das klassische Zum Angriff, wenn er sich aber erinnerte, erschien es ihm wohl lächerlich, mit soviel militärischem Gehabe auf eine Barriere verdreckter Pritschen einzustürmen, voller Flöhe und Wanzen, mit vor lauter Schweiß und Urin verfaulten Matratzen, mit Decken wie Scheuerlappen, die schon nicht mehr grau waren, sondern alle Farben aufwiesen, mit denen sich der Abscheu kleiden kann, das wußte die Frau des Arztes schon, nicht daß sie es jetzt hätte sehen können, denn sie bemerkte nicht einmal die Verstärkung der Barrikade. Die Blinden drangen vorwärts wie Erzengel, die von ihrem eigenen Heiligenschein umgeben sind, schlugen mit ihren Eisenstangen auf das Hindernis ein wie verabredet, doch die Betten rührten sich nicht, gewiß waren auch die Kräfte dieser starken Männer nicht sehr viel größer als die der Schwachen, die hinter ihnen kamen und schon kaum ihre Lanzen halten konnten, wie jemand, der ein Kreuz auf dem Rücken trägt und jetzt darauf wartet, daß man ihn daran hinaufzieht. Die Stille war durchbrochen, die von draußen schrien, die von drinnen begannen zu schreien, wahrscheinlich hat bis heute niemand bemerkt, wie grauenhaft die Schreie von Blinden sind, es scheint, als brüllten sie, ohne zu wissen, warum, man möchte ihnen sagen, sie sollen schweigen, und dann brüllen wir selber, es fehlt nur noch, daß auch wir erblinden, aber der Tag wird kommen. Da standen sie, die einen schrien, weil sie angriffen, die anderen, weil sie sich verteidigten, während die draußen aus Verzweiflung, weil sie es nicht geschafft hatten, die Betten beiseite zu schieben, die Eisenstäbe auf den Boden warfen und alle auf einmal, zumindest jene, die sich durch die Türfüllung drängen konnten, und die, die nicht mehr hindurchpaßten, von hinten, schoben und schoben, und schon sah es so aus, als würden sie es schaffen, die Betten bewegten sich bereits ein klein wenig, als man plötzlich ohne vorherige Ankündigung oder Drohung drei Schüsse hörte, es war der blinde Buchhalter, der in die Menge schoß. Zwei der Angreifer fielen verwundet zu Boden, die anderen zogen sich hastig zurück, stolperten über die Eisenstangen und stürzten, wie wahnsinnig multiplizierten die Wände im Korridor die Schreie, nun ertönten auch Schreie aus den anderen Sälen. Es war fast vollständig dunkel und unmöglich zu wissen, wen die Kugeln getroffen hatten, man hätte von draußen rufen können, Wer ist verwundet, aber das schien nicht angebracht, Verwundete muß man mit Achtung und Umsicht behandeln, sich ihnen freundlich nähern, ihnen die Hand auf die Stirn legen, es sei denn, die Kugel hätte sie durch einen unglücklichen Zufall gerade da getroffen, sie dann leise fragen, wie sie sich fühlen, ihnen sagen, es wird schon nichts sein, die Krankenträger sind unterwegs, und ihnen schließlich Wasser geben, aber nur, wenn sie nicht am Bauch verwundet sind, wie dies ausdrücklich in Handbüchern der Ersten Hilfe empfohlen wird. Was tun wir jetzt, fragte die Frau des Arztes, da liegen zwei am Boden. Niemand fragte sie, woher sie wußte, daß es zwei waren, schließlich waren drei Schüsse gefallen, ohne die Wirkung von Querschlägern zu rechnen, wenn es sie denn gegeben hatte. Wir müssen sie holen, sagte der Arzt, Das Risiko ist zu groß, bemerkte der Alte mit der schwarzen Augenklappe niedergeschlagen, er sah, daß seine Angriffstaktik katastrophal ausgegangen war, Wenn sie merken, daß wir da sind, werden sie wieder schießen, er machte eine Pause und fügte seufzend hinzu, Aber wir müssen hingehen, ich für mein Teil bin bereit, Ich gehe auch, sagte die Frau des Arztes, die Gefahr wird geringer sein, wenn wir uns heranschleichen, und wir müssen sie schnell finden, bevor jemand da drin Zeit hat zu reagieren, Ich gehe mit, sagte die Frau, die am Tag zuvor erklärt hatte, Wo du hingehst, werde ich hingehen, keiner von ihnen dachte daran, daß es leicht wäre, herauszufinden, wer die Verwundeten waren, besser gesagt, Verwundete oder Tote, das ist noch nicht klar, es brauchten nur alle zu sagen, Ich gehe, Ich gehe nicht, und die, die schwiegen, wären die Betroffenen.

So krochen die vier Freiwilligen vorwärts, die zwei Frauen in der Mitte, ein Mann an jeder Seite, es hatte sich so ergeben, nicht aus männlicher Höflichkeit oder aus einem ritterlichen Beschützerinstinkt heraus, in Wahrheit würde alles vom Schußwinkel abhängen, wenn der blinde Buchhalter erneut schießen sollte. Nun, vielleicht würde nichts geschehen, der Alte mit der schwarzen Augenklappe hatte schon eine Idee gehabt, bevor sie sich aufmachten, übrigens besser als seine ersten Einfälle, die Gruppe sollte sehr laut sprechen, sogar schreien, zumal ihnen doch Gründe dafür nicht fehlten, so könnten sie die unvermeidlichen Geräusche des Hin und Her übertönen und alles andere, was sich Gott weiß vielleicht unterdessen abspielen würde. In wenigen Minuten kamen die Helfer an ihr Ziel, sie wußten es, bevor sie noch die Körper berührt hatten, das Blut, auf dem sie krochen, war wie ein Bote, der ihnen sagte, Ich war das Leben, nach mir kommt nichts mehr, Mein Gott, dachte die Frau des Arztes, wieviel Blut, und so war es, eine Lache, Hände und Kleidung klebten am Boden, als seien die Dielen und Fliesen überdeckt mit Schleim. Die Frau des Arztes richtete sich auf den Ellenbogen auf, kroch weiter, die anderen hatten das gleiche getan. Sie streckten die Arme aus und berührten schließlich die Körper. Die Gefährten weiter hinten machten so viel Lärm, wie sie konnten, jetzt klangen sie wie Klageweiber in Trance. Die Frau des Arztes und der Alte mit der schwarzen Augenklappe umklammerten die Knöchel eines der Getroffenen, der Arzt und die andere Frau hatten einen Arm und ein Bein des zweiten ergriffen, jetzt ging es darum, sie fortzuziehen und schnell aus der Schußlinie zu kommen. Es war nicht leicht auf allen vieren, sie hätten sich ein wenig aufrichten müssen, um die schwindenden Kräfte besser zu nutzen. Eine Kugel wurde abgefeuert, aber dieses Mal traf sie niemanden. Die blitzartige Angst schlug sie nicht in die Flucht, im Gegenteil, sie gab ihnen noch den nötigen Schub Energie. Einen Augenblick später waren sie in Sicherheit, sie hatten sich, so gut sie konnten, an der Wand auf der Seite der Tür zum Saal entlangbewegt, nur ein Schuß um die Ecke hätte sie noch treffen können, aber der blinde Buchhalter war sicher kein Fachmann in Ballistik, nicht mal für einen so elementaren Fall. Sie versuchten, die Körper anzuheben, gaben es dann aber auf. Sie konnten sie nur mit sich schleifen, und dabei zogen sie eine Spur aus halbgetrocknetem Blut nach sich, und frisches Blut lief noch aus den Wunden. Wer ist es, fragten die, die auf sie warteten, Wie sollen wir das wissen, wenn wir nicht sehen, sagte der Alte mit der schwarzen Augenklappe, Hier können wir nicht bleiben, sagte jemand, wenn sie beschließen, uns anzugreifen, werden wir noch viel mehr Verwundete haben, sagte jemand, Oder Tote, sagte der Arzt, jedenfalls fühle ich ihren Puls nicht mehr. Wie ein Heer auf dem Rückzug trugen sie die Leichen den Korridor entlang, hielten an, als sie in der Eingangshalle ankamen, und dort, so hätte man meinen können, wollten sie kampieren, tatsächlich aber war es etwas anderes, ihre Kräfte schwanden, hier bleibe ich, ich kann nicht mehr. Es war verblüffend, sei hier vermerkt, daß die niederträchtigen Blinden, vorher so despotisch und aggressiv, so ungehindert und lustvoll brutal, jetzt nichts weiter taten, als sich zu verteidigen, Barrikaden errichteten und von drinnen schossen, aus sicherer Entfernung, als hätten sie Angst, auf offenem Feld in den Kampf zu gehen, von Angesicht zu Angesicht, Auge in Auge. Wie alle Dinge im Leben hat auch dies seine Erklärung, denn nach dem tragischen Tod des ersten Anführers hatten Disziplin und Gehorsam im Saal nachgelassen, der blinde Buchhalter hatte einen großen Fehler gemacht, als er glaubte, er bräuchte sich bloß der Pistole zu bemächtigen, und mit ihr hätte er die Macht in der Tasche, genau das Gegenteil war der Fall, jedesmal, wenn er feuerte, ging der Schuß nach hinten los, mit anderen Worten, mit jeder verschossenen Kugel verlor er ein Stück seiner Autorität, wir werden sehen, was geschieht, wenn die Munition aufgebraucht ist. So wie die Kutte keinen Mönch macht, so auch das Zepter keinen König, eine Wahrheit, die man nicht vergessen sollte. Und wenn es stimmt, daß jetzt der blinde Buchhalter das königliche Zepter vor sich herträgt, möchte man sagen, daß der König, obwohl er tot ist und dort im Schlafsaal liegt, spärlich begraben in nur drei Handbreit Boden, immer noch präsent ist, zumindest durch den heftigen Gestank. Unterdessen war der Mond aufgegangen. Durch die Tür des Eingangs, der zur äußeren Einfriedung führte, kam eine diffuse Helligkeit herein, die allmählich zunahm, die Körper auf dem Boden, zwei von ihnen tot, die anderen lebten noch, nahmen langsam Gestalt an, Umrisse, Gesichtszüge, das ganze Gewicht eines namenlosen Schreckens, da verstand die Frau des Arztes, daß es überhaupt keinen Sinn hatte, wenn es ihn überhaupt je gegeben hatte, weiterhin so zu tun, als sei sie blind, es ist klar, daß sich hier niemand mehr retten kann, auch das ist Blindheit, in einer Welt zu leben, in der die Hoffnung aufgehört hat. Sie konnte also sagen, wer die Toten waren, das ist der Apothekengehilfe, und das ist der, der gesagt hatte, die Blinden würden in die Menge schießen, beide hatten in gewisser Weise recht, und erspart mir zu sagen, woher ich weiß, wer sie sind, die Antwort ist einfach, Ich sehe. Einige wußten es schon und hatten nichts gesagt, andere hegten seit längerer Zeit den Verdacht und sahen ihn jetzt bestätigt, unerwartet war die Distanz der übrigen, aber wenn man es recht bedenkt, sollte uns das nicht wundern, bei einer anderen Gelegenheit oder in einem anderen Augenblick wäre diese Eröffnung Grund zu einem unglaublichen Aufruhr gewesen, zu grenzenloser Erschütterung, was für ein Glück du hast, wie bist du denn dieser ganzen Katastrophe entkommen, wie heißen die Tropfen, die du in die Augen tust, gib mir die Adresse von deinem Arzt, hilf mir, aus diesem Gefängnis zu kommen, in diesem Augenblick war es schon egal, im Tod ist die Blindheit für alle gleich. Sie konnten auf keinen Fall dort bleiben, ohne Möglichkeiten der Verteidigung, denn die Eisenstangen der Betten waren zurückgeblieben, und ihre Fäuste würden wenig ausrichten. Von der Frau des Arztes angewiesen, schleiften sie die Leichen auf den äußeren Treppenabsatz und ließen sie dort im Mondschein liegen, unter der milchigen Weiße des Gestirns, außen weiß und endlich innen schwarz. Gehen wir in die Säle zurück, sagte der Alte mit der schwarzen Augenklappe, später werden wir sehen, was wir organisieren können. Das sagte er, aber es waren verrückte Worte, die niemand beachtete. Sie teilten sich nun nicht auf in Gruppen je nach Schlafsaal, sondern trafen sich, erkannten sich unterwegs, und dann gingen die einen zum linken, die anderen zum rechten Flügel, bis hierher waren die Frau des Arztes und jene, die gesagt hatte, wo du hingehst, werde ich hingehen, zusammen gegangen, aber nicht das ging der Frau jetzt durch den Kopf, sondern etwas ganz anderes, doch sie wollte nicht darüber sprechen, nicht immer erfüllt man einen Schwur, manchmal aus Schwäche, manchmal auch dank einer höheren Kraft, mit der wir nicht gerechnet hatten.

Eine Stunde verging, der Mond stieg höher, Hunger und Angst verscheuchten den Schlaf, niemand schläft in den Sälen. Doch das sind nicht die einzigen Gründe. Vielleicht wegen der Aufregung über die kürzlich so katastrophal verlorene Schlacht oder wegen etwas anderem, das undefinierbar in der Luft liegt, sind die Blinden unruhig. Niemand traut sich, in die Korridore hinauszugehen, jeder Saal wirkt wie ein Bienenkorb, der nur von Drohnen bewohnt ist, von Tieren, die, wie man weiß, herumsummen und wenig von Ordnung oder Methode halten, es gibt keinen Nachweis, daß sie sich jemals um das Leben gesorgt hätten oder auch nur ein wenig um die Zukunft, während es im Fall der Blinden, dieser Unglücklichen, ungerecht gewesen wäre, sie als Schmarotzer oder Diebe hinzustellen, die Schmarotzer welcher Krümel, Diebe welchen Getränks, man sollte sich vor Vergleichen hüten. Dennoch gibt es keine Regel ohne Ausnahme, und die fehlte auch hier nicht, in Gestalt einer Frau, die, kaum daß sie den Saal betreten hatte, den zweiten rechts, in ihren Lumpen herumsuchte, bis sie einen kleinen Gegenstand fand, den sie mit der Hand umschloß, als wolle sie ihn vor den Augen der anderen verstecken, alte Gewohnheiten legt man nicht so leicht ab, auch wenn ein Augenblick kommt, in dem wir glauben, wir hätten sie schon längst verloren. Hier, wo es einer für alle und alle für einen hätten sein müssen, haben wir erlebt, wie grausam die Starken den Schwachen das Brot vom Munde genommen haben, und nun diese Frau hier, sie erinnerte sich, daß sie in ihrer Handtasche ein Feuerzeug hatte, wenn es nicht bei all der Verwirrung verlorengegangen war, so hatte sie ängstlich danach gesucht und versteckte es jetzt sorgfältig, als sei es eine Frage ihres eigenen Überlebens, sie dachte nicht daran, daß vielleicht einer ihrer Unglücksgefährten eine letzte Zigarette hatte, die er nicht rauchen konnte, weil ihm das kleine notwendige Feuer fehlte. Und es wäre auch keine Zeit mehr dafür. Die Frau ist wortlos hinausgegangen, ohne adieu zu sagen, auch nicht Bis dann, geht durch den verlassenen Korridor, dicht an der Tür zum ersten Saal vorbei, niemand von drinnen hat sie bemerkt, sie durchquert die Eingangshalle, der untergehende Mond zeichnet und malt einen milchigen Lichtkegel auf die Bodenfliesen, jetzt ist die Frau im anderen Flügel, noch ein Korridor, ihr Ziel liegt ganz hinten, geradeaus, sie kann es nicht verfehlen. Außerdem hört sie Stimmen, die sie rufen, im übertragenen Sinne nur, das was an ihre Ohren dringt, ist der Tumult der Schufte aus dem letzten Saal, sie feiern den Sieg der Schlacht, essen und trinken vom Feinsten, die kleine Übertreibung ist gewollt, vergessen wir nicht, daß alles im Leben relativ ist, sie essen und trinken einfach, was es gibt, und es lebe der Alte, gern würden die andern auf ihn losgehen, aber sie können nicht, zwischen ihnen und dem Teller gibt es eine Barrikade aus acht Betten und eine geladene Pistole. Die Frau kniet vor dem Eingang des Saales, dicht an den Betten, langsam zieht sie die Decken heraus, dann erhebt sie sich, tut das gleiche mit dem Bett darüber, mit dem dritten, das vierte erreicht sie kaum noch, es macht nichts, die Zündschnur ist vorbereitet, jetzt fehlt nur noch das Feuer. Sie erinnert sich noch daran, wie man das Feuerzeug einstellen kann, damit eine große Flamme herauskommt, da ist sie schon, ein kleiner Dolch aus Feuer, der zittert wie die Spitze einer Schere. Sie beginnt mit dem Bett oben, die Flamme züngelt geschäftig über die schmutzigen Stoffe, dann beißt sie sich fest, jetzt das Bett in der Mitte, dann das unten, die Frau fühlte, wie ihre eigenen Haare versengt werden, sie muß aufpassen, sie ist diejenige, die das Feuer schürt, nicht die, die darin umkommen soll, sie hört die Schreie der Schufte im Saal, in diesem Augenblick denkt sie, Und wenn sie Wasser haben, wenn sie es löschen können, verzweifelt legt sie sich unter das erste Bett und fährt mit dem Feuerzeug an der Matratze entlang, hier, dort, und schließlich vermehren sich die Flammen, verwandeln sich in eine einzige brennende Gardine, ein Wasserschwall wird noch darüber gegossen, trifft auch die Frau, doch vergeblich, denn ihr eigener Körper nährt schon die Flammen. Wie es im Saal aussieht, niemand kann es wagen hineinzugehen, aber für etwas ist unsere Phantasie ja gut, das Feuer springt rasch von Bett zu Bett, will sich auf alle gleichzeitig legen, es gelingt ihm auch, die Schufte haben sinnlos das wenige Wasser, das sie noch hatten, verbraucht, ohne es zu nutzen, jetzt versuchen sie, die Fenster zu erreichen, klettern unsicher auf die Kopfenden der Betten, die das Feuer noch nicht erreicht hat, aber plötzlich ist auch dort das Feuer, sie rutschen aus, fallen hin, da ist das Feuer schon wieder, und in der brennenden Hitze beginnen die Scheiben zu klirren, zu zerbersten, die frische Luft dringt pfeifend ein und facht den Brand an, o ja, sie sind nicht vergessen, die Schreie der Wut und der Angst, das Brüllen vor Schmerz und Agonie, das sei hier erwähnt, es werden auf jeden Fall immer weniger, die Frau mit dem Feuerzeug zum Beispiel schweigt schon seit langem.

In diesem Augenblick flüchten die anderen Blinden schon entsetzt durch die Korridore voller Rauch, Feuer, Feuer, rufen sie, und hier kann man leibhaftig erfahren, wie schlecht diese Gebäude für Menschenansammlungen, Heime, Krankenhäuser oder Irrenanstalten konzipiert und ausgeführt sind, man bedenke, wie leicht jede Pritsche mit dieser Konstruktion aus spitzem Eisen zu einer tödlichen Falle werden kann, und man beachte, welch grauenhafte Folgen die Tatsache haben kann, daß es nur eine einzige Tür zu jedem Saal gibt, in dem vierzig Menschen leben, außer denen, die auf dem Fußboden schlafen, wenn das Feuer dort zuerst hingelangt und ihnen den Ausgang versperrt, wird niemand entkommen. Glücklicherweise, so hat die Geschichte der Menschheit gezeigt, ist es nicht selten, daß eine schlechte Sache eine gute mit sich bringt. Man spricht weniger von den schlechten Dingen, die von den guten mitgebracht werden, so verhält es sich mit den Widersprüchen in unserer Welt, manche verdienen mehr Beachtung als andere, in diesem Fall war das Gute gerade, daß die Säle nur eine Tür hatten, so brauchte das Feuer, das die Schufte verbrannt hatte, länger, so lange, daß womöglich keine weiteren Toten zu beklagen waren, wenn das Durcheinander nicht größer wurde. Natürlich wurden viele Blinde getreten, geschoben, gestoßen, so wirkte sich die Panik aus, eine natürliche Wirkung, kann man sagen, so ist die animalische Natur, die vegetative würde sich ebenso verhalten, wenn sie nicht mit allen Wurzeln an den Boden gefesselt wäre, wie schön wäre es zu sehen, wie die Bäume im Wald vor einem Brand flüchten. Die Blinden nutzten den Innenhof als Zuflucht, öffneten die Fenster im Korridor, die auf den Innenhof hinausführten. Sie sprangen, stolperten, stürzten, weinend und schreiend, aber zunächst waren sie gerettet, wir hoffen, daß das Feuer, wenn es das Dach einstürzen und durch Luftzug und Wind einem Vulkan aus Flammenzungen entstehen läßt, sich nicht auch noch in den Baumkronen ausbreitet. Im anderen Flügel ist die Furcht ebenso groß, ein Blinder braucht nur Rauch zu riechen und glaubt das Feuer unmittelbar neben sich, was nicht ganz stimmte, aber in kurzer Zeit war der Korridor völlig von Menschen verstopft, wenn nicht jemand Ordnung schafft, gibt es eine Tragödie. Da erinnert sich jemand, daß die Frau des Arztes noch Augen hat, die sehen können, wo ist sie, fragt jemand, sie soll uns sagen, was hier vor sich geht, wohin wir gehen sollen, wo ist sie, Hier bin ich, erst jetzt konnte ich den Saal verlassen, die Schuld hat der kleine schielende Junge, niemand wußte, wo er steckt, jetzt habe ich ihn, ich nehme ihn fest bei der Hand, man müßte mir den Arm ausreißen, damit ich ihn loslasse, mit der anderen Hand halte ich die meines Mannes, und dann kommt die Frau mit der dunklen Brille und dann der Alte mit der schwarzen Augenklappe, wo einer ist, ist auch der andere, und dann der erste Blinde und dann seine Frau, alle beieinander, ganz dicht, wie ein Tannenzapfen, ich hoffe, daß diese Wärme ihn nicht öffnet. Unterdessen sind einige Blinde hier dem Beispiel derer aus dem anderen Saal gefolgt, sie sind auf den Innenhof gesprungen, sie können nicht sehen, daß der größte Teil des Gebäudes auf der anderen Seite schon eine einzige Flamme ist oder ein einziger Scheiterhaufen, aber sie spüren im Gesicht und auf den Händen die heiße Luft, die von dort herüberweht, noch hält das Dach, die Blätter der Bäume beginnen sich langsam zu krümmen. Da schrie jemand, Was tun wir hier, warum gehen wir nicht hinaus, die

Antwort, die aus diesem Meer von Köpfen kam, bestand nur aus vier Wörtern, Dort sind die Soldaten, aber der Alte mit der schwarzen Augenklappe sagte, Lieber sterbe ich durch einen Schuß als im Feuer, es schien die Stimme der Erfahrung zu sein, deshalb war es vielleicht nicht er selbst, der sprach, sondern vielleicht hatte durch seinen Mund die Frau mit dem Feuerzeug gesprochen, die nicht das Glück gehabt hatte, von einer letzten Kugel durch den blinden Buchhalter getroffen worden zu sein. Da sagte die Frau des Arztes, Laßt mich durch, ich werde mit den Soldaten sprechen, sie können uns nicht so sterben lassen, auch die Soldaten haben Gefühle. Da alle hofften, daß die Soldaten auch wirklich Gefühle hatten, öffnete sich eine schmale Gasse, durch die die Frau des Arztes sich vorwärtskämpfte, ihre Leute hinter sich. Der Rauch vernebelte ihr die Sicht, in kurzer Zeit würde auch sie blind sein wie die anderen. Man kam kaum in die Eingangshalle. Die Türen, die zum Innenhof führten, waren aufgebrochen worden, die Blinden, die dorthin geflüchtet waren, hatten schnell festgestellt, daß sie auch hier keine Sicherheit fanden, so drängten sie nach draußen vor das Gebäude, aber die von der anderen Seite hielten stand, so gut sie konnten, während die Angst unter ihnen, in Reichweite der Soldaten zu kommen, noch größer war, doch wenn ihre Kräfte nachließen und das Feuer näher käme, der Alte mit der schwarzen Augenklappe hatte recht, wäre es besser, durch einen Schuß zu sterben. Es war nicht nötig, so lange zu warten, die Frau des Arztes hatte es schließlich geschafft, war auf den Treppenabsatz hinausgetreten, sie war halb nackt, da ihre beiden Hände nicht frei waren, konnte sie sich nicht gegen die Leute wehren, die sich der kleinen, vorwärts drängenden Gruppe hatten anschließen wollen, sozusagen, um auf den fahrenden Zug aufzuspringen, die Soldaten würden sich wundern, wenn sie so vor ihnen erschien, mit halbentblößten Brüsten. Nun war es nicht mehr der Mondschein, der den großen leeren Platz bis zum Tor beschien, sondern das zuckende Licht des Feuers. Die Frau des Arztes rief, Bitte, bei eurem Seelenfrieden, laßt uns hinaus, bitte nicht schießen. Es antwortete niemand. Der Scheinwerfer war noch immer erloschen, nichts bewegte sich. Noch voller Furcht ging die Frau des Arztes zwei Stufen hinunter, Was ist los, fragte ihr Mann, aber sie antwortete nicht, sie konnte es nicht glauben. Sie stieg die restlichen Stufen hinab, ging auf das Tor zu, hinter sich immer noch den kleinen schielenden Jungen, ihren Mann und die anderen herziehend, es bestand kein Zweifel mehr, die Soldaten waren fortgegangen, oder man hatte sie fortgebracht, da auch sie blind waren, jetzt waren endlich alle blind.

Nun, um es abzukürzen, alles geschah zur gleichen Zeit, die Frau des Arztes verkündete laut, daß sie frei seien, das Dach des linken Flügels fiel mit einem fürchterlichen Krach zusammen, überall züngelten die Flammen, die Blinden stürzten sich schreiend nach draußen, bis auf einige, die im Gebäude zurückblieben, an der Wand erdrückt, andere wurden zertreten zu einer unförmigen, blutigen Masse, das Feuer, das sich plötzlich ausbreitete, wird aus alldem Asche machen. Das Tor steht weit offen, die Verrückten gehen hinaus.

Man sagt zu einem Blinden, Du bist frei, man öffnet ihm die Tür, die ihn von der Welt trennt, Geh, du bist frei, sagen wir ihm noch einmal, und er geht nicht, da steht er, mitten auf der Straße, er und die anderen, erschrocken, sie wissen nicht, wohin, es gibt keinen Vergleich zwischen dem Leben in einem rationalen Labyrinth, und das ist per definitionem eine Irrenanstalt, und einem Leben, in dem man sich ohne eine führende Hand oder die Leine eines Hundes in eine ihres Verstandes beraubte Stadt hinauswagen soll, wo die Erinnerung zu nichts nütze ist, denn sie wird nur in der Lage sein, Orte zu zeichnen, jedoch nicht die Wege, die dorthin führen. Sie stehen vor dem Gebäude, das bereits von einem Ende zum anderen brennt, die Blinden spüren im Gesicht die Hitzewellen des Feuers, wie zu ihrem Schutz, so wie die Wände vorher Gefängnis und Sicherheit zugleich waren. Sie bleiben dicht gedrängt wie eine Herde, niemand von ihnen möchte das verlorene Schaf sein, weil sie wissen, daß kein Hirte sie holen wird. Das Feuer wird allmählich kleiner, schon erleuchtet der Mond wieder alles, die Blinden werden langsam unruhig, hier können sie nicht bleiben, In alle Ewigkeit, sagte einer von ihnen. Jemand fragte, ob es Tag oder Nacht sei, man wird gleich verstehen, warum, Wer weiß, vielleicht bringen sie uns Essen, es könnte ein Durcheinander gegeben haben, eine Verspätung, das ist schon öfter vorgekommen, Aber die Soldaten sind nicht hier, Das will nichts heißen, sie können fortgegangen sein, weil sie nicht mehr gebraucht wurden, Das verstehe ich nicht, Zum Beispiel, weil es keine Ansteckung mehr gibt, Oder weil man ein Mittel gegen unsere Krankheit entdeckt hat, Das wäre wirklich gut, Was machen wir, Ich bleibe hier, Und wie willst du wissen, wann es Tag ist, An der Sonne, durch die Sonnenwärme, Wenn der Himmel nicht bedeckt ist, Es werden soundso viele Stunden vergehen, und irgendwann muß es Tag sein. Erschöpft hatten sich viele Blinde auf den Boden gesetzt, andere, die noch schwächer waren, hatten sich einfach fallen lassen, einige waren ohnmächtig geworden, wahrscheinlich wird die Nachtfrische sie wieder zu sich bringen, aber wir können sicher sein, daß in dem Augenblick, in dem das Lager aufgehoben wird, viele von diesen Elenden sich nicht mehr erheben werden, sie haben bis hierher durchgehalten, sie sind wie der Marathonläufer, der drei Meter vor dem Ziel stürzt, unbestreitbar endet jedes Leben vor der Zeit. Es setzten oder legten sich auch die Blinden hin, die noch hofften, daß die Soldaten oder andere an ihrer Stelle, zum Beispiel das Rote Kreuz, Essen bringen würden und weitere lebenswichtige Mittel, für diese wird die Enttäuschung ein wenig später kommen, das ist der einzige Unterschied. Und wenn jemand hier geglaubt hatte, es sei schon ein Heilmittel gegen unsere Blindheit entdeckt worden, scheint er deshalb auch nicht zufriedener.

Die Frau des Arztes dachte aus einem anderen Grund, daß es besser sei, auf das Ende der Nacht zu warten, und das sagte sie zu den Ihren, am dringlichsten sei es jetzt, Essen zu finden, und im Dunkeln würde das nicht leicht sein, Hast du eine Idee, wo wir sind, fragte ihr Mann, Ungefähr, Weit weg von zu Hause, Ziemlich weit. Die anderen wollten auch wissen, wie weit es zu ihren Wohnungen war, sie nannten die Adressen, und die Frau des Arztes erklärte es ihnen in etwa, der kleine schielende Junge konnte sich nicht mehr erinnern, kein Wunder, denn seit einiger Zeit fragte er nicht mehr nach seiner Mutter. Wenn sie von Haus zu Haus gingen, von dem, das am nächsten lag, bis zu dem am weitest entfernten, dann wäre das erste das der jungen Frau mit der dunklen Brille, das zweite das des Alten mit der schwarzen Augenklappe, dann kam die Frau des Arztes und schließlich der erste Blinde. Sie würden zweifellos diesen Weg einschlagen, denn die junge Frau mit der dunklen Brille hatte schon darum gebeten, daß man sie, wenn möglich, nach Hause brachte, Ich weiß nicht, wie es meinen Eltern geht, sagte sie, diese aufrichtige Sorge zeigt, wie unbegründet schließlich die Vorurteile derer sind, die bezweifeln, daß Menschen, die, wie dies unglücklicherweise häufig der Fall ist, ein ungeregeltes Leben führen, das der öffentlichen Moral zuwiderläuft, tiefe Gefühle haben, auch für die eigenen Eltern. Die Nacht wurde frischer, das Feuer hatte nicht mehr viel zu verzehren, die Hitze, die aus dem Aschehaufen aufstieg, konnte die erstarrten Blinden, die vom Eingang am weitesten entfernt waren, wie die Frau des Arztes und ihre Gruppe, nicht mehr wärmen. Sie saßen alle dicht zusammengedrängt, die drei Frauen und der Junge in der Mitte, um sie herum die drei Männer, wer sie betrachtete, würde sagen, sie seien so geboren, es stimmt, sie schienen ein einziger Körper zu sein, mit einer einzigen Atmung und einem einzigen Hunger. Einer nach dem andern schliefen sie ein, ein leichter Schlaf, aus dem sie hin und wieder geweckt wurden, weil es Blinde gab, die aus ihrem eigenen Taumel erwachten, sich erhoben und schlafwandelnd über dieses Menschenbündel stolperten, einer von ihnen blieb einfach liegen, es war gleich, ob er dort schlief oder woanders. Als der Tag anbrach, stiegen nur noch einige zarte Rauchsäulen aus den Trümmern auf, aber auch diese hielten nicht mehr lange, weil es zu regnen begann, ein feiner Regen nieselte herab, ein bloßer Dunst, gewiß, aber beharrlich, zunächst gelangte er gar nicht auf den mit Asche übersäten Boden, dann verwandelte er sich in Dampf, doch auch ein steter Tropfen löscht ein Feuer, könnte man sagen. Einige Blinde sind nicht nur auf den Augen blind, sondern auch in ihrem Verstand, anders könnte man sich nicht erklären, warum sie jetzt glaubten, daß das ersehnte Essen nicht kommen würde, weil es regnete. Es war auch nicht möglich, sie davon zu überzeugen, daß diese Annahme falsch war und so auch ihre Schlußfolgerung, es nützte nichts, ihnen zu sagen, daß es noch nicht Zeit war für das Frühstück, verzweifelt warfen sie sich zu Boden und weinten, Es kommt nicht, es regnet, es kommt nicht, wiederholten sie, wenn jene bedauernswerte Ruine noch die geringste Möglichkeit der Beherbergung böte, würde sie wieder eine Irrenanstalt sein wie zuvor.

Der Blinde, der sich nachts hatte fallen lassen, nachdem er gestolpert war, konnte sich nicht erheben. Eingerollt, als hätte er die letzte Wärme seines Bauches schützen wollen, regte er sich nicht, trotz des Regens, der jetzt kräftiger fiel, Er ist tot, sagte die Frau des Arztes, es ist besser, wir gehen von hier fort, solange wir noch etwas bei Kräften sind. Mühsam erhoben sie sich, schwankten, taumelnd hielt sich einer an dem anderen fest, dann stellten sie sich in einer Reihe auf, vorne die, die sehen konnte, dann kamen die, die nicht sehen konnten, die junge Frau mit der dunklen Brille, der Alte mit der schwarzen Augenklappe, der kleine schielende Junge, die

Frau des ersten Blinden, ihr Mann, und am Ende der Arzt. Der Weg, den sie einschlugen, führte zur Stadtmitte, aber das war nicht die Absicht der Frau des Arztes, denn sie wollte nur möglichst schnell einen Ort finden, wo sie alle unterbringen und zurücklassen konnte, um sich allein auf die Suche nach Essen zu machen. Die Straßen sind verlassen, weil es noch früh ist, oder wegen des Regens, der immer stärker wird. Überall liegt Müll herum, bei einigen Läden stehen die Türen offen, aber die meisten sind geschlossen, es scheint, als gäbe es keine Menschen mehr da drin, auch kein Licht. Die Frau des Arztes hielt es für eine gute Idee, die Gefährten in einem dieser Läden zurückzulassen, sie achtete sehr genau auf den Straßennamen, auf die Hausnummer, um sie auf dem Rückweg wiederzufinden. Sie hielt inne, sagte zur jungen Frau mit der dunklen Brille, Wartet hier auf mich, rührt euch nicht, sie spähte durch die Glastür einer Apotheke, es schienen einige Gestalten dahinter zu liegen, sie klopfte an die Scheibe, einer der Schatten bewegte sich, sie klopfte wieder, einige andere Gestalten bewegten sich langsam, jemand erhob sich und wandte das Gesicht dorthin, von wo das Geräusch kam, Sie sind alle blind, dachte die Frau des Arztes, aber sie verstand nicht, warum sie alle hier waren, vielleicht war es die Familie des Apothekers, aber wenn es so war, warum waren sie dann nicht in ihrer eigenen Wohnung, dort wäre es bequemer als auf dem harten Boden, es sei denn, sie bewachten das Geschäft, gegen wen auch immer, denn die Waren hier können sowohl retten als auch töten. Sie trat zurück, weiter vorn spähte sie in das Innere eines anderen Ladens, auch dort sah sie Menschen, die auf dem Boden lagen, Frauen, Männer, Kinder, einige waren offenbar gerade dabei hinauszugehen, eine von ihnen kam zur Tür, streckte den Arm nach draußen und sagte, Es regnet, Stark, kam eine Frage von drinnen, Ja, wir müssen warten, bis es weniger wird, der Mann, es war ein Mann, stand zwei Schritte von der Frau des Arztes entfernt, er hatte ihre Anwesenheit nicht bemerkt, deshalb erschrak er, als er sie sagen hörte, Guten Tag, der Brauch, einen guten Tag zu wünschen, hatte sich verloren, nicht nur, weil die Tage der Blinden, genaugenommen, nie gut sein würden, sondern auch, weil niemand wirklich sicher sein konnte, daß die Tage nicht Abende oder Nächte waren, und wenn nun, in offensichtlichem Widerspruch zu eben Gesagtem, diese Menschen mehr oder weniger zur selben Zeit morgens aufwachen, dann deshalb, weil sie erst vor wenigen Tagen erblindet sind und noch nicht vollends den Sinn für den Ablauf der Tage und Nächte, des Schlafens und Wachens verloren haben. Der Mann sagte, Es regnet, und dann, Wer sind Sie, Ich bin nicht von hier, Suchen Sie Essen, Ja, wir haben schon seit vier Tagen nichts mehr zu essen, Und wie wissen Sie, daß es vier Tage sind, Das habe ich ausgerechnet, Sind Sie allein, Ich bin mit meinem Mann hier und einigen anderen Gefährten, Wie viele sind Sie, Insgesamt sieben, Wenn Sie meinen, daß Sie hier bei uns bleiben können, dann schlagen Sie sich das aus dem Kopf, wir sind schon viele, Nein, wir sind nur vorübergehend hier, Von wo kommen Sie, Wir waren interniert, seit die Blindheit begann, Ach so, die Quarantäne, das hat überhaupt nichts geholfen, Warum sagen Sie das, Man hat Sie hinausgelassen, Es gab einen Brand, und in diesem Augenblick haben wir bemerkt, daß die Soldaten, die uns bewachten, verschwunden waren, Verschwunden, Ja, eure Soldaten müssen die letzten gewesen sein, die erblindet sind, alle sind blind, Alle, die ganze Stadt, das

Land, Wenn noch jemand sieht, dann sagt er es nicht, schweigt, Warum leben Sie nicht in Ihrer Wohnung, Weil ich nicht weiß, wo sie ist, Sie wissen es nicht, Und Sie, wissen Sie, wo Ihre liegt, Ich, die Frau des Arztes wollte antworten, daß sie eben genau mit ihrem Mann und den Gefährten dorthin wollte und es jetzt nur darum ging, etwas zu essen und zu Kräften zu gelangen, doch im selben Augenblick sah sie die Situation ganz klar vor sich, jetzt, wenn jemand blind war und von zu Hause wegging, dann würde er nur durch ein Wunder seine Wohnung wiederfinden, es war nicht dasselbe wie früher, als die Blinden immer auf die Hilfe eines Passanten rechnen konnten, und sei es nur, um die Straße zu überqueren oder wieder den richtigen Weg zu finden, falls sie aus Versehen von der gewohnten Route abgekommen waren, Ich weiß nur, daß es weit von hier ist, sagte sie, Aber Sie können nicht hinfinden, Nein, Nun, so geht es mir eben auch, und so geht es allen, ihr, die ihr in der Quarantäne gewesen seid, müßt noch viel lernen, ihr wißt gar nicht, wie leicht es ist, seine Wohnung zu verlieren, Das verstehe ich nicht, Die, die sich in Gruppen fortbewegen wie wir, wie fast alle, wenn wir Essen suchen, müssen wir zusammenbleiben, nur so werden wir uns nicht verlieren, und da wir alle gehen und niemand zu Hause bleibt, nehme ich an, daß die Wohnung, wenn wir sie wiederfinden, schon von einer anderen Gruppe belegt ist, die auch ihre Wohnung nicht hatte finden können, wir sind wie eine Art Karussell, das sich unaufhörlich dreht, zuerst gab es einige Auseinandersetzungen, aber es dauerte nicht lange, und wir begriffen, wir Blinden sozusagen, daß wir praktisch nichts unser eigen nennen können, nur das, was wir auf dem Leib tragen, Die Lösung wäre, in einem Lebensmittelgeschäft zu leben, dann müßte man wenigstens nicht hinaus, solange es dort etwas gibt, Wenn das jemand täte, würde er nicht eine einzige ruhige Minute mehr erleben, ich sage, nicht eine einzige, weil ich von folgendem Fall gehört habe, ein paar Leute haben das nämlich versucht, sich eingeschlossen und die Türen zugesperrt, aber den Lebensmittelgeruch konnten sie nicht entfernen, also versammelten sich Menschen vor dem Geschäft, die essen wollten, da aber die von drinnen nicht öffneten, wurde der Laden in Brand gesteckt, was für eine wirksame Maßnahme, ich habe es nicht gesehen, es wurde mir erzählt, jedenfalls eine sehr wirksame Maßnahme, soweit ich weiß, hat sich danach niemand mehr getraut, Und was ist, wenn man nicht in den Häusern, in den Wohnungen lebt, Nun, man lebt eben, es ist egal, durch mein Haus müssen schon viele Leute gegangen sein, ich weiß nicht, ob ich es eines Tages wiederfinden werde, außerdem ist es in dieser Situation sehr praktisch, in den Läden auch im Erdgeschoß zu schlafen, in den Lagerhäusern, dann brauchen wir nicht Treppen hinauf- und hinunterzusteigen, Es regnet nicht mehr, sagte die Frau des Arztes, Es regnet nicht mehr, wiederholte der Mann ins Ladeninnere. Bei diesen Worten erhoben sich die, die auf dem Boden gelegen hatten, packten ihre Sachen zusammen, Rucksäcke, kleine Koffer, Stoff- und Plastikbeutel, als würden sie sich auf eine Expedition begeben, und so war es, denn sie würden sich auf die Jagd nach Essen machen, einer nach dem andern verließen sie den Laden, die Frau des Arztes sah, daß sie warm genug angezogen waren, die Farben ihrer Kleidung waren zwar nicht gerade aufeinander abgestimmt, und die Hosen waren so kurz, daß man die Knöchel sehen konnte, oder so lang, daß sie unten umgekrempelt werden mußten, aber die Kälte würde denen hier nichts ausmachen, einige Männer hatten Regenmäntel oder andere Mäntel an, zwei Frauen trugen lange Pelzmäntel, Regenschirme waren nicht dabei, wahrscheinlich, weil es unpraktisch war und immer Gefahr bestand, sich die Stangen in die Augen zu stoßen. Die Gruppe, etwa fünfzehn Leute, entfernte sich. Auf der Straße erschienen andere Gruppen, auch einzelne Menschen, an den Hauswänden standen Männer, die ihre Blase von einer morgendlichen Bedrängnis befreiten, die Frauen suchten dafür den Schutz verlassener Autos. Aufgeweicht durch den Regen schwammen hier und da Exkremente über den Bürgersteig.

Die Frau des Arztes kehrte zu den Ihren zurück, die sich klugerweise unter die Markise einer Konditorei gestellt hatten, der ein säuerlicher Geruch nach Sahne und anderen verdorbenen Dingen entströmte, Gehen wir, sagte sie, ich habe einen Unterschlupf gefunden, und führte sie in den Laden, den die anderen verlassen hatten. Der Laden war noch gut bestückt, es gab allerdings keine Lebensmittel oder Kleidung, sondern Kühlschränke, Waschmaschinen und Geschirrspülmaschinen, gewöhnliche Herde und Mikrowellenherde, Küchenmaschinen, Zitronenpressen, Staubsauger, Rührstäbe, tausendundeine Erfindung von Haushaltsgeräten, die dazu bestimmt sind, das Leben einfacher zu machen. In der Luft hingen schlechte Gerüche, die das beständige Weiß der Gegenstände absurd erscheinen ließen. Ruht euch hier aus, sagte die Frau des Arztes, ich werde mich auf die Suche nach Essen machen, ich weiß nicht, ob ich etwas finde, in der Nähe, weiter weg, ich weiß es nicht, wartet bitte, habt Geduld, da draußen sind andere Gruppen, wenn jemand hereinkommen will, sagt ihr einfach, das Haus ist belegt, dann werden sie schon weiterziehen, Ich gehe mit, sagte ihr Mann, Nein, es ist besser, wenn ich alleine gehe, wir müssen herausfinden, wie man jetzt da draußen lebt, nach allem, was ich gehört habe, sind inzwischen alle erblindet, Dann, sagte der Alte mit der schwarzen Augenklappe, ist es so, als wären wir noch in der Irrenanstalt, Das kann man nicht vergleichen, wir können uns jetzt frei bewegen, und das mit dem Essen wird auch schon werden, wir brauchen nicht vor Hunger zu sterben, ich muß auch noch Kleidung besorgen, wir stecken alle in Lumpen, am dringendsten brauchte sie selbst welche, denn sie war von der Gürtellinie aufwärts praktisch nackt. Sie küßte ihren Mann, in diesem Augenblick fuhr ihr ein Stich durchs Herz, Bitte, ganz gleich, was geschieht, selbst wenn jemand hereinkommen will, verlaßt diesen Ort nicht, und wenn man euch rauswirft, obwohl ich nicht glaube, daß das geschieht, aber für alle Fälle, dann bleibt bitte nahe der Tür, alle zusammen, bis ich wiederkomme. Sie schaute sie an, Tränen standen ihr in den Augen, da waren sie, alle auf sie angewiesen wie kleine Kinder auf ihre Mutter, Wenn ich ihnen abhanden komme, dachte sie, aber es kam ihr nicht in den Sinn, daß da draußen alle blind waren und lebten, sie selbst müßte erblinden, dann würde sie begreifen, daß ein Mensch sich an alles gewöhnt, vor allem, wenn er schon kein Mensch mehr ist, und selbst wenn es so weit noch nicht gekommen ist, man sehe sich zum Beispiel den kleinen schielenden Jungen an, der nicht einmal mehr nach seiner Mutter fragt. Sie ging hinaus auf die Straße, merkte sich genau die Tür und die Nummer, den Namen des Ladens, jetzt mußte sie sehen, wie die Straße hieß, an der Straßenecke, sie wußte nicht, wohin sie gehen sollte, um Essen zu suchen, und welches Essen, es konnte drei Häuser weiter sein oder dreihundert, sie durfte sich nicht verirren, es gab niemanden, den sie nach dem Weg fragen könnte, alle, die vorher gesehen hatten, waren blind, und sie, die sehen konnte, wußte nicht, wo sie war. Die Sonne war herausgekommen, sie spiegelte sich in den Wasserpfützen, die sich zwischen dem Abfall gebildet hatten, man konnte die Gräser nun besser sehen, die zwischen den Steinen auf dem Bürgersteig hervorwuchsen. Es gab noch mehr Leute draußen. Wie orientieren sie sich, fragte sich die Frau des Arztes. Sie orientierten sich nicht, sie liefen ganz nah an den Gebäuden entlang, hatten die Arme nach vorn ausgestreckt, stießen ständig gegen andere, wie Ameisen auf einer Ameisenstraße, aber wenn sie aufeinandertrafen, hörte man keine Proteste, sie brauchten nicht einmal zu sprechen, eine Familie löste sich von der Wand, ging dann außen an den anderen vorbei, die in entgegengesetzter Richtung liefen, und so setzten sie ihren Weg fort bis zum nächsten Aufeinandertreffen. Hin und wieder hielten sie an, schnupperten am Eingang eines Geschäfts, um zu sehen, ob es nach Essen roch, nach irgend etwas, dann setzten sie ihren Weg fort, bogen um die Ecke, verschwanden aus ihrem Blickfeld, kurz darauf erschien eine andere Gruppe, die nicht so aussah, als hätte sie gefunden, was sie suchte. Die Frau des Arztes konnte sich schneller fortbewegen, sie verlor keine Zeit damit, in die Läden zu gehen, um herauszufinden, ob es dort Lebensmittel gab, schnell wurde ihr klar, daß es nicht leicht sein würde, sich mit größeren Mengen zu versorgen, die wenigen Lebensmittelläden, die sie fand, schienen schon von innen ausgehöhlt, sie waren wie leere Hüllen.

Sie hatte sich schon weit entfernt von der Stelle, an der sie ihren Mann und die anderen zurückgelassen hatte, sie hatte Straßen überquert und wieder überquert, Boulevards, Plätze, als sie sich schließlich vor einem Supermarkt wiederfand. Dort drin sah es nicht viel anders aus, leere Regale, leere, umgestürzte Glaskästen, und dazwischen irrten Blinde umher, die meisten von ihnen auf allen vieren, und suchten etwas, mit den Händen auf dem schmutzigen Boden hin und her fegend, in der Hoffnung, noch irgend etwas Eßbares zu finden, eine Konservenbüchse, die vielleicht den Hieben standgehalten hatte, mit denen man versucht hatte, sie zu öffnen, vielleicht irgendein Päckchen, was auch immer, eine Kartoffel, selbst eine zertretene, ein Stück Brot, auch wenn es inzwischen steinhart war. Die Frau des Arztes dachte, Trotz allem wird es irgend etwas geben, der Laden hier ist riesig groß. Ein Blinder erhob sich vom Boden und klagte, die Scherbe einer Flasche hatte sich in sein Knie gegraben, das Blut lief an seinem Bein herunter. Die Blinden seiner Gruppe umringten ihn, Was ist, was ist denn, und er sagte, Eine Scherbe, im Knie, In welchem, Im linken, Eine der blinden Frauen kniete nieder, Vorsicht, vielleicht gibt es hier noch mehr Scherben, warnte sie, dann tastete sie die Beine ab, Hier ist sie, sagte sie, sie steckt noch drin, wie ein Spieß, einer der Blinden fing an zu lachen, Wenn da was aufgespießt ist, nur zu, und die anderen lachten mit, Männer und Frauen gleichermaßen. Daumen und Zeigefinger zu einer Pinzette geformt, eine natürliche Geste, die sie nicht zu lernen brauchte, zog die Blinde die Scherbe heraus, dann verband sie das Knie mit einem Fetzen, den sie aus ihrer Umhängetasche geholt hatte, trug schließlich selbst mit einem eigenen Scherz zur allgemeinen Erheiterung bei, Nichts zu machen, der Spieß ist entschärft, alle lachten, und der Verwundete antwortete, Wenn's dich pressiert, können wir ja sehen, was sich noch aufspießen läßt, sicher gab es in dieser Gruppe keine Eheleute, denn niemand war empört, es mußten alles Menschen mit liberalen Sitten und offenen Beziehungen sein, es sei denn, diese beiden waren Mann und Frau, und daher die Vertraulichkeit, aber das schien nicht der Fall, denn sonst würden sie in der Öffentlichkeit nicht so miteinander sprechen. Die Frau des Arztes blickte um sich, um zu sehen, was es noch an Brauchbarem gab, da wurde geschubst und geknufft, fast immer ins Leere, ohne Unterschied, ob Freund oder Feind, manchmal fiel ihnen das Objekt ihres Streites aus der Hand und auf den Boden, wo es liegenblieb, bis jemand darüber stolperte, Ich muß abhauen, dachte sie und benutzte ein Wort, das nicht zu ihrem gängigen Wortschatz gehörte, womit wieder einmal bewiesen ist, daß die Macht und die Natur der Umstände großen Einfluß auf die Sprache haben, man denke nur an jenen Soldaten, der Scheiße sagte, als man ihn aufforderte, sich zu ergeben, und so zukünftige Ausbrüche in weniger schwerwiegenden Situationen vom Delikt schlechter Manieren freisprach. Ich muß abhauen, dachte sie wieder und wollte schon gehen, als ihr eine rettende Idee kam, In einem Geschäft wie diesem muß es ein Lager geben, kein großes Lager, das wäre sicher woanders, wahrscheinlich weit weg, aber einen Vorrat an bestimmten Produkten, die am meisten verlangt werden. Aufgeregt suchte sie nun nach einer verschlossenen Tür, die sie in die Schatzkammer führen würde, aber sie standen alle offen, und die Räume waren verwüstet, dieselben Blinden suchten in demselben Müll herum. Schließlich fand sie in einem dunklen Gang, in den das Tageslicht kaum vordrang, etwas, das ihr wie ein

Lastenaufzug vorkam. Die metallenen Türen waren geschlossen, daneben gab es eine andere, glatte Tür, eine Schiebetür, die auf Rädern lief. Der Keller, dachte sie, die Blinden, die bis hierher gekommen sind, fanden den Weg versperrt, sie müssen erkannt haben, daß es sich um einen Aufzug handelt, aber niemand hat daran gedacht, daß es daneben normalerweise auch eine Treppe geben muß, falls zum Beispiel der Strom ausfällt, wie dies jetzt der Fall ist. Sie bewegte die Schiebetür, und zwei mächtige Eindrücke überkamen sie, erstens das tiefe Dunkel, in das sie hinuntergehen müßte, um in den Keller zu gelangen, und zweitens der unverwechselbare Geruch von Dingen, die zum Essen bestimmt sind, selbst wenn sie in sogenannten hermetischen Behältnissen verschlossen sind, denn der Hunger hat immer einen besonders feinen Geruchssinn gehabt, der alle Barrieren durchdringt, wie bei den Hunden. Sie kehrte rasch zurück, um aus dem Abfall Plastiksäcke herauszusuchen, die sie brauchen würde, um das Essen zu transportieren, und zugleich fragte sie sich, Wie soll ich ohne Licht wissen, was ich mitnehmen soll, sie zuckte mit den Schultern, was für lächerliche Bedenken, die Frage war eher, ob sie, schwach wie sie war, genug Kraft hätte, die vollen Beutel fortzutragen und den Weg zurückzulegen, den sie gekommen war, in diesem Augenblick ergriff sie eine schreckliche Angst, daß sie nicht zu ihrem Mann, der auf sie wartete, zurückfinden würde, sie wußte den Namen der Straße, den hatte sie nicht vergessen, aber sie war so viele Male abgebogen, die Verzweiflung lähmte sie, dann, langsam, als setze das Gehirn sich in Bewegung, sah sie sich selbst über eine Straßenkarte gebeugt und mit der Fingerspitze den kürzesten Weg suchen, als hätte sie zwei Paar Augen, Augen, die sie betrachteten, wie sie die Karte studierte, und Augen, die die Karte und den Weg sahen. Der Gang lag verlassen da, es war ein Glück, denn aus Aufregung über ihre Entdeckung hatte sie vergessen, die Tür zu schließen. Sie schloß sie jetzt vorsichtig hinter sich und war nun in völliges Dunkel getaucht, so blind wie die Blinden draußen, der Unterschied lag nur in der Farbe, wenn Weiß und Schwarz wirklich Farben sind. Dicht an der Wand entlang begann sie nun, die Treppe hinabzusteigen, wenn dieser Ort nicht so geheim wäre, wie er ist, und jemand von unten heraufkäme, müßten sie so vorgehen, wie sie es auf der Straße gesehen hatte, einer von ihnen müßte sich vom sicheren Schutz der Wand lösen und an der diffusen Gestalt des anderen vorbeistreichen, vielleicht für einen Augenblick auf absurde Weise fürchten, daß die Wand auf der Seite nicht fortführte, Ich bin dabei, den Verstand zu verlieren, dachte sie, und sie hatte Grund genug dazu, wie sie da ein finsteres Loch hinunterstieg, ohne Licht oder Hoffnung, ohne zu erkennen, bis wohin, diese unterirdischen Lager sind im allgemeinen nicht sehr hoch, das ist der erste Treppenabschnitt, Jetzt weiß ich, was es heißt, blind zu sein, zweiter Treppenabschnitt, Gleich werde ich schreien, ich werde schreien, dritter Treppenabschnitt, das Dunkel war wie eine dicke Masse, die sich auf ihr Gesicht heftete, ihre Augen wurden zu zwei Teerkugeln, Was ist das vor mir, und gleich darauf dachte sie noch etwas Erschreckenderes, Und wie soll ich nachher die Treppe wiederfinden, sie geriet plötzlich aus dem Gleichgewicht und mußte sich hinsetzen, um nicht zu stürzen, fast hätte sie das Bewußtsein verloren, sie stammelte, Er ist sauber, sie meinte den Boden, es erschien ihr wunderbar, ein sauberer Boden. Langsam kam sie zu sich, sie fühlte einen dumpfen Schmerz im Magen, das war nichts Neues, aber in diesem Augenblick war es, als gäbe es kein anderes lebendes Organ in ihrem Körper, sie waren wohl da, wollten aber kein Zeichen geben, das Herz, ja, das Herz pochte wie eine riesige Trommel und arbeitete immer weiter blind in der Dunkelheit, von der ersten aller Dunkelheiten, dem Bauch, in dem es entstanden war, bis zur letzten Finsternis, in der es aufhören wird. Sie hielt noch die Plastikbeutel in der Hand, hatte sie nicht losgelassen, jetzt brauchte sie sie bloß zu füllen, ganz ruhig, ein Lager ist kein Ort für Gespenster und Drachen, hier gibt es nur die Dunkelheit, und die Dunkelheit beißt nicht und tut nicht weh, ich muß nur die Treppe wiederfinden, und wenn ich einmal dieses ganze Loch ablaufen muß. Entschlossen wollte sie sich erheben, doch dann besann sie sich darauf, daß sie so blind war wie die Blinden, es wäre besser, so vorzugehen wie sie, auf allen vieren vorwärts zu kriechen, bis man auf etwas traf, Regale, beladen mit Lebensmitteln, was auch immer, Hauptsache, man konnte es, so wie es war, essen, ohne es kochen oder anderswie zubereiten zu müssen, für derlei Extravaganzen war keine Zeit.

Die Angst kehrte zurück, hinterrücks, kaum daß die Frau des Arztes ein paar Meter vorangekommen war, vielleicht hatte sie sich geirrt, vielleicht war genau vor ihr, unsichtbar, ein Drache, der sie mit offenem Rachen erwartete. Oder ein Gespenst mit ausgestreckter Hand, um sie in die schreckliche Welt der Toten mitzunehmen, die nie aufhören zu sterben, weil es immer jemanden gibt, der sie wiedererweckt. Dann, mit einer unendlichen, resignierten Traurigkeit, dachte sie einfach, daß der Ort, an dem sie sich befand, gar kein Depot für Lebensmittel war, sondern eine Garage, sie meinte sogar das Benzin zu riechen, so sehr kann der Geist sich täuschen, wenn er sich den Monstern ergibt, die er selbst erschaffen hat. Dann stieß ihre Hand auf etwas, es waren nicht die klebrigen Finger des Gespenstes, auch nicht die brennende Zunge aus dem Rachen des Drachens, was sie fühlte, war kaltes Metall, eine glatte, vertikale Fläche, und sie erahnte, ohne den Namen dafür zu kennen, daß es sich um eine Regalwand handelte. Sie vermutete, daß es parallel dazu weitere solcher Regalaufbauten geben mußte, jetzt ging es darum, herauszufinden, wo die Lebensmittel waren, nicht hier, dieser Geruch täuscht nicht, das sind Reinigungsmittel. Ohne weiter an die Schwierigkeiten zu denken, die sie haben würde, um die Treppe wiederzufinden, lief sie an den Regalen entlang, tastend, schnuppernd, bebend. Da waren Kartons, Glasflaschen, Plastikflaschen, kleine Flaschen, mittlere und große, Konservenbüchsen, verschiedene andere Behälter, röhrenförmige, Beutel, Tuben. Sie füllte einfach die Plastiktüten, Ist das alles eßbar, fragte sie sich unruhig. Sie ging zu den anderen Regalen, und am zweiten geschah das Unerwartete, die blinde Hand, die nicht wußte, wohin sie langte, stieß auf kleine Schachteln und warf sie hinunter. Das Geräusch, das sie machten, als sie auf den Boden fielen, ließ der Frau des Arztes fast das Herz stocken. Es sind Streichhölzer, dachte sie. Zitternd vor Aufregung beugte sie sich hinab, strich mit den Händen über den Boden und fand die Streichhölzer, das ist ein Geruch, der mit keinem anderen zu verwechseln ist, und das Geräusch der kleinen Hölzer, wenn wir die Schachtel schütteln, sie öffnen, an der Seite die rauhe Oberfläche mit dem Phosphor, und der Streichholzkopf, wenn man ihn anreißt, schließlich die kleine Flamme, die den Raum drum herum diffus beleuchtet, wie ein Stern, der durch den Nebel dringt, mein Gott, es gibt Licht, und ich habe Augen, es zu sehen, gelobt sei das Licht. Von jetzt ab würde es eine leichte Ernte sein. Sie begann mit den Streichhölzern und füllte damit fast einen Beutel, Ich brauche nicht alle mitzunehmen, sagte ihr der gesunde Menschenverstand, aber sie achtete nicht auf den gesunden Menschenverstand, die zitternden Flämmchen der Streichhölzer zeigten ihr die anderen Regale, hier entlang, dort entlang, und bald hatte sie alle Beutel gefüllt, den ersten mußte sie noch einmal ausleeren, weil er nichts Brauchbares enthielt, die anderen bargen schon genügend Reichtum, um die Stadt zu kaufen, kein Wunder, daß man Dinge so unterschiedlich bewertet, denken wir doch nur an den König, der einmal sein Reich gegen ein Pferd eintauschen wollte, was würde er nicht darum geben, wenn er vor Hunger im Sterben läge und man ihm mit diesen Plastikbeuteln winken würde. Dort ist die Treppe, der Weg geht nach rechts. Vorher jedoch setzt sich die Frau des Arztes auf den Boden, sie öffnet eine verpackte Wurst, eine Packung mit Schwarzbrotscheiben, eine Flasche Wasser und ißt ohne Gewissensbisse. Wenn sie jetzt nichts aß, würde sie nicht genügend Kraft haben, um die Last dorthin zu tragen, wo sie gebraucht wurde, sie war die Versorgerin. Als sie fertig war, streifte sie sich die Beutel über die Arme, drei auf jeder Seite, und mit den erhobenen Händen vor sich zündete sie Streichhölzer an, bis sie zur Treppe kam, dann stieg sie mühsam hinauf, das Essen war noch nicht aus dem Magen gewichen, es brauchte Zeit, um in die Muskeln und Nerven zu gelangen, was sich in diesem Fall am besten gehalten hat, ist noch immer der Kopf. Die Schiebetür ließ sich geräuschlos öffnen, Und wenn jetzt jemand im Gang ist, dachte die Frau des Arztes, was tue ich dann. Es war niemand dort, doch sie fragte sich erneut, Was tue ich dann. Sie könnte sich, am Ausgang angelangt, umdrehen und rufen, Am Ende des Gangs gibt es Essen, eine Treppe, die in ein Lager im Keller führt, nutzt es, ich habe die Tür offengelassen. Das könnte sie tun, aber sie tat es nicht. Mit der Schulter schloß sie die Tür und sagte sich, daß es besser sei, zu schweigen, man stelle sich vor, es wäre wie in der Irrenanstalt, als das Feuer ausbrach, alle würden die Treppe hinunterrollen, getreten und zerdrückt werden von denen, die nach ihnen kamen, die auch stürzen würden, es ist nicht das gleiche, ob man auf eine feste Stufe tritt oder auf einen stürzenden Körper. Und wenn das Essen aufgebraucht ist, kann ich wieder herkommen, dachte sie. Sie nahm nun die Beutel in die Hand, holte tief Luft und ging durch den Gang. Man würde sie nicht sehen, aber riechen, was sie gegessen hatte. Die Wurst, wie dumm von mir, es war wie eine lebende Spur. Sie biß die Zähne zusammen und umklammerte mit aller Kraft die Henkel der Plastikbeutel, Ich muß rennen, sagte sie, sie erinnerte sich an den Blinden, der durch eine Scherbe am Knie verwundet worden war, Wenn mir das gleiche passiert, wenn ich nicht aufpasse und mit dem Fuß auf eine Scherbe trete, vielleicht haben wir vergessen, daß die Frau keine Schuhe trägt, sie hatte noch keine Zeit gehabt, in ein Schuhgeschäft zu gehen, wie es die Blinden in der Stadt taten, die die Schuhe mit den Händen aussuchen konnten. Sie mußte rennen, und sie rannte. Zu Beginn versuchte sie, sich zwischen den Gruppen der Blinden hindurchzuschlängeln, sie nicht zu berühren, das zwang sie jedoch, langsam zu gehen, einige Male innezuhalten, um den besten Weg zu wählen, lange genug, um einen Duft zu verströmen, denn nicht nur Parfums und ätherische Gerüche sind Düfte, und da rief ein Blinder, Wer hat hier Wurst gegessen, kaum war das ausgesprochen, ließ die Frau des Arztes alle Vorsicht außer acht und rannte los, rempelte Leute an, schob sie beiseite, stieß sie um, in einem einzigen wahrhaft tadelnswerten Rette-sich-wer-kann, denn so behandelt man keine blinden Menschen, sie sind schon geschlagen genug.

Es schüttete, als sie auf die Straße trat, Um so besser, dachte sie, keuchend, ihre Beine zitterten, so fällt der Geruch weniger auf. Jemand hatte die Hand auf den letzten Lumpen gelegt, der sie nur spärlich von der Gürtellinie aufwärts bedeckte, jetzt lag ihre Brust frei, und darüber perlte das Wasser vom Himmel, dies war nicht Libertas, die das Volk anführte, die Beutel, zum Glück gefüllt, waren zu schwer, um sie wie eine Fahne hochzuhalten. Das ist ungünstig, denn die aufregenden Düfte erreichen die Nasen der Hunde, sie sind natürlich auf der Stelle da, denn jetzt haben sie keine Herrchen mehr, die sie versorgen und ernähren, fast ist es eine Meute, die die Frau des Arztes verfolgt, hoffentlich kommt nicht eines dieser Tiere auf den Gedanken, in die Beutel zu beißen, um ihre Haltbarkeit zu testen. Bei einem derartigen Regen fehlt nicht viel bis zur Sintflut, man sollte meinen, die Menschen haben sich zurückgezogen und untergestellt, um das Ende des Regens abzuwarten. Doch das ist nicht der Fall, überall gibt es Blinde, die mit offenem Mund ihren Durst stillen, Wasser in allen Winkeln des Körpers speichern, und andere Blinde, die vorausschauender sind, vor allem vernünftiger, halten Eimer, Kessel und Töpfe in den Händen und heben sie dem großzügigen Himmel entgegen, es stimmt, daß Gott die Wolke je nach Durst sendet. Es war der Frau des

Arztes überhaupt nicht in den Sinn gekommen, daß aus den Wasserhähnen der Häuser nicht mehr ein einziger Tropfen des kostbaren Naß strömen würde, das ist der Nachteil der Zivilisation, wir haben uns an die Bequemlichkeit des kanalisierten Wassers gewöhnt, das zu Hause fließt, und vergessen, daß wir es nur erhalten, wenn Menschen die Verteilungsventile öffnen und schließen, daß Wasserreservoirs elektrischen Strom brauchen, daß Computer die Zuteilung verwalten und für all das Augen fehlen. Sie fehlen auch für dieses Bild, eine Frau, beladen mit Plastiktüten, die durch eine Straße läuft, die unter Wasser steht, durch verfaulende Abfälle und menschliche und tierische Exkremente, vorbei an Autos und Lastwagen, die irgendwo stehengelassen wurden und die öffentlichen Straßen versperren, an den Rädern einiger Fahrzeuge wächst schon Gras, und die Blinden, die Blinden mit offenem Mund, die auch die Augen zum weißen Himmel hin öffnen, es ist kaum zu glauben, daß es so aus einem Himmel regnen kann. Die Frau des Arztes liest die Straßenschilder, an einige erinnert sie sich, an andere nicht, und schließlich wird ihr klar, daß sie sich verlaufen hat. Kein Zweifel, sie hat sich verirrt, sie macht noch eine Runde, noch eine, aber sie erkennt die Straßen und die Namen nicht wieder, da läßt sie sich verzweifelt auf den völlig verschmutzten, mit schwarzem Schlamm verklebten Boden fallen, restlos entkräftet, und bricht in Tränen aus. Die Hunde streichen um sie herum, schnüffeln an den Tüten, doch ohne große Überzeugung, als hätten sie schon ihre Mahlzeit gehabt, einer leckt ihr das Gesicht, vielleicht ist er von klein auf daran gewöhnt, Tränen zu trocknen. Die Frau berührt ihn am Kopf, streicht ihm mit der Hand über den schmutzigen Rücken, und dann weint sie weiter, an ihn geklammert. Als sie schließlich aufblickt, tausendmal sei der Gott der Straßenkreuzungen gelobt, sieht sie einen großen Stadtplan vor sich, wie ihn die Tourismusbüros in den Stadtzentren anbringen, vor allem zum Nutzen der Besucher, die so gerne erzählen möchten, wo sie gewesen sind, und wissen müssen, wo sie sich befinden. Jetzt, da alle Menschen blind sind, kann man leicht behaupten, das dafür verwendete Geld sei verschwendet, schließlich muß man Geduld haben, der Zeit Zeit geben, wir hätten schon lernen müssen, ein für allemal, daß das Schicksal sich viele Male im Kreis dreht, um irgendwohin zu gelangen, nur das Schicksal weiß, was es gekostet hat, diesen Stadtplan hierherzubringen, um dieser Frau zu sagen, wo sie ist. Sie war nicht so weit weg, wie sie dachte, sie hatte sich nur in eine andere Richtung verlaufen, du brauchst nur durch diese Straße bis zu einem Platz zu gehen, dann zählst du zwei Straßen links, dann die erste rechts, und das ist die, die du suchst, die Nummer hast du nicht vergessen. Die Hunde blieben zurück, irgend etwas auf dem Weg hatte sie abgelenkt, oder sie waren zu sehr an das Viertel gewöhnt und wollten es nicht verlassen, nur der Hund, der ihre Tränen abgeleckt hatte, begleitete sie, die geweint hatte, wahrscheinlich schloß dieses Zusammentreffen einer Frau und eines Stadtplans, vom Schicksal so gut vorbereitet, auch einen Hund mit ein. Sicher ist, daß beide gemeinsam den Laden betraten, der Hund der Tränen wunderte sich nicht, Menschen auf dem Boden ausgestreckt zu sehen, so reglos, daß sie tot schienen, er war daran gewöhnt, manchmal ließ man ihn mitten unter ihnen schlafen, und wenn es Zeit war, aufzustehen, waren sie fast immer am Leben. Steht auf, wenn ihr schlaft, ich bringe Essen, sagte die Frau des Arztes, aber erst einmal hatte sie die Tür geschlossen, damit niemand, der draußen vorbeiging, sie hörte. Der kleine schielende Junge war der erste, der den Kopf hob, mehr konnte er nicht, er war zu schwach, die anderen brauchten etwas länger, sie träumten, sie seien Steine, und jeder weiß, wie tief deren Schlaf ist, ein einfacher Gang auf das Feld zeigt es, da liegen sie, schlafend, halb in die Erde vergraben, und warten darauf, man weiß nicht, woraus zu erwachen. Das Wort Essen jedoch hat magische Kräfte, vor allem, wenn der Hunger einen bedrückt, sogar der Hund der Tränen, der die Sprache nicht kennt, wedelte mit dem Schwanz, die instinktive Bewegung erinnerte ihn an etwas, das er noch nicht getan hatte, wozu nasse Hunde aber verpflichtet sind, nämlich sich heftig zu schütteln und all die zu bespritzen, die um sie herum sind, für sie ist es leicht, sie tragen ihr Fell wie einen Mantel. Gesegnetes Wasser, sehr wirkungsvoll, das direkt vom Himmel herunterkam, die Spritzer halfen den Steinen, sich in Menschen zu verwandeln, während die Frau des Arztes an der Verwandlung teilnahm und eine nach der anderen die Plastiktüten öffnete. Nicht alles roch nach dem, was darin war, doch der Duft nach einem Stück harten Brotes wäre, im erhabenen Sinne gesprochen, schon die Essenz des Lebens selbst. Endlich sind alle wach, ihre Hände zittern, ihre Gesichter sind gespannt, und da erinnert sich der Arzt, so wie es vorher dem Hund der Tränen ergangen war, wer er ist, Vorsicht, es ist nicht gut, zuviel zu essen, das kann uns schlecht bekommen, Was uns schlecht bekommt, ist der Hunger, sagte der erste Blinde, Hör auf das, was der Doktor sagt, schimpfte seine Frau, und ihr Mann schwieg und dachte mit einem Anflug von Groll, Der versteht nicht einmal was von Augen, eine unangebrachte Bemerkung, wenn wir bedenken, daß der Arzt nicht weniger blind ist als all die anderen, ein Beweis dafür ist, daß er nicht einmal bemerkte, daß seine Frau von der Gürtellinie aufwärts entblößt war, sie hatte ihn um seinen Mantel gebeten, um sich zu bedecken, die anderen Blinden sahen zu ihr hinüber, aber es war zu spät, hätten sie nur früher hingeschaut. Während sie aßen, erzählte die Frau ihre Abenteuer, alles, was ihr zugestoßen war und was sie getan hatte, sie sagte nur nicht, daß sie die Tür zum Lagerraum geschlossen hatte, sie war sich der humanitären Erwägungen, die sie angestellt hatte, nicht sehr sicher, im Ausgleich dafür erzählte sie die Episode mit dem Blinden, der sich eine Scherbe ins Knie gestoßen hatte, alle lachten vergnügt, nicht alle, der Alte mit der schwarzen Augenklappe gab nur ein müdes Lächeln von sich, und der kleine schielende Junge horchte nur auf das Geräusch, das er beim Kauen machte. Der Hund der Tränen erhielt seinen Teil, den er gleich darauf mit einem wütenden Bellen bezahlte, als jemand von draußen heftig an der Tür rüttelte. Wer auch immer es war, er gab es auf, es hieß, daß draußen tollwütige Hunde herumliefen, es reicht mir schon an Wut, daß ich nicht sehen kann, wo ich meine Füße hinsetze. Die Ruhe kehrte zurück, und als alle den ersten Hunger gestillt hatten, erzählte die Frau des Arztes von ihrer Unterhaltung mit dem Mann, der aus eben diesem Laden herausgetreten war, um nachzusehen, ob es regnete, Wenn das, was er mir erzählt hat, wahr ist, können wir nicht sicher sein, daß wir unsere Wohnungen so vorfinden, wie wir sie verlassen haben, wir wissen nicht einmal, ob wir überhaupt hineinkommen, ich rede von denen, die vergessen haben, die Schlüssel mitzunehmen, als sie gingen, oder die sie verloren haben, wir zum Beispiel haben keine, sie sind bei dem Brand zurückgeblieben, es wäre unmöglich, sie jetzt in den Trümmern zu finden, als sie davon sprach, war es, als würde sie noch die Flammen sehen, die die Schere umzüngelten und zuerst das trockene Blut verbrannten, das noch daran klebte, dann die Spitzen langsam auffraßen und schließlich die Griffe, die weich und unförmig wurden, man kann sich gar nicht vorstellen, daß dies einmal die Kehle eines Menschen durchbohrte, und wenn das Feuer sein Werk vollendet hat, wird es unmöglich sein, an der geschmolzenen Metallmasse zu erkennen, was die Schere war und was die Schlüssel, Die Schlüssel, sagte der Arzt, die habe ich, mit Mühe steckte er drei Finger in eine kleine Tasche der zerlumpten Hose, nahe am Bund, und zog einen Ring mit drei Schlüsseln hervor, Wieso hast du sie denn, ich hatte sie doch in meine Handtasche getan, die dort geblieben ist, Ich habe sie herausgenommen, ich hatte Angst, sie könnten verlorengehen, ich dachte, sie wären bei mir sicherer, und außerdem wollte ich wohl auch daran glauben, daß wir eines Tages nach Hause zurückkehren könnten, Wie gut, daß wir die Schlüssel haben, aber es kann sein, daß unsere Tür aufgebrochen ist, Es kann auch sein, daß sie es nicht einmal versucht haben. Für Augenblicke hatten sie die anderen vergessen, aber jetzt sollten alle erzählen, was mit ihren Schlüsseln geschehen war, zuerst sprach die junge Frau mit der dunklen Brille, Meine Eltern sind zu Hause gewesen, als die Ambulanz mich geholt hat, ich weiß nicht, was danach mit ihnen geschehen ist, dann sprach der Alte mit der schwarzen Augenklappe, Ich war zu Hause, als ich erblindete, es klopfte an die Tür, die Hausbesitzerin sagte, daß Krankenträger an der Tür stünden, um mich abzuholen, es war nicht der Augenblick, an Schlüssel zu denken, nun fehlte nur noch die Frau des ersten Blinden, doch diese sagte, Ich weiß es nicht, ich kann mich nicht erinnern, sie wußte es, sie konnte sich erinnern, sie wollte aber nicht eingestehen, daß sie, als sie sich plötzlich blind sah, ein absurder Ausdruck, doch es gibt ihn, und wir haben ihn nicht umgehen können, schreiend aus dem Haus gelaufen war, nach den Nachbarinnen gerufen hatte, die, die noch im Haus waren, hatten sich wohl gehütet, ihr zu Hilfe zu kommen, aber sie, die vorher so entschlossen und umsichtig aufgetreten war, als das Unglück ihren Mann traf, war nun völlig hilflos, war aus der Wohnung gelaufen, hatte die Tür weit offen stehen lassen und nicht einmal daran gedacht, daß man sie zurückkehren lassen sollte, nur eine Minute, Zeit genug, um die Tür abzuschließen, ich komme gleich wieder. Den kleinen schielenden Jungen hatte niemand nach dem Schlüssel gefragt, das arme Kind konnte sich nicht einmal daran erinnern, wo es wohnte. Da berührte die Frau des Arztes sanft die Hand der jungen Frau mit der dunklen Brille, Wir beginnen mit deiner Wohnung, die liegt am nächsten, aber vorher müssen wir Kleidung und Schuhe besorgen, in diesem Zustand, so schmutzig und zerlumpt, können wir nicht herumlaufen. Sie machte Anstalten, sich zu erheben, aber dann bemerkte sie, daß der kleine Junge, gesättigt und zufrieden, wieder eingeschlafen war. Sie sagte, also ruhen wir uns erst einmal aus, schlafen wir ein wenig, später werden wir dann sehen, was uns erwartet. Sie zog den nassen Rock aus, dann, um sich zu wärmen, schmiegte sie sich an ihren Mann, das gleiche taten der erste Blinde und seine Frau, Bist du es, hatte er gefragt, sie erinnerte sich an die kalte Wohnung und litt, sie sagte nicht, Tröste mich, aber es war, als hätte sie es gedacht, und wer weiß, welches Gefühl die junge Frau mit der dunklen Brille dazu veranlaßte, einen Arm um den Alten mit der schwarzen Augenklappe zu legen, gewiß ist, daß sie es tat, und so blieben sie liegen, sie schlief, er aber nicht. Der Hund legte sich an die Tür, direkt vor den Eingang, ein rauhes, unwilliges Tier, wenn er keine Tränen trocknen muß.

Sie zogen sich Kleidung und Schuhe an, hatten nur noch nicht herausgefunden, wo sie sich waschen konnten, aber sie unterschieden sich schon sehr von den anderen Blinden, die Farben ihrer Kleidung waren aufeinander abgestimmt, trotz des relativ spärlichen Angebots, denn, wie man zu sagen pflegt, alles war schon ziemlich ausgesucht, wir haben den Vorteil, daß uns hier jemand berät, Zieh du das an, das paßt besser zu der Hose, die Streifen passen nicht zu den Punkten, solche Kleinigkeiten, obwohl es den Männern wohl Jacke wie Hose war, doch sowohl die junge Frau mit der dunklen Brille als auch die Frau des ersten Blinden wollten genau wissen, welche Farben und Muster sie trugen, damit sie sich besser vorstellen konnten, wie sie aussahen. Was die Schuhe anging, waren sich alle einig, daß Bequemlichkeit vor Schönheit gehen sollte, keine Riemchen und hohen Absätze, kein Wildleder oder Lack, bei dem Zustand der Straßen wäre das Unsinn, hier sind Gummistiefel das richtige, völlig wasserundurchlässig, mit einem wadenhohen Schaft, leicht an- und auszuziehen, es gibt nichts Besseres, um in diesem Dreck herumzulaufen. Leider fanden sich solche Stiefel nicht für alle, zum Beispiel gab es nicht die richtige Schuhgröße für den kleinen schielenden Jungen, seine Füße schwammen in den großen Schuhen, deshalb mußte er sich mit einem Paar Turnschuhe zufriedengeben. Was für ein Zufall, hätte seine Mutter gesagt, wo immer sie auch war, wenn jemand ihr davon erzählt hätte, es ist genau das, was mein Sohn ausgesucht hätte, wenn er sehen könnte. Der Alte mit der schwarzen Augenklappe, der eher große Füße hatte, löste das Problem, indem er sich Basketballschuhe anzog, solche, die speziell für zwei Meter große Spieler mit entsprechend langen Extremitäten gemacht sind. Jetzt sah er zwar ein wenig lächerlich aus, als trüge er weiße Pantoffeln, aber derartige Lächerlichkeiten halten nicht lange an, in weniger als zehn Minuten werden die Schuhe schon völlig verschmutzt sein, es ist wie alles im Leben, nur gemach, die Zeit löst alle Probleme.

Es hatte aufgehört zu regnen, keine Blinden mehr mit offenem Mund. Sie laufen herum, wissen nicht, was sie tun sollen, irren durch die Straßen, aber nie sehr lange, laufen oder stehenbleiben kommt für sie auf dasselbe heraus, wenn man von der Suche nach Essen absieht, verfolgen sie keine weiteren Ziele, die Musik ist zu Ende, noch nie hat es soviel Schweigen auf der Welt gegeben, Kinos und Theater sind nur für diejenigen da, die ohne Obdach sind und es schon aufgegeben haben, danach zu suchen, einige Veranstaltungssäle, die größten, waren für die Quarantäne belegt worden, als die Regierung oder das, was von der Regierung übriggeblieben war, noch geglaubt hatte, das Weiße Übel könne mit Mitteln und Tricks eingedämmt werden, die auch gegen Gelbfieber oder andere ansteckende Krankheiten in der Vergangenheit wenig ausgerichtet hatten, doch das ist nun alles vorbei, hier war nicht mal ein Brand nötig. Was die Museen angeht, tut es einem wirklich in der Seele weh, es schneidet einem ins Herz, all die Leute, Leute sage ich, all die Gemälde, all die Skulpturen, und nicht einen Menschen vor sich, auf den sie schauen könnten. Worauf die Blinden in dieser Stadt warten, weiß man nicht, vielleicht auf Heilung, wenn sie noch daran glaubten, aber diese Hoffnung haben sie verloren, als öffentlich wurde, daß die Blindheit niemanden verschont hatte, daß nicht ein einziges gesundes Augenlicht geblieben war, um durch die Linse eines Mikroskops zu schauen, daß alle Labors verlassen worden waren, wo den Bakterien keine andere Lösung blieb, wenn sie überleben wollten, als sich gegenseitig zu verschlingen. Zu Beginn waren viele Blinde, begleitet von Verwandten, die noch sehen konnten und Familiensinn hatten, in die Krankenhäuser gegangen, aber dort fanden sie nur blinde Ärzte vor, die den Kranken, die sie nicht sahen, den Puls fühlten, sie vorne und hinten abhorchten, und das war alles, was sie tun konnten, dafür hatten sie ihr Gehör. Danach, gedrängt vom Hunger, waren die Kranken, die noch gehen konnten, aus den Krankenhäusern geflohen, starben verlassen auf den Straßen, wer weiß, wo die Familien waren, wenn sie noch welche hatten, und schließlich reichte es nicht aus, daß irgendeiner zufällig über sie stolperte, damit man sie begrub, sie mußten erst anfangen zu stinken, und selbst das half nur, wenn sie wirklich auf dem Gehweg gestorben waren. Es verwundert nicht, daß es so viele Hunde gibt, einige gleichen schon den Hyänen, ihr Fell ist wie das der Fäulnis, sie laufen herum mit eingezogenem Schwanz, als hätten sie Angst, daß einer von den Toten und Verschlungenen wieder zum Leben erwacht, um sie für die Schande zahlen zu lassen, daß sie jemanden gebissen haben, der sich nicht verteidigen konnte. Wie ist die Welt da draußen, hatte der Alte mit der schwarzen Augenklappe gefragt, und die Frau des Arztes antwortete, Es gibt keinen Unterschied zwischen drinnen und draußen, zwischen hier und dort, zwischen den wenigen und den vielen, zwischen dem, was wir erleben, und dem, was wir noch erleben werden, Und die Menschen, wie geht es den Menschen, fragte die junge Frau mit der dunklen Brille, Sie laufen herum wie Gespenster, so muß es sein, wenn man ein Gespenst ist, ja, sicher zu sein, daß das Leben existiert, weil vier Sinne es einem sagen, aber es nicht sehen zu können. Gibt es viele Autos draußen, fragte der erste Blinde, der nicht vergessen konnte, daß man ihm das seine gestohlen hatte, Es ist ein Friedhof. Weder der Arzt noch die Frau des ersten Blinden stellten Fragen, warum auch, wenn die Antworten diesen hier ähneln würden. Dem kleinen schielenden Jungen reicht es, daß er die Schuhe trägt, von denen er immer geträumt hat, er ist nicht einmal traurig, daß er sie nicht sehen kann. Aus diesem Grund läuft er wahrscheinlich auch nicht wie ein Gespenst herum. Und der Hund der Tränen verdiente es kaum, Hyäne genannt zu werden, er folgt der Frau des Arztes und nicht dem Geruch nach totem Fleisch, er begleitet Augen, von denen er sehr wohl weiß, daß sie lebendig sind.

Die Wohnung der jungen Frau mit der dunklen Brille ist nicht weit, aber diese Menschen hier, die von einer Woche Hunger ausgemergelt sind, kommen jetzt erst langsam wieder zu Kräften, daher gehen sie so langsam, um auszuruhen, bleibt ihnen nur, sich einfach auf den Boden zu setzen, sie hätten gar nicht so sorgfältig zu sein brauchen bei der Wahl der Farben und Muster, da in so kurzer Zeit die Kleidung schon wieder verschmutzt ist. Die Straße, in der die junge Frau mit der dunklen Brille wohnt, ist nicht nur kurz und schmal, wodurch sich auch erklärt, daß hier keine Autos stehen, man könnte nur in einer Richtung hindurchfahren, aber es gibt keine Parkmöglichkeit, da Parken hier verboten ist. Außerdem waren keine Menschen zu sehen, auch das verwunderte nicht, in solchen Straßen sieht man nur selten eine Menschenseele, Welche Nummer hat dein Haus, fragte die Frau des Arztes, Sieben, ich wohne im zweiten Stock links. Eins der Fenster stand offen, zu einer anderen Zeit wäre das ein Zeichen dafür gewesen, daß mit Sicherheit jemand im Haus war, jetzt stand alles in Zweifel. Die Frau des Arztes sagte, Wir gehen nicht alle, nur wir zwei gehen hinauf, ihr wartet hier unten. Man konnte sehen, daß die Tür zur Straße gewaltsam geöffnet worden war, das Schloß war ganz offensichtlich verbogen, ein langer Holzsplitter fast vollständig vom Türpfosten abgerissen worden. Die Frau des Arztes sagte nichts dazu. Sie ließ die junge Frau vor sich hergehen, sie kannte den Weg, ihr war die Dämmerung, die über der Treppe lag, egal. Nervös stolperte die junge Frau in ihrer Eile zweimal, aber sie hielt es für besser, über sich selbst zu lachen, Stell dir vor, eine Treppe, die ich früher mit geschlossenen Augen hinauf- und hinuntergehen konnte, so sind die Sätze, sie haben kein Gespür für die tausend Feinheiten des Sinnes, dieser weiß zum Beispiel nicht, welcher Unterschied darin besteht, die Augen zu schließen und blind zu sein. Auf dem Treppenabsatz im zweiten Stock war die gesuchte Tür geschlossen. Die junge Frau mit der dunklen Brille fuhr mit der Hand über die Wand, bis sie den Klingelknopf fand, Es gibt kein Licht, erinnerte sie die Frau des Arztes, und diese drei Wörter, die nichts taten, als nur das zu wiederholen, was alle wußten, nahm die junge Frau wie die Ankündigung einer schlechten Nachricht auf. Sie klopfte an die Tür, einmal, zweimal, dreimal, beim dritten Mal heftig, hämmerte mit den Fäusten, rief Mutti, Vati, und niemand kam öffnen, die liebevollen Namen erschütterten die Wirklichkeit nicht, niemand sagte zu ihr, Meine liebe Tochter, endlich bist du wieder da, wir hatten schon gedacht, wir würden dich nicht wiedersehen, komm herein, komm, und das hier ist deine Freundin, sie soll auch hereinkommen, bitte, sie soll auch hereinkommen, die Wohnung ist ein bißchen unaufgeräumt, schau nicht hin, die Tür blieb verschlossen, Es ist keiner da, sagte die junge Frau mit der dunklen Brille und brach in Tränen aus, an die Tür gelehnt, mit dem Kopf auf den überkreuzten Unterarmen, als wollte sie mit dem ganzen Körper verzweifelt um Mitleid bitten, wenn wir nicht schon zur Genüge gelernt hätten, wie kompliziert die menschliche Seele ist, würden wir uns wundern, daß sie so sehr an ihren Eltern hing, solchen Schmerz äußerte, eine junge Frau mit so freizügigen Sitten, doch der ist nicht fern, der schon bekräftigt hat, daß es zwischen dem einen und dem anderen nie einen Widerspruch gab. Die Frau des Arztes wollte sie trösten, aber sie konnte ihr wenig sagen, man wußte, daß es für die Menschen praktisch unmöglich geworden war, sich lange in ihren Häusern aufzuhalten, Wir können die Nachbarn fragen, schlug sie vor, wenn welche da sind, Ja, fragen wir sie, sagte die junge Frau mit der dunklen Brille, aber es lag keine Hoffnung in ihrer Stimme. Sie klopfte nun an die Wohnungstür auf der anderen Seite des Treppenabsatzes, wo niemand antwortete, im Stockwerk darüber standen beide Türen offen, die Wohnungen waren geplündert worden, die Kleiderschränke waren leer, und dort, wo Essen aufbewahrt wurde, war keine Spur mehr davon. Es gab Anzeichen, daß dort erst vor kurzem Menschen gewesen waren, wahrscheinlich eine umherirrende Gruppe, wie es jetzt alle mehr oder weniger waren, immer von Wohnung zu Wohnung, von Leere zu Leere.

Sie stiegen in den ersten Stock hinunter, die Frau des Arztes klopfte mit den Fingerknöcheln an die nächste Tür, es herrschte erwartungsvolle Stille, dann fragte eine rauhe Stimme mißtrauisch, Wer ist da, die junge Frau mit der dunklen Brille antwortete, Ich bin es, die Nachbarin aus dem zweiten Stock, ich suche meine Eltern, wissen Sie, wo sie sind, was ist mit ihnen passiert. Man hörte schlurfende Schritte, die Tür öffnete sich, und eine völlig abgemagerte alte Frau erschien, nur Haut und Knochen, bleich, mit langen weißen, wirren Haaren. Eine ekelerregende Mischung aus Gestank und einer undefinierbaren Fäulnis ließ die Frauen zurückweichen. Die Alte rollte mit den Augen, sie waren fast weiß, Ich weiß nichts von deinen Eltern, sie haben sie abgeholt, einen Tag nachdem sie dich weggebracht haben, damals konnte ich noch sehen, Ist noch jemand im Haus, Manchmal höre ich Leute die Treppe hinauf- und hinuntergehen, aber es sind Leute von außerhalb, welche, die nur hier schlafen, Und meine Eltern, Ich habe dir doch schon gesagt, ich weiß nichts von ihnen, Und Ihr Mann und Ihr Sohn und Ihre Schwiegertochter, Die haben sie auch mitgenommen, Und Sie nicht, warum, Weil ich mich versteckt hatte, Wo, Stell dir vor, in deiner Wohnung, Wie sind Sie denn da reingekommen, Von hinten, über die Feuertreppe, ich habe ein Fenster eingeschlagen und die Tür von innen geöffnet, der Schlüssel steckte im Schloß, Und wie haben Sie seitdem alleine in der Wohnung wohnen können, fragte die Frau des Arztes, Wer ist denn da noch, fragte die Alte erschrocken und wandte den Kopf, Das ist eine Freundin von mir, sie ist in meiner Gruppe, sagte die junge Frau mit der dunklen Brille, Es ist ja nicht nur eine Frage des Alleinseins, das Essen, wie haben Sie es denn fertiggebracht, die ganze Zeit über Essen zu beschaffen, fragte die Frau des Arztes nachdrücklich, Ich bin doch nicht dumm, ich komm schon zurecht, Wenn Sie nicht wollen, dann sagen Sie nichts, es war nur so eine Frage, Doch doch, als erstes bin ich in alle Wohnungen im Haus gegangen und habe das Essen geholt, das noch da war, das, was leicht verderben konnte, habe ich zuerst gegessen, das andere aufgehoben, Gibt es denn noch etwas, fragte die junge Frau mit der dunklen Brille, Nein, jetzt ist alles aufgegessen, sagte die Alte mit einem jähen Ausdruck von Mißtrauen in den blinden Augen, wie man in einer solchen Situation zu sagen pflegt, aber in Wirklichkeit stimmt es nicht, denn die Augen, die eigentlichen Augen, haben gar keinen Ausdruck, auch nicht, wenn sie herausgerissen werden, es sind zwei Kugeln, die reglos daliegen, es ist die Aufgabe von Augenlidern, Wimpern und auch Augenbrauen, die Beredsamkeit und Rhetorik visuell umzusetzen, trotzdem genießen die Augen den Ruhm, Also wovon leben Sie denn jetzt, fragte die Frau des Arztes, Der Tod geht durch die Straßen, aber in den Hinterhöfen ist das Leben noch nicht zu Ende, sagte die Alte geheimnisvoll, Was wollen Sie damit sagen, In den Gärten gibt es Kohl, Hasen, Hühner, auch Blumen, nur die kann man nicht essen, Und wie machen Sie das, Je nachdem, manchmal schneide ich Kohl ab, manchmal töte ich einen Hasen oder ein Huhn, Ungekocht, Am Anfang habe ich noch ein Feuer gemacht, aber dann habe ich mich an das rohe Fleisch gewöhnt, und die Stengel vom Kohl sind süß, machen Sie sich keine Sorgen, an Hunger wird die Tochter meiner Mutter nicht sterben. Sie trat zwei Schritte zurück, fast verschwand sie im Dunkel des Hauses, nur die weißen Augen glänzten, und sagte von dort aus, Wenn du deine

Wohnung betreten willst, komm herein, ich lasse dich durch. Die junge Frau mit der dunklen Brille wollte schon nein sagen, vielen Dank, es lohnt nicht, wozu denn auch, wenn meine Eltern nicht da sind, aber plötzlich verspürte sie den Wunsch, ihr Zimmer zu sehen, mein Zimmer zu sehen, wie dumm, wenn ich doch blind bin, zumindest mit den Händen über die Wände zu streifen, über die Bettdecke, wenigstens über das Kissen, auf dem mein verrückter Kopf ausruhte, über die Möbel, vielleicht steht auf der Kommode noch die Blumenvase, an die sie sich erinnerte, wenn die Alte sie nicht auf den Boden geworfen hat, aus Wut darüber, daß man Blumen nicht essen kann. Sie sagte, Gut, wenn Sie gestatten, das nehme ich gerne an, wie gütig von Ihnen, Komm herein, komm herein, du weißt ja, Essen wirst du keines finden, und das, was ich habe, reicht gerade für mich, außerdem nützt es dir wenig, ich glaube nicht, daß du rohes Fleisch magst, Machen Sie sich keine Sorgen, wir haben Essen, Aha, ihr habt Essen, nun, in diesem Fall, als Bezahlung für diesen Gefallen könnt ihr mir ja was dalassen, Ja natürlich, keine Sorge, sagte die Frau des Arztes. Sie waren schon durch den Flur gegangen, der Gestank war unerträglich geworden. In der von draußen kaum erleuchteten Küche lagen Hasenfelle auf dem Boden, Hühnerfedern, Knochen und auf dem Tisch, auf einem Teller mit angetrocknetem Blut bis zur Unkenntlichkeit verfaulte Fleischstücke, als hätte jemand sie viele Male gekaut, Und die Hasen und die Hühner, was essen die denn, fragte die Frau des Arztes, Kohl, Kräuter, Reste, sagte die Alte, Reste wovon, Von allem, auch Fleisch, Sagen Sie bloß, Hühner und Hasen essen Fleisch, Die Hasen noch nicht, aber die Hennen sind ganz verrückt danach, die Tiere sind wie die

Menschen, sie gewöhnen sich an alles. Die Alte bewegte sich sicher durch die Wohnung, ohne zu stolpern, rückte einen Stuhl aus dem Weg, als sähe sie ihn, dann zeigte sie auf die Tür, die zur Feuertreppe führte, Hier entlang, Vorsicht, rutschen Sie nicht aus, das Geländer ist nicht sehr fest, Und die Tür, fragte die junge Frau mit der dunklen Brille, Die müssen Sie nur aufstoßen, den Schlüssel habe ich, der ist hier irgendwo, Aber es ist meiner, wollte die junge Frau sagen, im selben Augenblick fiel ihr ein, daß dieser Schlüssel ihr nichts nützen würde, wenn ihre Eltern oder irgend jemand die anderen mitgenommen hatte, die für die Vordertür, sie konnte diese Nachbarin nicht jedesmal, wenn sie in die Wohnung wollte, bitten, sie durchzulassen, wenn sie herein oder heraus wollte. Sie fühlte einen leichten Stich im Herzen, vielleicht, weil sie ihre Wohnung betreten würde oder weil sie wußte, daß ihre Eltern nicht da waren, warum auch immer.

Die Küche war sauber und aufgeräumt, der Staub auf den Möbeln nicht zu dick, ein weiterer Vorteil des regnerischen Wetters, das nicht nur Kohl und Gräser in den Gärten hatte wachsen lassen, von oben betrachtet waren sie der Frau des Arztes wie Urwälder in Miniatur erschienen, Ob die Hasen frei herumlaufen, fragte sie sich, wohl kaum, sie werden in den Hasenställen sein, auf die blinde Hand warten, die ihnen die Kohlblätter reicht und sie dann an den Ohren herauszieht, während sie zappeln und die andere Hand den blinden Schlag vorbereitet, der ihnen die Halswirbel zertrümmern wird. Das Gedächtnis hatte die junge Frau mit der dunklen Brille durch die Wohnung geführt wie die Alte im Stockwerk darunter, die auch nicht gestolpert war und gezögert hatte, das Bett der Eltern war ungemacht, sie mußten sie frühmorgens abgeholt haben, sie setzte sich darauf und weinte, die Frau des Arztes setzte sich neben sie und sagte, Nicht weinen, was hätte sie sonst sagen können, welchen Sinn haben Tränen, wenn die ganze Welt ihren Sinn verloren hat. Im Zimmer der jungen Frau stand auf der Kommode eine Vase mit vertrockneten Blumen, das Wasser war verdunstet, dorthin steuerten die blinden Hände, die Finger streiften über die toten Blumenblätter, wie zerbrechlich das Leben ist, wenn man es im Stich läßt. Die Frau des Arztes öffnete das Fenster, sah auf die Straße, da waren sie alle, sie saßen auf dem Boden und warteten geduldig, der Hund der Tränen war der einzige, der den Kopf hob, sein empfindsames Gehör hatte ihn aufmerken lassen. Der Himmel war wieder bedeckt, es wurde dunkel, die Nacht brach an. Heute brauchten sie keinen Unterschlupf zum Schlafen zu suchen, dachte sie, sie würden hierbleiben, Der Alten wird es nicht gefallen, daß wir alle durch ihre Wohnung laufen, murmelte sie. In diesem Augenblick tippte ihr die junge Frau mit der dunklen Brille auf die Schulter und sagte, Die Schlüssel steckten im Schloß, sie haben sie nicht mitgenommen. Dieses Problem, wenn es eins war, war also gelöst, sie brauchten nicht die schlechte Laune der Alten aus dem ersten Stock zu ertragen, Ich werde hinuntergehen und die anderen holen, es wird gleich Nacht, wie gut, wenigstens können wir heute in einem Haus schlafen, unter dem Dach eines Hauses, sagte die Frau des Arztes, Ihr schlaft im Bett meiner Eltern, Das sehen wir später, Hier bestimme ich, ich bin hier zu Hause, Du hast recht, wie du willst, die Frau des Arztes umarmte die junge Frau, dann ging sie hinunter, um die anderen zu holen. Sie unterhielten sich angeregt, als sie die Treppe heraufkamen, mal stolperte einer auf den Stufen, obwohl angesagt worden war, Es sind jeweils zehn Stufen, es war, als kämen sie zu Besuch. Der Hund der Tränen folgte ihnen ruhig, als hätte er in seinem Leben nie etwas anderes getan. Vom Treppenabsatz schaute die junge Frau mit der dunklen Brille nach unten, das ist üblich, wenn jemand heraufkommt, sei es, um zu sehen, wer da kommt, wenn es jemand ist, den man nicht kennt, sei es, um freundliche Begrüßungsworte zu sprechen, wenn es Freunde sind, in diesem Fall brauchte man keine Augen, um zu wissen, wer es war, Kommen Sie, treten Sie ein, machen Sie es sich bequem. Die Alte aus dem ersten Stock hatte an der Tür gelauscht, sie glaubte, nun komme eine von diesen Banden zum Schlafen, sie irrte sich nicht, denn als sie fragte, Wer ist da, antwortete die junge Frau mit der dunklen Brille von oben, Es ist meine Gruppe, die Alte war verwirrt, wie konnte sie denn auf den Treppenabsatz gelangt sein, doch dann verstand sie sofort und ärgerte sich, daß sie nicht daran gedacht hatte, die Schlüssel zu suchen und von der Haustür abzuziehen, als hätte sie nun das Recht über das Eigentum eines Hauses verloren, dessen einzige Bewohnerin sie seit einigen Monaten gewesen war. Ihr fiel nichts Besseres ein, um sich über den plötzlichen Ärger hinwegzuhelfen, als die Tür zu öffnen und hinaufzurufen, Hören Sie, Sie müssen mir aber auch zu essen geben, vergessen Sie das nicht. Und da weder die Frau des Arztes noch die junge Frau mit der dunklen Brille, die eine damit beschäftigt, die Ankömmlinge hineinzuführen, die andere damit, sie zu empfangen, ihr antworteten, schrie sie außer sich, Haben Sie nicht gehört, das war ein Fehler, denn der Hund der Tränen, der in genau diesem Moment an ihr vorbeikam, sprang sie mit wütendem Gebell an, die Treppe hallte wider von dem

Lärm, er kam wie gerufen, die Alte stieß einen Schreckensschrei aus, zog sich hastig in ihre Wohnung zurück und schlug die Tür zu, Wer ist denn diese Hexe, fragte der Alte mit der schwarzen Augenklappe, so redet man, wenn man keine Augen hat, um sich selbst zu sehen, denn wie lange wohl wäre er, wenn er so gelebt hätte wie sie, noch zu zivilisierten Umgangsformen fähig gewesen.

Es gab nur das Essen, das sie in ihren Tüten mitgebracht hatten, das Wasser mußten sie bis zum letzten Tropfen aufsparen, und was die Beleuchtung anging, hatten sie das große Glück gehabt, im Küchenschrank zwei Kerzen zu finden, die dort für eventuelle Stromausfälle bereitlagen und die die Frau des Arztes zu ihrem alleinigen Nutzen anzündete, die anderen brauchten sie nicht, sie hatten schon ein Licht in ihrem Kopf, so stark, daß es sie hatte erblinden lassen. Die Gefährten hatten nicht mehr als dieses bißchen, und dennoch wurde es ein Familienfest, eines jener seltenen Feste, auf denen das, was einem gehört, allen gehört. Bevor sie sich zu Tisch setzten, gingen die junge Frau mit der dunklen Brille und die Frau des Arztes in das untere Stockwerk, um ihr Versprechen zu erfüllen, richtiger wäre, um einer Forderung nachzukommen, mit Essen den Durchgang durch jene Zollsperre zu bezahlen. Die Alte empfing sie jammernd, brummelnd, der verflixte Hund hatte sie nur wie durch ein Wunder nicht verschlungen, Ihr müßt ja ganz schön viel Essen haben, daß ihr ein solches Biest durchfüttern könnt, meinte sie, als hoffte sie, mit dieser vorwurfsvollen Bemerkung so etwas wie Gewissensbisse bei den beiden Abgesandten hervorzurufen, Wirklich, würde die eine zur anderen sagen, es wäre nicht anständig, eine arme alte Frau Hungers sterben zu lassen, während ein wildes Tier sich den Bauch vollschlagen kann. Die beiden Frauen gingen nicht zurück, um noch mehr Essen zu holen, sie hatten ihr schon eine großzügige Portion mitgebracht, wenn man bedenkt, unter welch schwierigen Umständen das Leben sich derzeit abspielte, und so verstand es unerwarteterweise die Frau aus dem unteren Stockwerk, schließlich war sie weniger böswillig, als sie schien, sie ging hinein, holte die Schlüssel zum Hintereingang der Wohnung und sagte dann zu der jungen Frau mit der dunklen Brille, Da, nimm, das sind deine Schlüssel, und als sei das nicht alles, murmelte sie noch, als sie die Tür schloß, Vielen Dank. Die beiden Frauen gingen erstaunt wieder hinauf, die Hexe hatte sogar Gefühle, Sie war kein schlechter Mensch, die lange Einsamkeit ist ihr auf den Verstand geschlagen, sagte die junge Frau mit der dunklen Brille, ohne darüber nachzudenken, was sie sagte. Die Frau des Arztes antwortete jetzt nicht, sie beschloß, die Unterhaltung auf später zu verschieben, und als alle sich schon hingelegt hatten, einige schliefen, saßen die beiden wie Mutter und Tochter in der Küche, um Kräfte zu sammeln für die Hausarbeit, und die Frau des Arztes fragte, Und du, was wirst du jetzt tun, Nichts, ich bleibe hier, ich warte, bis meine Eltern zurückkehren, Allein und blind, An die Blindheit habe ich mich schon gewöhnt, Und an die Einsamkeit, Daran werde ich mich gewöhnen müssen, die Nachbarin von unten lebt auch alleine, Willst du denn so werden wie sie, dich von Kohl und rohem Fleisch ernähren, solange es das noch gibt, in diesen Häusern scheint niemand sonst mehr zu leben, ihr werdet euch gegenseitig hassen aus Angst davor, daß das Essen ausgeht, und jeden Stengel, den ihr findet, werdet ihr der andern vom Mund wegnehmen, du hast diese arme Frau nicht gesehen, du hast nur den Gestank ihrer Wohnung wahrgenommen, ich sage dir, selbst dort, wo wir gelebt haben, war es nicht so abstoßend, Früher oder später werden wir alle wie sie sein, und dann geht es mit uns zu Ende, es wird kein Leben mehr geben, Noch leben wir, Hör zu, du weißt viel mehr als ich, neben dir bin ich ein Dummkopf, aber ich glaube, daß wir schon alle tot sind, wir sind blind, weil wir tot sind, oder, wenn du willst, wir sind tot, weil wir blind sind, das kommt auf dasselbe heraus, Ich kann noch sehen, Zum Glück für dich, zum Glück für deinen Mann, für mich, für die anderen, aber du weißt nicht, ob du weiterhin wirst sehen können, und falls du erblindest, wirst du sein wie wir, wir werden alle so enden wie die Nachbarin dort unten, Heute ist heute, morgen ist morgen, und heute habe ich die Verantwortung, nicht morgen, wenn ich blind bin, Verantwortung wofür, Die Verantwortung, Augen zu haben, wenn die anderen sie verloren haben, Du kannst nicht alle Blinden der Welt führen und ihnen zu essen geben, Das müßte ich aber, Das kannst du aber nicht, Ich werde alles tun, was in meiner Macht steht, Ich weiß wohl, daß das so ist, wenn du nicht wärst, wäre ich vielleicht nicht mehr am Leben, Und jetzt will ich nicht, daß du stirbst, Ich muß bleiben, es ist meine Pflicht, das ist meine Wohnung, ich möchte, daß meine Eltern mich hier finden, wenn sie zurückkommen, Wenn sie zurückkommen, du sagst es selbst, und man müßte wissen, ob es dann überhaupt deine Eltern sind, Das versteh ich nicht, Du selbst hast gesagt, die Nachbarin unten sei ein guter Mensch, Die Ärmste, Deine Eltern, die Ärmsten, und du Ärmste, wenn ihr euch wiederfindet, blind an Augen und Herz, denn die Gefühle, mit denen wir gelebt haben und die uns haben leben lassen, wie wir waren, gehörten zu den Augen, mit denen wir geboren wurden, ohne Augen werden die Gefühle anders sein, wir wissen nicht, wie, wir wissen nicht, welche, du sagst, wir sind tot, weil wir blind sind, das ist es, Du liebst deinen Mann, Ja, wie mich selbst, aber wenn ich erblinde, wenn ich nach der Erblindung nicht mehr die bin, die ich war, wer bin ich dann, um ihn noch weiter lieben zu können und mit welcher Liebe, Vorher, als wir sehen konnten, gab es auch Blinde, Aber wenige im Vergleich zu jetzt, die Gefühle, die es gab, waren die von Menschen, die sehen konnten, also empfanden die Blinden die Gefühle anderer, nicht als Blinde, die sie waren, jetzt aber, was jetzt entsteht, das sind die authentischen Gefühle der Blinden, und wir stehen noch am Anfang, noch leben wir von der Erinnerung dessen, was wir gefühlt haben, aber du brauchst keine Augen zu haben, um zu wissen, wie das Leben heute ist, wenn man mir sagte, ich würde eines Tages jemanden töten, wäre ich beleidigt, und dennoch habe ich getötet, Was soll ich denn deiner Meinung nach tun, Komm mit mir, komm mit in unsere Wohnung, Und die anderen, Was für dich gilt, gilt für sie, aber ich will vor allem dich, Warum, Ich frage mich selbst, warum, vielleicht, weil du wie eine Schwester für mich geworden bist, vielleicht, weil mein Mann mit dir geschlafen hat, Vergib mir, Das ist kein Vergehen, das einer Vergebung bedarf, Wir werden dir das Blut aussaugen, wir werden wie Schmarotzer sein, Die gab es schon, als wir noch sehen konnten, und was das Blut angeht, zu irgend etwas muß es ja gut sein, außer den Körper, der es transportiert, am Leben zu erhalten, und jetzt laß uns schlafen, morgen sieht die Welt schon anders aus.

Anders oder genauso. Der kleine schielende Junge wollte

auf die Toilette gehen, als er aufwachte, er hatte Durchfall, etwas war ihm in seiner Schwäche nicht bekommen, doch schnell wurde klar, daß es unmöglich war, die Toilette zu betreten, offenbar hatte die Alte vom unteren Stockwerk sich sämtlicher Toiletten im Haus bedient, bis keine mehr zu benutzen war, nur durch einen außerordentlichen Zufall hatte keiner der sieben gestern abend, bevor sie sich hinlegten, ein Bedürfnis befriedigen müssen, sonst wüßten sie es schon. Jetzt rochen es alle, vor allem der arme Junge, der nicht mehr an sich halten konnte, in der Tat, auch wenn es uns schwerfällt, es zuzugeben, diese schmutzigen Seiten des Lebens müssen in einem Bericht auch in Betracht gezogen werden, bei ruhigen Eingeweiden kann jeder gute Ideen haben, zum Beispiel diskutieren, ob es eine direkte Beziehung zwischen den Augen und den Gefühlen gibt oder ob das Verantwortungsgefühl die natürliche Folge eines guten Sehvermögens ist, doch wenn einen die Not bedrängt, wenn der Körper uns mit Schmerzen und Angst überwältigt, dann merkt man, was wir doch für kleine Tiere sind. Der Hof, rief die Frau des Arztes, und sie hatte recht, wenn es nicht so früh wäre, hätten wir dort schon die Nachbarin vom Stockwerk darunter getroffen, es ist an der Zeit, sie nicht mehr die Alte zu nennen, wie wir das bisher abschätzig getan haben, sie wäre also schon da, sagten wir, in der Hocke, umgeben von Hühnern. Mit den Händen den Bauch haltend, gestützt von der Frau des Arztes, ging der kleine schielende Junge unter Qualen die Treppe hinunter, er hatte die ganze Zeit ausgehalten, man sollte ihn jetzt nicht noch länger warten lassen, auf den letzten Stufen hatte der Schließmuskel den Widerstand gegen den inneren Druck schon aufgegeben, und nun stelle man sich die Folgen vor.

Unterdessen stiegen die anderen fünf, so gut sie konnten, die Feuertreppe hinunter, und wenn ihnen noch ein wenig Schamgefühl aus der Zeit der Quarantäne geblieben war, dann konnten sie es jetzt fallenlassen, über den Hof verstreut, stöhnend und noch unter einem Rest sinnloser Scham leidend, taten sie das, was getan werden mußte, auch die Frau des Arztes, aber sie weinte, als sie die anderen sah, sie weinte für sie alle, es schien, als könnten sie selbst dies nicht mehr, ihr eigener Mann, der erste Blinde und seine Frau, die junge Frau mit der dunklen Brille, der Alte mit der schwarzen Augenklappe, dieser Junge, sie sah sie alle im Gras hocken, zwischen den knotigen Kohlköpfen, die Hennen schauten ihnen zu, der Hund der Tränen war auch heruntergekommen, noch einer. Sie reinigten sich, so gut sie konnten, mehr schlecht als recht, mit einer Handvoll Gräsern oder mit ein paar Ziegelscherben, was sie gerade zu fassen bekamen, in manchen Fällen machte es alles nur schlimmer. Sie stiegen die Feuertreppe wieder hinauf, schweigend, die Nachbarin aus dem ersten Stock zeigte sich jetzt nicht, um sie zu fragen, wer sie waren, woher sie kamen, wohin sie gingen, wahrscheinlich schlief sie noch bei guter Verdauung des Abendessens, und als sie in die Wohnung traten, wußten sie zuerst nicht, was sie sagen sollten, dann sprach die junge Frau mit der dunklen Brille, daß sie in diesem Zustand nicht weiterleben konnten, es stimmte, sie hatten kein Wasser, um sich zu waschen, wie schade, daß es nicht heftig regnete wie gestern, dann würden sie wieder auf den Hof gehen, aber nackt und ohne Scham, würden auf dem Kopf und auf den Schultern das großzügige Wasser des Himmels empfangen, fühlen, wie es ihnen über den Rücken lief, über die Brust und über die Beine, sie könnten es mit den endlich sauberen Händen aufnehmen und mit dieser Tasse einem Durstigen zu trinken geben, wer immer es auch war, es war nicht wichtig, vielleicht würden die Lippen die Haut berühren, bevor sie das Wasser fanden, und da der Durst groß war, würden sie begierig in der hohlen Hand die letzten Tropfen auffangen und so, wer weiß, eine andere Dürre heraufbeschwören. Für die junge Frau mit der dunklen Brille war die ihr eigene Phantasie ein Nachteil, das hatte man schon vorher einige Male beobachten können, weil sie sich in einer solch tragischen, grotesk verzweifelten Situation alles mögliche ausmalte. Trotz allem fehlte es ihr nicht an einem gewissen Sinn für das Praktische, was sie unter anderem damit bewies, daß sie den Kleiderschrank ihres Zimmers öffnete, dann den ihrer Eltern und einige Laken und Handtücher herausholte, Reinigen wir uns damit, sagte sie, besser als gar nichts, und ohne Zweifel war dies eine gute Idee, als sie sich hinsetzten, um zu essen, fühlten sie sich wie ausgewechselt.

Bei Tisch legte nun die Frau des Arztes ihre Gedanken dar, Wir sind an einem Punkt angekommen, an dem wir entscheiden müssen, was wir tun sollen, ich bin überzeugt, daß alle blind sind, wenigstens haben sich die Menschen, die ich bisher gesehen habe, so verhalten, es gibt kein Wasser, keinen Strom, keinerlei Versorgung, wir befinden uns in einem Chaos, so ist wohl das wirkliche Chaos, Es muß doch eine Regierung geben, Ich glaube nicht, aber wenn es sie gibt, dann ist es eine Regierung von Blinden, die Blinde regieren wollen, das heißt, nichts maßt sich an, nichts zu organisieren, Dann gibt es keine Zukunft, sagte der Alte mit der schwarzen Augenklappe, Ich weiß nicht, ob es eine Zukunft gibt, jetzt geht es darum zu wissen, ob wir in dieser Gegenwart leben können,

Ohne Zukunft nützt uns die Gegenwart nicht, es ist, als existiere sie nicht, Mag sein, daß die Menschheit ohne Augenlicht leben kann, aber dann ist sie keine Menschheit mehr, das Ergebnis haben wir vor uns, wer von uns betrachtet sich noch als so menschlich, wie er das vorher zu sein glaubte, ich zum Beispiel habe einen Menschen getötet, Du hast einen Menschen getötet, sagte der erste Blinde entsetzt, Ja, den von der anderen Seite, der die Macht an sich gerissen hatte, ich habe ihm eine Schere durch die Kehle gebohrt, Du hast getötet, um uns zu rächen, um die Frauen zu rächen, mußte es eine Frau sein, sagte die junge Frau mit der dunklen Brille, und diese Rache war gerecht, menschlich, wenn das Opfer nicht ein Recht gegenüber dem Henker hat, dann gibt es keine Gerechtigkeit, Und keine Menschlichkeit, fügte die Frau des ersten Blinden hinzu, Zurück zu unserer Frage, sagte die Frau des Arztes, wenn wir zusammenbleiben, werden wir vielleicht überleben, wenn wir uns trennen, werden wir von der Menge verschluckt und zerstört, Du hast gesagt, es gibt organisierte Gruppen von Blinden, bemerkte der Arzt, das heißt, daß sie sich neue Lebensformen ausdenken, und wir werden nicht notwendigerweise zugrunde gehen, wie du es voraussiehst, Ich weiß nicht, wie weit sie wirklich organisiert sind, ich sehe nur, wie sie draußen herumlaufen auf der Suche nach Essen und einem Schlafplatz, sonst nichts, Wir kehren zur primitiven Horde zurück, sagte der Alte mit der schwarzen Augenklappe, mit dem Unterschied, daß wir nicht ein paar tausend Männer und Frauen in einer riesigen intakten Natur sind, sondern Tausende von Millionen in einer ausgelaugten und verdorrten Welt, Und blinden, fügte die Frau des Arztes hinzu, wenn es schwierig wird, Wasser und Nahrung zu finden, dann ist ziemlich sicher, daß diese Gruppen auseinanderfallen, jeder wird versuchen, allein zu überleben, dann muß er nicht mit den anderen teilen, und was er findet, ist seins und für niemanden sonst, Die Gruppen da draußen müssen doch Anführer haben, einen, der sie lenkt und organisiert, bemerkte der erste Blinde, Vielleicht, aber in diesem Fall sind die, die bestimmen, so blind wie die, über die bestimmt wird, Du bist nicht blind, sagte die Frau mit der dunklen Brille, deshalb bist du diejenige, die bestimmt und organisiert, Ich bestimme nicht, ich organisiere, was ich kann, ich bin nur die Augen, die ihr nicht mehr habt, Eine Art natürlicher Anführer, ein König mit Augen in einem Land der Blinden, sagte der Alte mit der schwarzen Augenklappe, Wenn das so ist, dann laßt euch von meinen Augen führen, solange sie sehen, deshalb schlage ich vor, daß wir, statt uns zu verstreuen, sie in dieser Wohnung, ihr in eurer, du in deiner, weiter zusammenbleiben, Wir können doch hierbleiben, sagte die junge Frau mit der dunklen Brille, Unsere Wohnung ist größer, vorausgesetzt, daß sie nicht belegt ist, bemerkte die Frau des ersten Blinden, Wenn wir dort ankommen, werden wir es wissen, und wenn, dann kehren wir hierher zurück, oder wir schauen uns eure Wohnung an oder deine, sagte sie zum Alten mit der schwarzen Augenklappe gewandt, und er antwortete, Ich habe keine eigene Wohnung, ich habe alleine in einem Zimmer gewohnt, Hast du denn keine Familie, fragte die junge Frau mit der dunklen Brille, Nein, Keine Frau, keine Kinder, keine Geschwister, Niemanden, Wenn meine Eltern nicht auftauchen, dann bin ich so allein wie du, Ich bleibe bei dir, sagte der kleine schielende Junge, aber er fügte nicht hinzu, wenn meine Mutter nicht auftaucht, diese Bedingung stellte er nicht, seltsames Verhalten, oder vielleicht nicht so seltsam, junge Menschen fügen sich schneller, sie haben noch ein ganzes Leben vor sich. Wofür entscheidet ihr euch nun, fragte die Frau des Arztes, Ich gehe mit euch, sagte die junge Frau mit der dunklen Brille, ich möchte dich nur bitten, daß du mich einmal pro Woche hierherbegleitest, falls meine Eltern wieder zurückkommen, Willst du die Schlüssel bei der Nachbarin unten lassen, Es bleibt mir nichts anderes übrig, sie kann nicht mehr mitnehmen, als sie schon mitgenommen hat, Sie wird alles kaputtmachen, Nachdem ich hier gewesen bin, vielleicht nicht mehr, Wir kommen auch mit euch, sagte der erste Blinde, wir würden nur gern, sobald es irgend geht, bei unserer Wohnung vorbeigehen, um zu wissen, was dort los ist, Natürlich, klar, Meine lohnt nicht, ich habe euch schon gesagt, was damit ist, Aber du kommst mit uns, Ja, unter einer Bedingung, es mag vielleicht unerhört erscheinen, daß einer, dem man einen Gefallen tun möchte, hier Bedingungen stellt, aber gewisse alte Menschen sind so, sie haben das an Stolz, was ihnen an Zeit fehlt, Und was für eine Bedingung ist das, fragte der Arzt, Wenn ich zu einer unerträglichen Last werde, bitte ich euch, es mir zu sagen, und wenn ihr aus Freundschaft oder Mitleid schweigt, hoffe ich, noch genügend Verstand im Kopf zu haben, um das zu tun, was ich tun muß, Und was wäre das, dürfen wir das erfahren, fragte die junge Frau mit der dunklen Brille, Mich zurückziehen, mich entfernen, verschwinden, wie die Elefanten das früher getan haben, ich habe gehört, daß es in letzter Zeit nicht mehr so war, weil keiner mehr alt geworden ist, Du bist nicht gerade ein Elefant, Ich bin auch nicht gerade mehr ein Mann, Vor allem, wenn du anfängst, kindische Antworten zu geben, erwiderte die junge Frau mit der dunklen Brille, und damit endete das Gespräch.

Die Plastiktüten sind jetzt sehr viel leichter als vorher, das ist nicht erstaunlich, die Nachbarin aus dem ersten Stock hat auch davon gegessen, zweimal, erst gestern abend, und heute ließen sie ihr noch einige Lebensmittel da, als sie sie baten, die Schlüssel zu behalten und aufzuheben, bis die rechtmäßigen Besitzer auftauchen, damit hat man ihr den Mund wäßrig gemacht, so gut kennen wir ihren Charakter, ganz zu schweigen von dem Hund der Tränen, der auch zu essen bekam, nur ein Herz aus Stein wäre fähig gewesen, angesichts jener bettelnden Augen ungerührt zu bleiben, und überhaupt, wo ist eigentlich der Hund, er ist nicht in der Wohnung, durch die Tür ist er nicht hinaus, er kann nur im Hof sein, die Frau des Arztes schaute nach, und so war es auch, der Hund der Tränen verschlang gerade ein Huhn, so schnell war sein Angriff gewesen, daß es nicht einmal hatte Alarm schlagen können, aber wenn die Alte aus dem ersten Stock Augen hätte und ihre Hühner genau zählen würde, wer weiß, was sie vor lauter Wut mit den Schlüsseln anstellte. In dem Bewußtsein, etwas verbrochen zu haben, und weil er sah, daß das Menschenwesen, das er beschützte, fortging, zögerte der Hund nur einen Augenblick und machte sich sofort daran, den weichen Boden aufzuwühlen, und bevor die Alte aus dem ersten Stock auf der Feuertreppe erschien und den Geräuschen nachspürte, die bis in ihre Wohnung drangen, war der Rest des Huhns begraben, das Verbrechen vertuscht und die Reue für ein anderes Mal aufgespart. Der Hund der Tränen entwischte über die Treppe nach oben, wie im Flug streifte er den Rock der Alten, die nicht einmal die Gefahr wahrnahm, die gerade an ihr vorbeigezogen war, und legte sich neben die Frau des Arztes, wo er nun der Luft von seiner Tat kündete. Als die Alte aus dem ersten Stock das heftige Bellen hörte, fürchtete sie, aber wie wir wissen, zu spät, um die Sicherheit ihrer Speisekammer und rief mit nach oben gerecktem Hals, Dieser Hund gehört angekettet, der soll mir ja nicht meine Hühner stehlen, Seien Sie unbesorgt, antwortete die Frau des Arztes, der Hund hat gar keinen Hunger, er hat schon gegessen, und wir gehen jetzt fort, Jetzt, wiederholte die Alte, und in ihrer Stimme schwang so etwas wie Bedauern mit, als wollte sie zu verstehen geben, Jetzt laßt ihr mich allein zurück, aber sie sagte nichts mehr, nur dieses Jetzt, das nicht einmal eine Antwort erforderte, auch die, die von Herzen hart sind, haben ihren Kummer, und bei dieser Frau war er so groß, daß sie nicht einmal die Tür öffnete, um sich von den Undankbaren zu verabschieden, die sie so freizügig durch ihre Wohnung hatte gehen lassen. Sie hörte, wie sie die Treppe hinabstiegen, sie sprachen miteinander, sagten, Vorsicht, nicht stolpern, Leg die Hand auf meine Schulter, Halt dich am Geländer fest, Worte, wie man sie immer sagte, aber nun in dieser Welt der Blinden waren sie gebräuchlicher, es kam ihr jedoch seltsam vor, als sie eine der Frauen sagen hörte, Hier ist es so dunkel, ich kann gar nichts sehen, daß die Blindheit dieser Frau nicht weiß war, das war schon überraschend, aber daß sie nicht sehen konnte, weil es dunkel war, was konnte das bedeuten. Sie versuchte darüber nachzudenken, angestrengt, aber ihr ausgemergelter Kopf half ihr nicht dabei, so daß sie sich kurz darauf sagte, Ich muß mich verhört haben. Auf der Straße erinnerte sich die Frau des Arztes an das, was sie gesagt hatte, sie mußte besser aufpassen, wenn sie redete, sie konnte sich bewegen wie jemand, der Augen hat, aber sprechen mußte sie wie eine Blinde.

Als sie alle auf dem Bürgersteig standen, bat sie die Gefährten, sich zu dritt in zwei Reihen aufzustellen, zuerst der Arzt und die junge Frau mit der dunklen Brille, der kleine schielende Junge in der Mitte, in der zweiten Reihe der Alte mit der schwarzen Augenklappe und der erste Blinde zu beiden Seiten der anderen Frau. Sie wollte sie gern alle nah beieinander haben, nicht wie üblich im Gänsemarsch in einer Reihe, die jeden Augenblick auseinanderbrechen konnte, sie brauchten unterwegs nur einer größeren oder aggressiveren Gruppe zu begegnen, und die wäre wie ein Frachtschiff auf dem Meer, das ein Segelboot durchschneidet, wenn es ihm vor den Bug kommt, man weiß, welche Folgen solche Unfälle haben, Schiffbruch, Trümmer, ertrunkene Menschen, sinnlose Hilferufe in der Weite, das Schiff fährt schon längst weiter und hat den Zusammenstoß nicht einmal bemerkt, so würde es auch diesen hier ergehen, ein Blinder hier, ein anderer dort, sie würden untergehen in den Wirren der anderen Blinden wie in den Wellen des Meeres, die nicht anhalten und nicht wissen, wohin sie gehen, und dann die Frau des Arztes, auch sie, ohne zu wissen, wem sie zuerst helfen sollte, würde die Hand nach ihrem Mann ausstrecken, vielleicht auch nach dem kleinen schielenden Jungen, dabei jedoch die junge Frau mit der dunklen Brille aus den Augen verlieren, auch die anderen beiden, den Alten mit der schwarzen Augenklappe, der weit weg war, auf dem Weg zum Elefantenfriedhof. Jetzt wickelte sie um alle und um sich selbst einen Strick, den sie aus aneinandergeknoteten Stoffstreifen geknüpft hatte, als die anderen schliefen, Nicht daran festklammern, sagte sie, Oder doch, haltet ihn mit aller Kraft fest, die ihr habt, auf gar keinen Fall loslassen, ganz gleich, was geschieht. Sie sollten nicht zu dicht hintereinander laufen, um nicht einer über den anderen zu stolpern, aber sie mußten die Nähe des Nachbarn spüren, wenn möglich die Berührung, nur einer von ihnen brauchte sich um diese neuen Fragen der Taktik, des weiteren Vorgehens, nicht zu sorgen, das war der kleine schielende Junge, der in der Mitte ging, von allen Seiten geschützt. Keinem der Blinden kam die Frage, wie denn die anderen Gruppen dahinsegelten, ob sie auch so aneinandergebunden waren, so wie sie hier oder auf andere Weise, aber die Antwort wäre einfach, nach allem, was man beobachten konnte, mit Ausnahme einer einzigen Gruppe, die dichter zusammengedrängt war, aus Gründen, die nur sie betraf und die wir nicht kennen, gewannen die Gruppen im Lauf des Tages neue Mitglieder, oder jemand entfernte sich wieder, es gibt immer einen Blinden, der sich davonmacht und sich verläuft, ein anderer wurde von der Schwerkraft erfaßt und mitgeschleift, vielleicht nehmen sie ihn an, vielleicht stoßen sie ihn wieder fort, je nachdem, was er bei sich trägt. Die Alte aus dem ersten Stock öffnete langsam das Fenster, sie möchte sich diese sentimentale Schwäche nicht anmerken lassen, doch von der Straße steigt kein Lärm auf, sie sind alle schon fort, haben diesen Ort, an dem kaum jemand vorbeikommt, verlassen, die Alte müßte froh sein, so braucht sie ihre Hühner und Hasen nicht mit den anderen zu teilen, froh müßte sie sein, ist es aber nicht, aus den blinden Augen fallen zwei Tränen herab, zum ersten Mal fragte sie sich, welchen Sinn es hatte, noch weiterzuleben. Sie fand keine Antwort, die Antworten kommen nicht immer, wenn man sie braucht, und oft ist eben das Warten darauf die einzig mögliche Antwort.

Auf ihrem Weg würden sie zwei Blocks entfernt an dem Haus vorbeikommen, in dem der Alte mit der schwarzen Augenklappe sein Zimmer als alleinstehender Mann gemietet hatte, aber sie hatten schon beschlossen weiterzugehen, denn dort gab es kein Essen, Kleidung brauchte er nicht, und die Bücher konnte er nicht lesen. Die Straßen sind voll mit Blinden auf der Suche nach Essen. Sie gehen in den Läden ein und aus, mit leeren Händen hinein und fast immer mit leeren Händen heraus, dann diskutieren sie untereinander die Notwendigkeit oder den Vorteil, dieses Viertel zu verlassen und in anderen Teilen der Stadt etwas zu suchen, so wie die Dinge stehen, ohne fließendes Wasser, ohne Strom, mit leeren Gasflaschen und dazu der Gefahr, die besteht, wenn Leute in den Häusern Feuer machen, ist das große Problem, daß man nicht kochen kann, angenommen, wir wüßten, wo Salz, Öl und Gewürze zu finden sind, falls wir Gerichte zubereiten wollen mit Spuren des Geschmacks von früher, wenn es Gemüse gäbe, würden wir uns schon mit gekochtem Gemüse zufriedengeben, ebenso ist es mit dem Fleisch, neben den ewigen Hasen und Hühnern würden wir Hunde und Katzen servieren, die sich fangen ließen, aber da die Erfahrung wirklich der Meister des Lebens ist, haben sogar diese, ehemals Haustiere, gelernt, dem Streicheln zu mißtrauen, jetzt jagen sie in der Gruppe, und in der Gruppe wehren sie sich dagegen, gejagt zu werden, und da sie Gott sei Dank noch Augen haben, wissen sie besser, wie man entwischen und angreifen kann, wenn es notwendig ist. All diese Umstände und Gründe führten zu dem Schluß, daß die besten Lebensmittel für die Menschen Konserven seien, nicht nur, weil sie in den meisten Fällen schon gekochtes Essen enthalten, das nur verzehrt werden muß, sondern auch, weil es leicht ist, sie zu transportieren und zuzubereiten. Gewiß, auf allen Büchsen, Flaschen und anderen Verpackungen, die diese Art von Lebensmitteln enthalten, steht das Verfallsdatum, nach dem in bestimmten Fällen der Verzehr gefährlich ist, aber der Volksmund brachte bald eine unwiderlegbare Redewendung in Umlauf, analog einer anderen, die niemand mehr verwendete, wenn das Auge nicht sieht und das Ohr nicht hört, tut dem Herzen nichts weh, und jetzt hieß es, wenn das Auge nicht sieht und das Ohr nur hört, tut dem Magen nichts weh, deswegen werden so viele Schweinereien verzehrt. Vorn überschlägt die Frau des Arztes, wieviel Essen sie noch haben, ob es, wenn überhaupt, für eine Mahlzeit reichen wird, ohne den Hund einzubeziehen, soll er sich auf seine Weise durchschlagen, so wie er das Huhn am Hals gefaßt und ihm die Stimme und das Leben abgeschnitten hat. Wenn sie sich recht erinnert, haben sie zu Hause, falls inzwischen niemand dort gewesen ist, eine beachtliche Anzahl an Konserven, genug für ein Ehepaar, doch hier sind es jetzt sieben Menschen, die essen wollen, die Konserven werden nicht lange vorhalten, selbst bei strenger Rationierung. Morgen oder in den nächsten Tagen wird sie in den unterirdischen Lagerraum des Supermarktes zurückgehen müssen, sie muß entscheiden, ob sie allein geht oder ihren Mann bitten soll, sie zu begleiten, oder den ersten Blinden, der noch jünger und beweglicher ist, sie hat die Wahl zwischen der Möglichkeit, eine größere Menge Essen zu holen, und einer raschen Aktion, nicht zu vergessen die Schwierigkeiten des Rückzugs. Der Abfall auf den Straßen, der sich seit dem Vortag verdoppelt zu haben scheint, die menschlichen Exkremente, die durch den vergangenen heftigen Regen fast flüssig geworden sind, dazu die klebrigen oder durchfallartigen, die jetzt von den Menschen, von diesen Männern und Frauen, ausgeschieden werden, während wir vorbeigehen, füllen die Luft mit Gestank wie eine dichte Wolke, durch die man nur mit großer Mühe vorankommt. Auf einem von Bäumen umsäumten Platz mit einer Statue in der Mitte verzehrt ein Rudel Hunde einen Mann. Wahrscheinlich ist er vor kurzem gestorben, seine Glieder sind noch nicht steif, das sieht man, wenn die Hunde an ihm rütteln, um mit den Zähnen das Fleisch vom Knochen abzureißen. Ein Rabe hüpft um sie herum, in der Hoffnung auf eine Lücke, um ebenfalls etwas von der täglichen Ration zu erhalten. Die Frau des Arztes wandte den Blick ab, aber es war schon zu spät, die Übelkeit stieg unwiderstehlich in ihr auf, zweimal, dreimal, als würde ihr ganzer Körper, der noch am Leben war, von anderen Hunden geschüttelt, dem Rudel absoluter Verzweiflung, hier bin ich, hier will ich sterben. Der Mann fragte, Was hast du, die anderen, die durch den Strick miteinander verbunden waren, kamen näher, waren plötzlich erschrocken, Was ist passiert, Ist dir das Essen nicht bekommen, Irgendwas muß verdorben gewesen sein, Ich fühle nichts, Ich auch nicht. Um so besser für sie, sie konnten nur die Tiere in Aktion hören, ein jähes, ungewöhnliches Krächzen des Raben, in dem Durcheinander hatte einer der Hunde nach einem Flügel geschnappt, ohne böse Absicht, da sagte die Frau des Arztes, Ich konnte nicht anders, entschuldigt, hier sind ein paar Hunde, die einen anderen Hund fressen, Essen sie unseren Hund, fragte der kleine schielende Junge, Nein, nicht unseren, wie du sagst, der ist am Leben, der läuft um sie herum, aber er kommt ihnen nicht zu nahe. Nach dem Huhn, das er gegessen hat, ist er sicher nicht sehr hungrig, sagte der erste Blinde, Geht es dir jetzt besser, fragte der Arzt, Ja, ja, gehen wir, Und unser Hund, fragte der kleine schielende Junge erneut, Das ist nicht unser Hund, er ist nur mit uns mitgegangen, wahrscheinlich wird er hier bei denen bleiben und ist auch vorher mit ihnen zusammengewesen, er hat seine Freunde wiedergefunden, Ich muß mal, Hier, Ganz dringend, mein Bauch tut weh, klagte der Junge. Er erleichterte sich dort auf der Stelle, so gut er konnte, die Frau des Arztes übergab sich noch einmal, aber sie hatte andere Gründe dafür. Sie überquerten dann den großen Platz, und als sie in den Schatten der Bäume kamen, blickte die Frau des Arztes zurück. Es waren noch mehr Hunde aufgetaucht, jetzt stritten sie um das, was von der Leiche übrig war, der Hund der Tränen kam, fuhr mit der Schnauze am Boden entlang, als folgte er einer Spur, eine Frage der Gewohnheit, denn diesmal reichte ein einfacher Blick, um die zu finden, die er suchte.

Sie setzten ihren Weg fort, die Wohnung des Alten mit der schwarzen Augenklappe hatten sie schon hinter sich gelassen, jetzt gingen sie durch einen breiten Boulevard mit großen luxuriösen Häusern auf beiden Seiten. Die Autos hier sind teuer, groß, bequem, deshalb sieht man so viele Blinde, die darin schlafen, und eine Limousine ist offenbar in eine richtige Wohnung verwandelt worden, wohl weil es leichter ist, zu einem Auto als zu einer Wohnung zurückzukehren, die Insassen hier tun wahrscheinlich das gleiche wie jene damals in der Quarantäne, um ihr Bett zu finden, sie tasten sich vor und zählen die Autos von der Ecke an, 27 rechts, da bin ich. Die Limousine steht vor dem Gebäude einer Bank. Das Auto hatte den Vorstandsvorsitzenden zur wöchentlichen

Sitzung des gesamten Vorstands gebracht, der ersten nach Bekanntgabe der Epidemie des Weißen Übels, und es war nicht einmal Zeit, ihn nachher in die unterirdische Garage zu führen, wo er das Ende der Diskussionen abwarten sollte. Der Fahrer erblindete, als der Vorstandsvorsitzende das Gebäude, wie er es gern tat, durch den Haupteingang betrat, er stieß noch einen Schrei aus, wir sprechen vom Fahrer, aber dieser, wir sprechen vom Vorstandsvorsitzenden, hörte ihn nicht mehr. Die Runde war auch nicht vollzählig, wie sie hätte sein sollen, in den letzten Tagen waren einige Vorstandsmitglieder erblindet. Der Vorstandsvorsitzende konnte die Sitzung nicht mehr eröffnen, auf der Tagesordnung war eine Diskussion über notwendige Maßnahmen vorgesehen, für den Fall, daß alle Vorstandsmitglieder und ihre Stellvertreter erblindeten, er betrat nicht einmal mehr den Sitzungssaal, denn als der Fahrstuhl ihn zum fünfzehnten Stock fuhr, fiel genau zwischen dem neunten und zehnten für immer der Strom aus. Und da ein Unglück selten allein kommt, erblindeten im selben Augenblick die Elektriker, die für das interne Stromversorgungsnetz zuständig waren und konsequenterweise auch für den Generator, ein älteres, nicht automatisches Modell, das schon vor einiger Zeit hätte ersetzt werden sollen, das Ergebnis war, wie zuvor gesagt, daß der Fahrstuhl zwischen dem neunten und zehnten Stock stehenblieb. Der Vorstandsvorsitzende sah den Fahrstuhlführer, der ihn begleitete, erblinden, er selbst verlor das Augenlicht eine Stunde später, und da der Strom nicht zurückkehrte und die Fälle von Blindheit innerhalb der Bank sich an diesem Tag multiplizierten, sind die beiden sicher noch immer dort, tot, das versteht sich von selbst, eingeschlossen in einem Grab aus Stahl und so glücklicherweise geschützt vor den räuberischen Hunden.

Da es keine Zeugen gab, und wenn, ist nicht bekannt, daß man sie gerufen hätte, um uns zu erzählen, was geschehen war, ist die Frage verständlich, wie man erfahren konnte, daß sich all dies so und nicht anders zutrug, und die Antwort ist, daß alle Berichte so sind wie die von der Schöpfung der Welt, niemand war dabei, niemand hat es gesehen, aber alle wissen, was sich ereignet hat. Die Frau des Arztes hatte gefragt, Was ist wohl mit den Banken, es war ihr zwar nicht wichtig, obwohl sie ihre Ersparnisse einer Bank anvertraut hatte, sie fragte aus reiner Neugier, bloß weil es ihr durch den Kopf ging, einfach so, sie erwartete nicht einmal eine Antwort wie zum Beispiel, Am Anfang schuf Gott Himmel und Erde, Und die Erde war wüst und leer, und es war finster auf der Tiefe, Und der Geist Gottes schwebte auf dem Wasser, statt dessen geschah folgendes, der Alte mit der schwarzen Augenklappe sagte, als sie ihren Weg auf der Allee fortsetzten, Nach allem, was ich erfahren konnte, als ich noch ein Auge hatte, um zu sehen, war am Anfang der Teufel los, aus Angst zu erblinden und wehrlos zu sein, eilten die Menschen zu den Banken, um ihr Geld abzuheben, sie wollten für die Zukunft vorsorgen, verständlich, wenn einer weiß, er wird nicht mehr arbeiten können, bleibt ihm als einziger Ausweg, solange sie reichen, auf Ersparnisse zurückzugreifen, die er in besseren Zeiten vorsorglich angesammelt hat, vorausgesetzt, er hat wirklich in weiser Voraussicht jeden Groschen zurückgelegt, und das Ergebnis dieses Sturms auf die Banken war, daß innerhalb von vierundzwanzig Stunden einige der wichtigsten Geldinstitute in Konkurs gingen und die Regierung sich einschaltete, an die Bürger appellierte, sie möchten sich beruhigen, und feierlich erklärte, sie übernehme die gesamte Verantwortung und alle Verpflichtungen in dieser Situation öffentlichen Unglücks, doch dieses Trostpflaster konnte die Krise nicht eindämmen, nicht nur, weil die Menschen weiterhin erblindeten, sondern auch, weil die, die noch sehen konnten, nur daran dachten, ihr kostbares Geld zu retten, schließlich war es unvermeidlich, daß die Banken, ob in Konkurs gegangen oder nicht, die Türen schlossen und Polizeischutz anforderten, es nützte ihnen nichts, in der Menge, die sich schreiend vor ihren Toren angesammelt hatte, gab es auch Polizisten in Zivil, die das verlangten, was sie selbst so mühsam verdient hatten, einige hatten, um ungestört demonstrieren zu können, sogar ihrem Kommandanten gesagt, sie seien blind, sie wurden also entlassen, und die anderen, die noch uniformiert und im Dienst waren und die Waffen auf die unzufriedene Menge richteten, sahen plötzlich das Ziel nicht mehr, diese, wenn sie Geld auf der Bank hatten, verloren alle Hoffnung, und außerdem wurden sie angeklagt, mit der etablierten Macht paktiert zu haben, aber das Schlimmste kam später, als die Banken von wütenden Horden von Blinden überfallen wurden, Blinden und Nichtblinden, alle jedoch verzweifelt, hier ging es nicht mehr darum, am Schalter friedlich einen Scheck einzulösen, dem Bankangestellten zu sagen, Ich möchte mein Guthaben abheben, sondern darum, die Hand auf alles zu legen, was man irgend finden konnte, auf das Geld des Tages, was in den Schubladen übriggeblieben war, in irgendeinem Tresor, der unvorsichtigerweise offenstand, in einem kleinen, altmodischen Geldbeutel, wie die Großmütter der älteren Generation sie benutzten, man kann sich nicht vorstellen, was da los war, die großen, prachtvollen Eingangshallen der Banken, die kleinen Filialen in den Stadtvierteln, sie alle erlebten wahrhaft erschreckende Szenen, und eine Kleinigkeit sollte man nicht vergessen, die Bankautomaten, die aufgebrochen und geplündert wurden bis zum letzten Geldschein, einige zeigten rätselhafterweise eine Nachricht an und dankten dafür, daß diese Bank gewählt worden war, Maschinen sind wirklich dumm, richtiger wäre zu sagen, daß sie ihre Herren betrogen hatten, nun, das ganze Bankensystem brach in einem Atemzug zusammen wie ein Kartenhaus, und das nicht etwa, weil man den Besitz von Geld nicht mehr geschätzt hätte, nein, denn die, die es besitzen, wollen es nicht aus der Hand geben und behaupten, man könne nicht voraussehen, was morgen sein wird, das denken sicher auch jene Blinden, die sich in den unterirdischen Räumen der Banken eingerichtet haben, wo sich die Tresore befinden, und auf ein Wunder warten, das ihnen die schweren Stahltüren, die sie vom Reichtum trennen, weit öffnen wird, sie verlassen die Räume nur, um Nahrung oder Wasser zu besorgen oder andere Bedürfnisse des Körpers zu befriedigen, und dann kehren sie zurück auf ihren Posten, sie haben Paßwörter und Fingerzeichen, damit kein Fremder sich dort einschleichen kann, natürlich leben sie in der allergrößten Dunkelheit, aber das macht nichts, bei dieser Blindheit ist alles weiß. Der Alte mit der schwarzen Augenklappe erzählte diese unglaublichen Begebenheiten um Banken und Finanzen, während sie gemächlich durch die Stadt liefen, hin und wieder anhielten, damit der kleine schielende Junge seinen unerträglich aufgewühlten Darm entleeren konnte, und trotz des überzeugenden Tons seiner fesselnden Beschreibung möchte man dennoch gewisse Übertreibungen in seiner Erzählung vermuten, die Geschichte von den Blinden, die in den unterirdischen Räumen leben, woher wußte er davon, wenn er das Paßwort nicht kannte und auch nicht das Handzeichen, auf jeden Fall aber haben wir nun eine Vorstellung davon.

Der Tag neigte sich, als sie endlich die Straße erreichten, in der der Arzt und seine Frau wohnen. Sie unterscheidet sich nicht von den anderen, überall gibt es Schmutz, Banden von Blinden, die ziellos umherstreichen, und zum ersten Mal, jedoch war es reiner Zufall, daß sie ihnen noch nicht begegnet waren, riesige Ratten, zwei, an die nicht einmal die Katzen sich herantrauen, die hier herumstreunen, denn sie sind fast ebenso groß und mit Sicherheit sehr viel wilder. Der Hund der Tränen betrachtete die Tiere ungerührt wie jemand, der in einer anderen emotionalen Sphäre lebt, so würde man sagen, wenn er nicht der Hund wäre, der er immer noch ist, sondern ein Tier von Menschenart. In der vertrauten Umgebung stellte die Frau des Arztes nicht die sonst üblichen melancholischen Überlegungen an, der Art, Wie die Zeit doch vergeht, noch vor kurzem waren wir hier glücklich, was sie schokkierte, war die Enttäuschung, sie hatte sich unbewußt, weil sie hier wohnte, vorgestellt, die Straße wäre sauber, gefegt und aufgeräumt, und daß ihre Nachbarn zwar blind wären, aber nur an den Augen, nicht am Verstand, Wie dumm von mir, sagte sie laut, Warum, was ist los, fragte ihr Mann, Nichts, Phantasiegebilde, Wie die Zeit vergeht, wie die Wohnung wohl aussieht, sagte er, Ja, das werden wir gleich sehen. Da sie entkräftet waren, gingen sie die Treppe sehr langsam hinauf und hielten auf jedem Absatz an. Es ist im fünften, sagte die Frau des Arztes. Sie gingen, so gut sie konnten, weiter, jeder für sich, der Hund der Tränen mal vorn, mal hinten, als sei er als Herdenhund geboren worden, mit dem Befehl, kein einziges Schaf zu verlieren. Die Türen standen offen, Stimmen kamen aus dem Inneren, der ekelerregende Geruch, den wir schon kennen, drang in Wellen heraus, zweimal erschienen Blinde auf der Türschwelle mit leeren Augen, Wer ist da, fragten sie, die Frau des Arztes erkannte einen, der andere war nicht aus dem Haus, Wir haben hier gewohnt, sagte sie nur. Über das Gesicht des Nachbarn huschte ein Ausdruck des Wiedererkennens, aber er fragte nicht, Sind Sie die Frau des Herrn Doktor, vielleicht würde er sagen, wenn er ins Zimmer trat, Die vom fünften Stock sind zurück. Als sie die letzte Treppe überwunden hatten, noch bevor sie den Fuß auf den Absatz setzten, sagte die Frau des Arztes, Sie ist geschlossen. Es gab Anzeichen dafür, daß jemand versucht hatte, die Tür aufzubrechen, aber sie hatte standgehalten. Der Arzt steckte die Hand in die Innentasche seines neuen Mantels und zog die Schlüssel hervor. Er hielt sie in die Luft und wartete, aber seine Frau führte seine Hand behutsam zum Schloß.

Abgesehen vom häuslichen Staub, der die Abwesenheit der Familien nutzt, um sich sanft auf die Oberfläche der Möbel zu legen und sie mit einer trüben Schicht zu überziehen, dies ist übrigens die einzige Gelegenheit für ihn, sich auszuruhen, ohne das Treiben eines Staubwedels oder Staubsaugers, ohne herumlaufende Kinder, die atmosphärische Wirbel verursachen, war die Wohnung sauber, und die Unordnung war, wie erwartet, die eines überstürzten Fortgangs. Dennoch hatte die Frau des Arztes, während sie an jenem Tag auf die Anrufe des Ministeriums und des Krankenhauses gewartet hatten, vorsorglich, wie vernünftige Menschen handeln, die zu Lebzeiten ihre Angelegenheiten in Ordnung bringen, damit nach ihrem Tod nicht die ärgerliche Notwendigkeit zu nachhaltigem Eingreifen besteht, das Geschirr gespült, das Bett gemacht, das Bad gesäubert, man würde das alles nicht unbedingt vollkommen nennen, aber es wäre wirklich grausam gewesen, mehr von ihr zu verlangen, mit diesen zitternden Händen und den Augen voller Tränen. Also kamen die sieben Pilger in einer Art Paradies an, es hatte etwas Überirdisches, ohne den Begriff im strengen Sinne verunglimpfen zu wollen, daß sie am Eingang stehenblieben, wie gelähmt durch den unerwarteten Geruch der Wohnung, aber es war einfach der Geruch einer geschlossenen Wohnung, früher wären wir gerannt und hätten alle Fenster geöffnet, um zu lüften, würden wir sagen, heute wäre es gut, wenn sie luftdicht wären, damit die Fäulnis von draußen nicht hereinzieht.

Die Frau des ersten Blinden sagte, wir werden dir alles drekkig machen, und sie hatte recht, wenn sie mit den Schuhen voller Schlamm und Scheiße hereinkämen, würde das Paradies im Handumdrehen zur Hölle werden, der zweite Ort, wie die Obrigkeit versichert, an dem der faulige, stinkende, ekelerregende, pestartige Gestank für die verdammten Seelen am schwersten zu ertragen ist, und nicht die brennenden Zangen, die Kessel mit kochendem Pech oder andere Küchen- und Schmiedegerätschaften. Seit unvordenklichen Zeiten war es Brauch, daß die Frau des Hauses sagte, Herein, herein, aber bitte, das macht doch nichts, was schmutzig wird, läßt sich auch wieder saubermachen, aber diese hier, ebenso wie ihre Gäste, weiß, woher sie kommt, und weiß, daß in der Welt, in der sie lebt, das, was schmutzig ist, noch schmutziger werden wird, deshalb bittet sie sie, im Flur die Schuhe auszuziehen, und dankt ihnen, natürlich sind auch die Füße nicht sauber, aber es ist kein Vergleich, die Handtücher und Laken der jungen Frau mit der dunklen Brille waren für etwas gut, den gröbsten Dreck haben sie aufgenommen. Also betraten sie die Wohnung barfuß, die Frau des Arztes suchte und fand einen großen Plastikbeutel, in den sie alle Schuhe steckte, um sie später zu putzen, sie wußte weder wann noch wie, dann trug sie ihn auf den Balkon, die Luft draußen wird deshalb nicht schlechter sein. Der Himmel wurde dunkler, schwere Wolken zogen auf, Hoffentlich regnet es, dachte sie. Mit einer klaren Vorstellung, was zu tun sei, kehrte sie zu den Gefährten zurück. Sie standen still im Wohnzimmer, obwohl sie so müde waren, hatten sie es nicht gewagt, sich einen Platz zu suchen. Nur der Arzt strich flüchtig mit den Händen über die Möbel, hinterließ Spuren auf ihrer Oberfläche, die erste

Reinigung begann, etwas von diesem Staub blieb an den Fingerspitzen haften. Die Frau des Arztes sagte, Zieht euch alle aus, wir können nicht so bleiben, wie wir sind, unsere Kleider sind fast so schmutzig wie unsere Schuhe, Uns ausziehen, fragte der erste Blinde, hier, einer vor dem andern, das finde ich nicht gut, Wenn ihr wollt, kann ich jeden von euch in einen Teil der Wohnung führen, bemerkte die Frau des Arztes ironisch, dann braucht sich niemand zu schämen, Ich ziehe mich gleich hier aus, sagte die Frau des ersten Blinden, nur du kannst mich sehen, und selbst wenn es nicht so wäre, habe ich nicht vergessen, daß du mich schon in einer schlimmeren Situation als jetzt nackt gesehen hast, mein Mann, der hat ein schwaches Gedächtnis, Ich weiß gar nicht, welches Interesse bestehen sollte, an unangenehme Dinge zu rühren, die schon längst vorbei sind, brummelte der erste Blinde, Wenn du eine Frau wärst und dort gewesen wärst, wo wir waren, würdest du anders denken, sagte die junge Frau mit der dunklen Brille und begann den kleinen schielenden Jungen auszuziehen. Der Arzt und der Alte mit der schwarzen Augenklappe waren von der Gürtellinie aufwärts nackt, jetzt öffneten sie die Hosen, der Alte mit der schwarzen Augenklappe sagte zum Arzt, kann ich mich auf dich stützen, um die Beine freizumachen, Sie waren so lächerlich, die Ärmsten, wie sie da herumhüpften, daß einem beinah zum Weinen war. Der Arzt verlor das Gleichgewicht, riß den Alten mit der schwarzen Augenklappe mit, zum Glück nahmen es beide lachend auf, und jetzt war es rührend, sie zu sehen, ihre Körper, die mit allem möglichen beschmutzt waren, das Glied wie verklebt, weiße Haare, schwarze Haare, da ging sie hin, die Achtbarkeit des Alters und eines so verdienstvollen Berufes.

Die Frau des Arztes half ihnen aufzustehen, bald würde es ganz dunkel sein, niemand brauchte sich zu schämen, Ob es Kerzen in der Wohnung gebe, fragte jemand, die Antwort darauf war, ja, sie erinnerte sich, daß es in der Wohnung zwei Beleuchtungsreliquien gab, eine alte Öllampe mit drei Schnäbeln und eine alte Petroleumlampe mit einem Glaszylinder, für heute wird die Öllampe reichen, Öl habe ich, den Docht kann man improvisieren, morgen werde ich Petroleum holen, alles in den Drogerien, es wird viel leichter zu finden sein als Konservenbüchsen, Vor allem, wenn man sie nicht in einer Drogerie sucht, dachte sie und war über sich selbst erstaunt, daß sie in dieser Situation noch scherzen konnte. Die junge Frau mit der dunklen Brille zog sich langsam aus, als würde ihr dann immer noch ein letztes Stück Wäsche bleiben, das sie bedeckte, auch wenn sie noch soviel auszog, man fragte sich, warum diese Zurückhaltung, wenn die Frau des Arztes näher käme, würde sie jedoch sehen, wie die junge Frau errötete, obwohl ihr Gesicht so schmutzig war, da soll einer die Frauen verstehen, die eine wird plötzlich schamhaft, nachdem sie mit lauter Männern ins Bett gestiegen ist, die sie kaum kannte, und die andere wäre sehr wohl in der Lage, ihr mit der größten Ruhe der Welt ins Ohr zu flüstern, Schäm dich nicht, er kann dich nicht sehen, sie würde sich auf ihren eigenen Mann beziehen, denn wir haben natürlich nicht vergessen, wie die Schamlose ihn im Bett in Versuchung geführt hat, wer die Frauen kennt, traut ihnen alles zu. Vielleicht gibt es jedoch einen anderen Grund, hier stehen noch zwei nackte Männer, und einer war bei ihr im Bett.

Die Frau des Arztes sammelte die Wäsche vom Boden auf, Hosen, Blusen, einen Mantel, Pullover, Jacken, etwas Unterwäsche, klebrig vor Dreck, die würde nicht einmal nach einem Monat Einweichen wieder sauber, aus dem Ganzen machte sie ein Bündel, Bleibt hier, ich komme gleich zurück. Sie trug die Wäsche auf den Balkon, wie sie es mit den Schuhen getan hatte, dann zog sie selbst sich dort aus, blickte auf die schwarze Stadt unter dem schweren Himmel. Kein einziges schwaches Licht in den Fenstern, nicht einmal ein ohnmächtiger Reflex auf den Fassaden, was dort lag, war keine Stadt, es war eine riesige Masse aus Asphalt, der sich beim Schmelzen selbst zu Formen von Gebäuden, Dächern, Schornsteinen gegossen hatte, alles tot, alles erloschen. Der Hund der Tränen erschien auf dem Balkon, unruhig, aber jetzt gab es keine Tränen zu trocknen, die Verzweiflung lag tief innen, die Augen waren trocken. Die Frau des Arztes fror, sie dachte an die anderen mitten im Wohnzimmer, nackt, die warteten, ohne zu wissen, worauf. Sie ging hinein. Sie waren zu geschlechtslosen Gestalten geworden, unbestimmte Flecken, Schatten, die sich im Schatten verloren, Aber für sie nicht, dachte sie, sie lösen sich im Licht auf, das sie umgibt, es ist das Licht, das sie nicht sehen läßt, Ich werde ein Licht anzünden, sagte sie, in diesem Augenblick bin ich fast so blind wie ihr, Gibt es schon Strom, fragte der kleine schielende Junge, Nein, ich werde eine Öllampe anzünden, Was ist eine Öllampe, fragte der Junge wieder, Nachher zeige ich sie dir. Sie suchte in einem der Plastikbeutel eine Schachtel Streichhölzer, ging in die Küche, sie wußte, wo sie das Öl verwahrt hatte, sie brauchte nicht viel, aus einem Geschirrtuch riß sie einen Streifen für einen Docht, dann ging sie in das Wohnzimmer zurück, wo die Öllampe stand, zum ersten Mal, seit sie hergestellt worden war, würde sie nützlich sein, zunächst schien dies nicht ihre

Bestimmung, doch niemand unter uns, ob Öllampe, Hund oder Mensch, weiß zu Beginn, wozu er auf die Welt kommt. Eine nach der andern flammten über den Schnäbeln der Lampe drei kleine leuchtende Mandeln auf, die sich ab und zu hochreckten, so daß es schien, als würde der obere Teil der Flamme sich in der Luft verlieren, dann zogen sie sich wieder in sich zusammen, wurden dicht und fest, kleine Steine aus Licht. Die Frau des Arztes sagte, Jetzt kann ich sehen und werde euch saubere Kleider holen, Aber wir sind schmutzig, erinnerte sie die junge Frau mit der dunklen Brille. Sie und die Frau des ersten Blinden bedeckten mit den Händen ihre Brust und ihren Schamhügel, Es ist nicht meinetwegen, dachte die Frau des Arztes, sondern weil das Licht der Lampe sie sieht. Dann sagte sie, Es ist besser, saubere Wäsche auf dem schmutzigen Körper zu tragen, als schmutzige Wäsche auf dem sauberen Körper. Sie nahm die Lampe und suchte in Schubladen und Kommoden und kam nach wenigen Minuten mit Pyjamas, Röcken, Blusen, Kleidern, Hosen, Pullovern zurück, genug Sachen, um sieben Menschen anständig zu kleiden, gewiß, sie waren nicht alle gleich gebaut, aber wie Zwillinge in ihrer Magerkeit. Die Frau des Arztes half ihnen beim Anziehen, der kleine schielende Junge zog Shorts des Arztes an, solche, wie man sie am Strand und auf dem Land trägt und die uns alle zu Kindern machen. Jetzt können wir uns hinsetzen, sagte die Frau des ersten Blinden seufzend, führe uns bitte, wir wissen nicht, wo.

Das Wohnzimmer war so wie alle Wohnzimmer, mit einem kleinen Tisch in der Mitte, rundherum Sofas, auf denen alle Platz fanden, auf dieses hier setzen sich der Arzt und seine Frau, dazu der Alte mit der schwarzen Augenklappe, auf das andere die junge Frau mit der dunklen Brille und der kleine schielende Junge, auf das drüben die Frau des ersten Blinden und der erste Blinde. Sie sind erschöpft. Der kleine Junge war gleich eingeschlafen, sein Kopf lag auf dem Schoß der jungen Frau mit der dunklen Brille, er dachte nicht mehr an die Öllampe. So verstrich eine Stunde, es war wie das Glück, unter dem so sanften Licht wirkten die schmutzigen Gesichter wie gewaschen, leuchteten die Augen derer, die nicht schliefen, der erste Blinde suchte die Hand seiner Frau und drückte sie, an dieser Geste kann man ablesen, wie sehr die Entspannung des Körpers zur Harmonie des Geistes beiträgt. Da sagte die Frau des Arztes, Gleich werden wir etwas essen, aber erst wäre es sinnvoll, sich darüber zu verständigen, wie wir hier leben wollen, keine Angst, ich werde nicht die Mitteilung aus dem Lautsprecher wiederholen, zum Schlafen ist ausreichend Platz, wir haben zwei Zimmer für die Paare, hier können auch welche schlafen, jeder auf einem Sofa, morgen werde ich mich auf die Suche nach Essen machen, unser Vorrat geht zu Ende, es wäre nützlich, wenn einer von euch mitkäme, um mir tragen zu helfen, aber auch, damit ihr den Weg nach Hause lernt, die Straßenecken erkennt, eines Tages kann ich krank werden oder erblinden, ich warte immer darauf, daß das geschieht, und dann werde ich von euch lernen müssen, und noch etwas, auf dem Balkon steht ein Eimer für die Bedürfnisse, ich weiß wohl, daß es nicht angenehm ist, hinauszugehen, bei dem Regen, den wir gehabt haben, und der Kälte draußen, jedenfalls ist es so besser, als wenn es in der Wohnung stinkt, vergessen wir nicht, wie unser Leben während der Internierung war, wir sind alle Stufen der Entwürdigung hinuntergestiegen, alle, bis zur Niedertracht, obwohl das auf andere Weise auch hier geschehen kann, dort hatten wir noch die Ausrede der Niedertracht der anderen von außen, jetzt nicht mehr, jetzt sind wir alle gleich vor dem Bösen wie dem Guten, bitte fragt mich nicht, was das Gute und was das Böse ist, wir wußten es immer, als die Blindheit noch eine Ausnahme war, das Richtige und das Falsche sind nur verschiedene Arten, unsere Beziehung zu den anderen zu begreifen, nicht die, die wir zu uns selbst haben, der dürfen wir nicht trauen, entschuldigt diese Moralpredigt, ihr wißt nicht und könnt nicht wissen, was es heißt, Augen in einer Welt von Blinden zu haben, ich bin keine Königin, nein, ich bin einfach die, die geboren wurde, um den Horror zu sehen, ihr fühlt ihn, ich fühle ihn und sehe ihn, Schluß jetzt mit dem Vortrag, laßt uns essen. Niemand stellte Fragen, nur der Arzt sagte, Wenn ich wieder Augen habe, werde ich wahrhaftig in die Augen der anderen blicken, als würde ich ihre Seele sehen, Die Seele, fragte der Alte mit der schwarzen Augenklappe, Oder den Geist, der Name spielt keine Rolle, da sagte überraschenderweise, wenn wir bedenken, daß es sich um einen Menschen mit geringer Bildung handelt, die junge Frau mit der dunklen Brille, In uns gibt es etwas, was keinen Namen hat, das ist das, was wir sind.

Die Frau des Arztes hatte schon das bißchen Essen auf den Tisch gestellt, das noch übrig war, dann half sie allen, sich hinzusetzen, und sagte, Kaut langsam, das hilft, den Magen zu täuschen. Der Hund der Tränen kam nicht, um Essen zu fordern, er war es gewöhnt zu fasten, außerdem wird er gedacht haben, daß er kein Recht hatte, nach dem Festmahl am Morgen auch nur ein bißchen der Frau wegzuessen, die geweint hatte, die anderen schienen für ihn nicht so wichtig zu sein. In der Mitte des Tisches wartete die Öllampe mit den drei Flammen darauf, daß die Frau des Arztes die versprochene Erklärung gab, das tat sie, nachdem sie gegessen hatten, Gib mir deine Hände, sagte sie zum kleinen schielenden Jungen, dann führte sie sie langsam und erklärte dabei, Dies ist der runde Unterbau, wie du siehst, und das die Säule, die den oberen Teil trägt, der Ölbehälter, hier, Vorsicht, verbrenn dich nicht, sind die Schnäbel, eins, zwei, drei, mit den Dochten, die herausstehen, kleine Stoffstreifen, die das Öl von innen aufsaugen, man hält ein Streichholz daran, und sie brennen, bis das Öl aufgebraucht ist, es sind schwache Flammen, aber wir können uns sehen, Ich sehe nichts, Eines Tages wirst du sehen, an diesem Tag schenke ich dir die Öllampe. Welche Farbe hat sie, Hast du noch nie einen Gegenstand aus Messing gesehen, Ich weiß nicht, ich kann mich nicht erinnern, was Messing ist, Messing ist gelb, Ah. Der kleine schielende Junge überlegte ein wenig, Jetzt wird er nach seiner Mutter fragen, dachte die Frau des Arztes, aber sie irrte sich, der Junge sagte nur, daß er Wasser wollte, er hatte großen Durst, Du wirst bis morgen warten müssen, wir haben kein Wasser im Haus, in diesem Augenblick erinnerte sie sich, daß es doch Wasser gab, etwa fünf oder mehr Liter kostbaren Wassers, es war der Inhalt des intakten Toilettentanks, er konnte nicht schlechter sein als das, was sie während der Quarantäne getrunken hatten. Wie blind in der Dunkelheit ging sie ins Bad, tastete sich vor, hob den Deckel vom Wassertank auf, sie konnte nicht sehen, ob wirklich Wasser darin war, aber ihre Finger sagten es ihr, sie suchte nach einem Glas, tauchte es ein, füllte es ganz vorsichtig, die Zivilisation war zurückgekehrt zu den primitiven Schöpfquellen. Als sie das Wohnzimmer betrat, saßen noch alle auf ihren Plätzen. Die Öllampe schien auf die Gesichter, die sich ihr zuwandten, es war, als würde sie sagen, Hier bin ich, seht mich an, nutzt es aus, dieses Licht wird nicht immer brennen. Die Frau des Arztes hob das Glas an die Lippen des kleinen schielenden Jungen und sagte, Hier hast du Wasser, trink langsam, ganz langsam, genieße es, ein Glas Wasser ist ein Wunder, sie sprach nicht zu ihm, sie sprach zu niemandem, sie teilte der Welt einfach mit, welch ein Wunder ein Glas Wasser ist. Wo hast du es gefunden, ist es Regenwasser, fragte ihr Mann, Nein, es ist aus dem Toilettentank, Und hatten wir nicht noch eine große Flasche Wasser, als wir von hier fortgingen, die Frau rief aus, Ja, wie konnte ich das nur vergessen, eine halbvolle Flasche und eine, die noch gar nicht angebrochen war, o wie gut, nicht trinken, nicht trinken, sagte sie zu dem Jungen, wir werden alle reines Wasser trinken, ich stelle unsere besten Gläser auf den Tisch, und wir werden reines Wasser trinken. Diesmal nahm sie die Öllampe mit und ging in die Küche, sie kehrte mit einer Wasserflasche zurück, das Licht schien durch, es ließ das Juwel darin glitzern. Sie stellte die Flasche auf den Tisch, holte Gläser, die besten, die sie hatten, aus feinstem Kristall, und dann, als würde sie ein Ritual ausführen, schenkte sie sie voll. Schließlich sagte sie, Laßt uns trinken. Die blinden Hände suchten und fanden die Gläser, hoben sie zitternd hoch, Laßt uns trinken, wiederholte die Frau des Arztes. Auf der Mitte des Tisches stand die Öllampe wie eine Sonne, umgeben von glitzernden Sternen. Als die Gläser abgesetzt wurden, weinten die junge Frau mit der dunklen Brille und der Alte mit der schwarzen Augenklappe.

Es war eine unruhige Nacht. Zunächst verschwommen, wanderten die Träume von einem Schlafenden zum anderen, pflückten hier und dort, nahmen neue Erinnerungen mit, neue Geheimnisse, neue Wünsche, deshalb seufzten und murmelten die Schlafenden, Das ist nicht mein Traum, sagten sie, aber der Traum antwortete, Du kennst deine Träume noch nicht, und so erfuhr die junge Frau mit der dunklen Brille, wer der Alte mit der schwarzen Augenklappe war, der zwei Schritte entfernt von ihr schlief, so glaubte er zu wissen, wer sie war, das glaubte er nur, denn die Träume entsprachen sich nicht. Es begann zu regnen, als der Morgen dämmerte. Der Wind warf einen Schwall Wasser gegen die Scheiben, der sich wie das Knallen von tausend Peitschen anhörte. Die Frau des Arztes wachte auf, öffnete die Augen und murmelte, Wie es regnet, dann schloß sie sie wieder, im Zimmer war es noch ganz dunkel, sie konnte schlafen. Keine Minute verstrich, jäh wachte sie auf mit dem Gedanken, daß sie etwas zu tun hatte, ohne noch genau zu begreifen, was es war, der Regen sagte ihr, Steh auf, was wollte der Regen wohl. Langsam, um ihren Mann nicht zu wecken, ging sie aus dem Zimmer, durchquerte das Wohnzimmer, hielt einen Moment inne, um die anderen, die auf den Sofas schliefen, zu betrachten, dann ging sie durch den Flur bis zur Küche, auf diesen Teil des Gebäudes fiel der Regen noch stärker, vom Wind gepeitscht. Mit dem Ärmel ihres Kittels wischte sie das beschlagene Fenster an der Tür frei und sah nach draußen. Der ganze Himmel war eine einzige Wolke, es schüttete. Auf dem Boden der Veranda lag schmutzige Wäsche aufgehäuft, die sie ausgezogen hatten, dazu die Plastiktüte mit den Schuhen, die geputzt werden mußten. Putzen. Der letzte Schleier des Schlafes hob sich plötzlich, das war es, was sie tun mußte. Sie öffnete die Tür, tat einen Schritt, und sofort durchnäßte sie der Regen von

Kopf bis Fuß, als stünde sie unter einem Wasserfall. Ich muß dieses Wasser nutzen, dachte sie. Sie ging wieder in die Küche und begann, mit so wenig Lärm wie möglich, Schüsseln, Kessel, Töpfe zu sammeln, alles, was auch nur ein wenig aufnehmen konnte von diesem Regen, der in Strömen vom Himmel fiel, wie dichte Vorhänge, die im Wind flatterten, der über die Dächer der Stadt fegte wie ein großer lärmender Besen. Sie trug sie alle nach draußen, stellte sie entlang der Veranda auf, nahe der Balustrade, jetzt würde sie Wasser haben, um die schmutzige Kleidung zu waschen, die verdreckten Schuhe, hoffentlich hört dieser Regen nicht auf, murmelte sie, während sie in der Küche Seife und Waschmittel holte, alles, was irgendwie zur Reinigung dienen könnte, wenigstens etwas, um diesen unerträglichen Schmutz von der Seele zu wischen. Vom Körper, sagte sie, als wollte sie diesen metaphysischen Gedanken korrigieren, dann fügte sie hinzu, Es kommt auf das gleiche heraus. Und dann, als sei nur diese Schlußfolgerung möglich, die harmonische Versöhnung zwischen dem, was sie gesagt, und dem, was sie gedacht hatte, zog sie sich mit einem Ruck den nassen Kittel aus und empfing auf dem nackten Körper einmal die Liebkosungen, ein andermal die Peitschenhiebe des Regens, nun wusch sie die Wäsche und zugleich sich selbst. Bei dem Lärm des Wassers um sie her entging ihr, daß sie nicht mehr alleine war, an der Tür zur Veranda waren die junge Frau mit der dunklen Brille und die Frau des ersten Blinden aufgetaucht, welche Ahnung, welche Intuition, welche innere Stimme sie geweckt hatte, weiß man nicht, auch weiß man nicht, wie sie den Weg hierher gefunden hatten, es lohnt nicht, jetzt nach Erklärungen dafür zu suchen, jeder möge sich sein Teil denken. Helft mir, sagte die Frau des Arztes, als sie sie erblickte, Wie denn, wenn wir nicht sehen, fragte die Frau des ersten Blinden, Zieht eure Kleidung aus, je weniger wir zu trocknen haben, um so besser, Aber wir sehen doch nicht, wiederholte die Frau des ersten Blinden, Das macht nichts, sagte die junge Frau mit der dunklen Brille, wir werden tun, was wir können, Und ich bringe es dann zu Ende, sagte die Frau des Arztes, ich werde noch waschen, was schmutzig geblieben ist, und jetzt an die Arbeit, also los, wir sind die einzige Frau auf der Welt mit zwei Augen und sechs Händen. Vielleicht dachten im Gebäude gegenüber hinter den geschlossenen Fenstern einige Blinde, Männer und Frauen, die von dem heftig peitschenden Regen aufgewacht waren und, die Stirn an die kalten Scheiben gedrückt, langsam mit ihrem Atem die Nacht bedeckten, an die Zeit, als sie wie jetzt den Regen vom Himmel hatten fallen sehen. Sie konnten sich nicht vorstellen, daß gegenüber drei nackte Frauen standen, nackt, wie sie auf die Welt gekommen waren, sie schienen verrückt zu sein, sie müssen verrückt sein, Menschen bei vollem Verstand werden nicht auf einer Veranda, den Blicken der Nachbarn ausgesetzt, Wäsche waschen, und dann auch noch so, was zählt es, daß wir alle blind sind, das sind Dinge, die man nicht tun sollte, mein Gott, wie der Regen an ihnen herunterläuft, zwischen ihren Brüsten herabrinnt, innehält und sich dann in der Dunkelheit ihrer Scham verliert, wie er schließlich über ihre Schenkel läuft, sie eintaucht, vielleicht haben wir zu Unrecht schlecht von ihnen gedacht, vielleicht sind wir einfach nicht in der Lage zu sehen, was irgendwo in der Stadt an Schönem und Wunderbarem geschieht, vom Boden der Veranda fällt ein Tuch aus Schaum, wie gerne würde ich mitfallen, immer fallen, sauber, gewaschen, nackt. Nur

Gott sieht uns, sagte die Frau des ersten Blinden, die trotz aller Enttäuschungen und Widrigkeiten noch fest daran glaubte, daß Gott nicht blind ist, worauf die Frau des Arztes antwortete, Nicht einmal er, der Himmel ist bedeckt, nur ich kann euch sehen, Bin ich häßlich, fragte die junge Frau mit der dunklen Brille, Du bist mager und schmutzig, häßlich wirst du nie sein, Und ich, fragte die Frau des ersten Blinden, Schmutzig und mager wie sie, nicht ganz so hübsch, aber hübscher als ich, Du bist schön, sagte die junge Frau mit der dunklen Brille, Woher willst du das wissen, wenn du mich nie gesehen hast, Ich habe zweimal von dir geträumt, Wann, Das zweite Mal war letzte Nacht, Du hast von der Wohnung geträumt, weil du dich sicher und ruhig fühltest, das ist nur natürlich, nach allem, was wir durchgemacht haben, in deinem Traum war ich die Wohnung, und da du mir, um mich zu sehen, ein Gesicht geben mußtest, hast du eins erfunden, Aber auch ich finde dich schön, und ich habe nie von dir geträumt, sagte die Frau des ersten Blinden, Das zeigt nur, daß die Blindheit die Vorsehung der Häßlichen ist, Du bist nicht häßlich, Nein, das bin ich nicht, aber ich bin älter, Wie alt bist du, fragte die junge Frau mit der dunklen Brille, Ich gehe auf die Fünfzig zu, Wie meine Mutter, Und sie, Sie was, Ist sie noch hübsch, Früher mehr, So geht es uns allen, wir waren immer einmal mehr, Du bist nie so viel wie jetzt gewesen, sagte die Frau des ersten Blinden. So sind die Wörter, sie verdecken viel, eines reiht sich an das andere, als wüßten sie nicht, wohin sie gehen sollen, und plötzlich, wegen zwei oder dreien oder vier, die plötzlich hervorkommen, einfach in sich selbst, ein Personalpronomen, ein Adverb, ein Verb, ein Adjektiv, haben wir die ganze Erschütterung, die unwiderstehlich an die Oberfläche der Haut und der Augen dringt und unseren Gemütszustand aufwühlt, manchmal sind es die Nerven, die es nicht mehr aushalten, sie haben viel durchgestanden, alles durchgestanden, es war, als hätten sie eine Rüstung getragen, es heißt, Die Frau des Arztes hat Nerven wie Stahlseile, und plötzlich löst sich die Frau des Arztes in Tränen auf, wegen eines Personalpronomens, eines Adverbs, eines Verbs, eines Adjektivs, einfacher grammatikalischer Kategorien, einfacher Begriffe, wie auch die beiden anderen Frauen, indefinite Pronomen, auch ihnen ist zum Weinen, sie umarmen sich zum vollständigen Satz, drei nackte Grazien unter dem strömenden Regen. Es sind Augenblicke, die nicht ewig dauern können, seit mehr als einer Stunde sind die Frauen hier, sie beginnen zu frieren, Mir ist kalt, sagte die junge Frau mit der dunklen Brille. Für die Kleidung kann man jetzt nichts mehr tun, die Schuhe sind sauber, jetzt müssen diese Frauen sich waschen, sie seifen sich die Haare und gegenseitig den Rücken ein und lachen, wie sie nur gelacht haben, wenn sie als Kinder im Garten Blindekuh spielten, als sie noch nicht blind waren. Nun ist es Tag geworden, erste Sonnenstrahlen lugen über die Schulter der Welt, bevor sie sich wieder hinter den Wolken verstecken. Es regnet weiter, aber nicht mehr ganz so stark. Die Wäscherinnen haben die Küche betreten, sich abgetrocknet und mit den Handtüchern abgerieben, die die Frau des Arztes im Badezimmer aus dem Schrank geholt hatte, ihre Haut riecht nach Reinigungsmittel, aber so ist das Leben, ein jeder ohne Hund jagt mit einer Katze, die Seife hat sich im Handumdrehen aufgelöst, und dennoch scheint es in diesem Haus noch alles zu geben, oder ist es, weil alles umsichtig genutzt wird, schließlich ziehen sie sich an, das Paradies war dort draußen auf der Veranda, der Kittel der Frau des Arztes ist klatschnaß, aber sie hat ein Kleid mit Zweigen und Blüten angezogen, das sie seit Jahren nicht mehr getragen hat und das sie nun zur Schönsten von den dreien macht.

Als sie das Wohnzimmer betraten, sah die Frau des Arztes, daß der Alte mit der schwarzen Augenklappe auf dem Sofa saß, auf dem er geschlafen hatte. Er hatte den Kopf auf die Hände gestützt, die Finger fuhren durch das dichte weiße Haar, das ihm noch an den Wurzeln und im Nacken geblieben war, er saß reglos, angespannt da, als wollte er die Gedanken zurückhalten oder im Gegenteil sie daran hindern, fortzufahren. Er hörte sie hereinkommen, wußte, von welcher Seite, was sie getan hatten, daß sie nackt gewesen waren, und wenn er so vieles wußte, dann nicht, weil er plötzlich sein Augenlicht wiedererlangt hatte und wie die anderen Alten nicht eine Susanne im Bade, sondern drei hatte erspähen wollen, blind war er gewesen, blind war er auch jetzt, er war nur an die Küchentür gegangen und hatte von dort zugehört, was sie auf der Veranda redeten, das Lachen, das Strömen des Regens und das Plätschern des Wassers, er hatte den Duft der Seife eingeatmet, dann war er zu seinem Sofa zurückgekehrt und hatte darüber nachgedacht, daß es noch Leben auf der Welt gab, und sich gefragt, ob er daran noch einen Anteil hatte. Die Frau des Arztes sagte, Wir Frauen sind schon gewaschen, jetzt sind die Männer dran, und der Alte mit der schwarzen Augenklappe fragte, Regnet es noch, Ja, und in den Schüsseln auf der Veranda gibt es Wasser, Dann möchte ich mich lieber im Bad waschen, in der Wanne, er sprach das Wort aus, als würde er seine Geburtsurkunde vorlegen, als würde er erklären, Ich bin aus der Zeit, in der man nicht Badewanne, sondern Badebottich sagte, und fügte hinzu, Wenn es dir nichts ausmacht, natürlich, ich möchte nicht dein Haus schmutzig machen, ich verspreche, daß ich kein Wasser auf den Boden verschütten werde, nun, ich werde mich bemühen, In diesem Fall werde ich dir die Schüsseln ins Bad bringen, Ich helfe dir, Ich kann sie allein tragen, Zu irgendwas muß ich doch noch nütze sein, ich bin doch kein Invalide, Dann komm. Auf der Veranda zog die Frau des Arztes eine Schüssel, die fast vollständig mit Wasser gefüllt war, heran, Faß hier an, sagte sie zum Alten mit der schwarzen Augenklappe und führte ihm die Hand, Jetzt, sie hoben die schwere Schüssel an, Wie gut, daß du gekommen bist, um mir zu helfen, ich allein hätte sie doch nicht tragen können, Du kennst doch das Sprichwort, Welches Sprichwort, Die Alten zum Rat, die Jungen zur Tat, Ich kenne ein besseres, Alte Philosophen taugen nicht zu jungen Zofen, Das kenn ich auch, aber jetzt trifft es nicht zu, wenn Sprichwörter immer noch etwas aussagen wollen, müssen sie sich auch den Zeiten anpassen, Aber du bist ein Philosoph, Von wegen, ich bin nur ein alter Mann. Sie leerten die Schüssel über der Badewanne aus, dann öffnete die Frau des Arztes eine Schublade, sie erinnerte sich, daß sie dort noch Seife hatte. Sie legte das Stück in die Hand des Alten mit der schwarzen Augenklappe, Du wirst duften, besser als wir, nimm reichlich davon, keine Sorge, es wird Essen fehlen, aber keine Seife, in diesen Supermärkten bestimmt nicht, Danke, Und Vorsicht, daß du nicht ausrutschst, wenn du willst, rufe ich meinen Mann, damit er dir hilft, Nein, ich möchte mich lieber alleine waschen, Wie du willst, und hier, gib mir deine Hand, hier hast du einen Rasierapparat, einen Pinsel, wenn du dich rasieren willst, Danke, die Frau des Arztes ging hinaus. Der Alte mit der schwarzen Augenklappe zog den Schlafanzug aus, den er bei der Verteilung der Wäsche ergattert hatte, und dann stieg er sehr vorsichtig in die Badewanne, das Wasser war kalt, und es war nicht viel, nicht einmal eine Handbreit tief, welch ein Unterschied, das Wasser reichlich vom Himmel herab zu empfangen, lachend wie die drei Frauen, und jetzt dieses traurige Plätschern. Er kniete sich auf den Boden der Badewanne, atmete tief ein, und die Hände zur Muschel geformt, klatschte er sich den ersten Schwall Wasser an die Brust, daß es ihm beinahe den Atem verschlug. Er machte sich rasch naß, um keine Zeit zum Frieren zu haben, und begann dann sich methodisch einzuseifen, rieb sich energisch, von den Schultern angefangen, die Arme, die Brust und den Bauch, den Schamhügel, den Penis, zwischen den Beinen, Ich bin schlechter dran als ein Tier, dann die mageren Schenkel, bis zu der Schmutzschicht an seinen Füßen. Er ließ den Schaum noch etwas stehen, damit der Reinigungsprozeß andauerte, und sagte, Ich muß mir auch die Haare waschen, er hob die Hände hinter den Kopf, um die Augenklappe abzunehmen, du brauchst auch ein Bad, jetzt fühlte er den warmen Körper, er machte sich die Haare naß und seifte sie ein, er war ein Schaummann, weiß inmitten einer weißen Blindheit, in der ihn niemand finden konnte, er täuschte sich, in diesem Augenblick fühlte er, wie Hände ihn an der Schulter berührten, sie nahmen ihm den Schaum von den Armen, auch von der Brust, und verteilten ihn dann auf seinem Rücken, ganz langsam, als würden sie nicht sehen, was sie tun, aber mit viel Aufmerksamkeit widmeten sie sich dieser Arbeit. Er wollte fragen, Wer bist du, aber seine Zunge war wie gelähmt, er konnte nichts sagen, jetzt zitterte sein Körper, nicht vor Kälte, die Hände wuschen ihn weiter, die Frau sagte nicht, Ich bin die Frau des Arztes, ich bin die des ersten Blinden, ich bin die junge Frau mit der dunklen Brille, die Hände vollendeten ihr Werk, zogen sich zurück, man hörte in der Stille das leise Schließen der Badezimmertür, der Alte mit der schwarzen Augenklappe war allein, auf Knien in der Badewanne, als flehe er um Erbarmen, zitternd, zitternd, Wer war das wohl, fragte er sich, sein Verstand sagte ihm, daß es nur die Frau des Arztes gewesen sein konnte, sie ist es, die sieht, sie hat uns beschützt, umsorgt und ernährt, es würde nicht verwundern, wenn sie auch diese diskrete Aufmerksamkeit besessen hätte, das sagte ihm sein Verstand, doch er glaubte nicht an den Verstand. Er zitterte noch immer, er wußte nicht, ob vor Erregung oder Kälte, er suchte die Augenklappe, unten in der Badewanne, rieb sie kräftig, wrang sie aus und legte sie wieder um den Kopf, mit ihr fühlte er sich weniger nackt. Als er das Wohnzimmer betrat, trocken und duftend, sagte die Frau des Arztes, Jetzt haben wir schon einen sauberen rasierten Mann, und dann, wie jemand, der sich an etwas erinnert, was hätte getan werden müssen, aber nicht getan wurde, Jetzt ist dir der Rücken gar nicht gewaschen worden, wie schade. Der Alte mit der schwarzen Augenklappe antwortete nicht, er dachte nur, er hatte recht gehabt, nicht an den Verstand zu glauben.

Das bißchen Essen, das sie hatten, gaben sie dem kleinen schielenden Jungen, die anderen müßten warten, bis Nachschub kam. In der Speisekammer gab es ein paar Gläser Kompott, einige Trockenfrüchte, Zucker, einen Rest Kekse, ein paar trockene Toastscheiben, aber diese und andere Vorräte würden sie nur im Fall äußerster Not anbrechen, die tägliche

Nahrung müßte täglich besorgt werden, und wenn die Expedition einmal durch irgendein Mißgeschick mit leeren Händen zurückkäme, ja, dann würden sie jedem zwei Kekse und einen Löffel Kompott geben, Wir haben Kompott aus Erdbeeren und aus Pfirsich, welches mögt ihr lieber, drei halbe Nüsse, ein Glas Wasser, ein Luxus, solange es reicht. Die Frau des ersten Blinden sagte, sie würde auch gern mitkommen auf Nahrungssuche, drei seien nicht zuviel, auch wenn zwei von ihnen blind seien, könnten sie tragen helfen, und außerdem würde sie bei der Gelegenheit, da sie nicht so weit weg waren, auch gerne nachsehen, wie es um ihre Wohnung stand, ob sie belegt war, ob von Bekannten, zum Beispiel von Nachbarn aus dem Haus, deren Familie sich vergrößert hatte, weil einige Verwandte aus dem Hinterland dazugekommen waren in der Vorstellung, hier könnten sie sich vor der Blindenepidemie, die das Dorf befallen hatte, retten, man weiß ja, daß es in der Stadt immer andere Möglichkeiten gibt. Die drei gingen also hinaus, eingehüllt in das, was in der Wohnung an Kleidung noch übrig gewesen war, denn ihre Kleider waren gewaschen worden und mußten nun das gute Wetter abwarten. Der Himmel war noch bedeckt, aber es drohte nicht mehr zu regnen. Vom Wasser weggeschwemmt, vor allem in den abschüssigen Straßen, hatte sich der Müll zu kleinen Haufen aufgetürmt und große Teile des Straßenbelags freigelassen. Hoffentlich kommt noch mehr Regen, die Sonne wäre in dieser Situation das Schlimmste, was uns passieren könnte, sagte die Frau des Arztes, wir haben schon genug Fäulnis und Gestank, Wir riechen es jetzt deutlicher, weil wir uns gewaschen haben, sagte die Frau des ersten Blinden, und ihr Mann stimmte ihr zu, obwohl er den Verdacht hatte, daß er sich bei dem Bad mit dem kalten Wasser erkältet haben könnte. Es waren unendlich viele Blinde auf den Straßen, alle nutzten die Unterbrechung, um Lebensmittel zu suchen und ihre Bedürfnisse zu befriedigen, zu denen sie das bißchen Essen und Trinken immer noch zwang. Die Hunde schnüffelten überall herum, wühlten den Müll auf, einer schleppte eine ertrunkene Ratte im Maul weg, ein sehr seltener Fall, der sich nur durch den heftigen Regen erklären läßt, die Ratte mußte an einer ungünstigen Stelle erwischt worden sein, und wenig hatte es ihr genützt, eine gute Schwimmerin zu sein. Der Hund der Tränen mischte sich nicht unter die alten Gefährten im Rudel und der Jagd, er hatte seine Wahl getroffen, aber er ist auch kein Tier, das darauf wartet, daß man es ernährt, er hat schon etwas im Maul, man weiß nicht was, diese Müllhaufen bergen unvorstellbare Schätze, man muß nur suchen, herumwühlen und finden. Auch in der Erinnerung wird man suchen und herumwühlen, wenn die Gelegenheit sich ergibt, der erste Blinde und seine Frau haben sich schon die vier Ecken gemerkt, nicht der Wohnung, in der sie leben, da gibt es viel mehr, sondern der Straße, in der sie wohnen, die vier Ecken, die ihnen als wichtigste Anhaltspunkte dienen werden, den Blinden ist es egal, wo Osten oder Westen liegt, Norden oder Süden, sie wollen, daß ihre tastenden Hände ihnen sagen, ob sie auf dem richtigen Weg sind, früher, als es noch wenige waren, pflegten sie weiße Stöcke zu benutzen, der Ton der ständigen Schläge auf den Boden und an die Wände war eine Art Chiffre, durch die sie den Weg identifizierten und wiedererkannten, doch heutzutage, da alle blind sind, wäre ein solcher Stock mitten in dem allgemeinen Getöse nicht gerade nützlich, abgesehen davon, daß der Blinde, eingetaucht in das eigene Weiß, noch zweifeln würde, ob er überhaupt etwas in der Hand hält. Hunde haben außer dem, was wir Instinkt nennen, wie man weiß, auch ein anderes Orientierungsvermögen, sie sind zwar kurzsichtig, sie vertrauen nicht sehr auf die Augen, aber sie tragen ihre Nase ein Stück weit vor den Augen und gelangen immer an die Orte, die sie erreichen wollen, in diesem Fall hob der Hund der Tränen vorsichtshalber sein Bein in alle vier Himmelsrichtungen, der Windhauch wird ihn schon nach Hause bringen, wenn er sich eines Tages verlaufen sollte. Unterwegs schaute die Frau des Arztes sich links und rechts in den Straßen um, auf der Suche nach Lebensmittelgeschäften, in denen sie die nahezu erschöpften Vorräte wieder auffüllen konnten. Die Plünderungen waren nicht lückenlos gewesen, denn in einigen früheren Lebensmittelläden gab es noch Bohnen oder irgendwelche anderen Hülsenfrüchte in den Vorratslagern, Gemüse, das man lange kochen muß, und dazu braucht man Wasser und etwas zum Heizen, und daran herrscht zur Zeit Mangel. Die Frau des Arztes war zwar nicht sonderlich für lehrreiche Betrachtungen nach Art der Sprichwörter zu haben, doch ein wenig von dieser alten Weisheit mußte ihr wohl noch im Gedächtnis geblieben sein, denn sie füllte zwei Plastiktüten, die sie dabeihatten, mit Bohnen und Kichererbsen, Bewahre, was dir nutzlos erscheint, du wirst sehen, wozu es noch gut ist, hatte ihr eine Großmutter gesagt, schließlich konnte sie das Wasser, in dem sie die Hülsenfrüchte einweichte, auch zum Kochen verwenden, und daraus würde sie eine Brühe gewinnen. Nicht nur in der Natur geht nicht alles verloren und kann noch so manches genutzt werden.

Warum sie die Beutel so voller Bohnen und Hülsenfrüchte

mitnahmen, mehr, als sie eigentlich tragen konnten, zumal der Weg noch sehr weit war, bis zu der Straße, in der der erste Blinde und seine Frau gewohnt hatten, das ist eine Frage, die nur jemand stellen kann, der nie in seinem Leben einen Mangel erlitten hat. Nimm es mit, selbst wenn es nur ein Stein ist, hatte jene selbe Großmutter der Frau des Arztes gesagt, nur hatte sie vergessen hinzuzufügen, Selbst wenn es eine Reise um die Welt bedeutet, denn die unternahmen sie gerade, sie gingen auf dem längsten Weg nach Hause. Wo sind wir, fragte der erste Blinde, und die Frau des Arztes sagte es ihm, und er, Hier bin ich erblindet, an der Ecke, wo die Ampel ist, Hier, Genau hier. Ich will lieber nicht daran denken, was ich durchgemacht habe, wie ich im Auto saß, ohne sehen zu können, und die Menschen, die draußen riefen, und wie ich ganz verzweifelt brüllte, Ich bin blind, bis jener Mann kam und mich nach Hause brachte, Der Ärmste, sagte die Frau des ersten Blinden, der wird nie wieder ein Auto stehlen, Es fällt uns so schwer, daran zu denken, daß wir sterben müssen, sagte die Frau des Arztes, daß wir immer Entschuldigungen für die Toten suchen, als würden wir schon im voraus darum bitten, daß man uns entschuldigt, wenn wir dran sind, All das kommt mir wie ein Traum vor, sagte die Frau des ersten Blinden, es ist, als träumte ich, ich sei blind, Als ich in der Wohnung war und auf dich wartete, habe ich das auch gedacht, sagte der Mann. Sie hatten die Stelle, an der es geschehen war, hinter sich gelassen, jetzt gingen sie einige enge labyrinthische Straßen hinauf, die Frau des Arztes kennt diesen Teil wenig, aber der erste Blinde verläuft sich nicht, er orientiert sich, sie gibt die Straßennamen an, und er sagt, Jetzt gehen wir links, jetzt rechts, und schließlich sagte er, Das ist unsere Straße, das Haus steht auf der linken Seite, ungefähr in der Mitte, Welche Nummer hat es, fragte die Frau des Arztes, Er konnte sich nicht erinnern, Na so was, wieso erinnere ich mich nicht, es ist wie aus meinem Kopf gefegt, sagte er, ein sehr schlechtes Zeichen, wenn wir schon nicht einmal mehr wissen, wo wir wohnen und der Traum den Platz der Erinnerung eingenommen hat, wohin wird uns das führen. Schon gut, diesmal ist der Fall nicht so ernst, glücklicherweise hatte die Frau des ersten Blinden die Idee gehabt, auf diesen Ausflug mitzukommen, und da nannte sie auch schon die Hausnummer, man brauchte also nicht auf den ersten Blinden zurückzukommen, der sich damit gebrüstet hatte, die Tür durch den Tastsinn zu erkennen, als würde er die Wünschelrute ansetzen, eine Berührung, Metall, noch eine Berührung, Holz, und mit weiteren drei oder vier hätte er die komplette Form der Tür vor sich, kein Zweifel, hier ist sie. Sie traten ein, die Frau des Arztes ging vor, Welches Stockwerk, fragte sie, Drittes, antwortete der erste Blinde, so schwach war sein Gedächtnis nicht gewesen, wie es den Anschein gehabt hatte, manches vergißt man, das ist das Leben, an manches erinnert man sich, zum Beispiel daran, wie er, bereits erblindet, durch diese Tür gegangen war, Wo wohnen Sie, hatte der Mann ihn gefragt, der ihm das Auto noch nicht gestohlen hatte, Im dritten, hatte er geantwortet, der Unterschied ist nur, daß sie jetzt nicht mehr im Fahrstuhl hinauffahren, sie gehen über die unsichtbaren Stufen der Treppe, die gleichzeitig dunkel und leuchtend ist, der Strom fehlt für die, die nicht blind sind, oder das Sonnenlicht, oder ein Kerzenstummel, jetzt hatten die Augen der Frau des Arztes schon Zeit gehabt, sich an die Finsternis zu gewöhnen, auf halbem Weg stießen die, die hinaufgingen, gegen zwei Frauen, die herunterkamen, zwei Blinde aus den Stockwerken darüber, vielleicht aus dem dritten, niemand stellte Fragen, denn die Nachbarn sind nicht mehr die, die sie vorher waren.

Die Tür war geschlossen. Was sollen wir tun, fragte die Frau des Arztes, Ich rede, sagte der erste Blinde. Sie klopften einmal, zweimal, dreimal, Da ist niemand, sagte einer von ihnen genau in dem Augenblick, als die Tür sich öffnete, es verwunderte nicht, daß es so lange gedauert hatte, ein Blinder ganz hinten in der Wohnung konnte nicht angerannt kommen, wenn ihn jemand rief, Wer ist da, was möchten Sie, fragte der Mann, der ihnen geöffnet hatte, er wirkte ernsthaft, wohlerzogen, ganz umgänglich. Da sagte der erste Blinde, Ich habe in dieser Wohnung gewohnt, Ah, war die Antwort des anderen, dann fragte er, Ist noch jemand bei Ihnen, Meine Frau und noch eine Freundin von uns, Und wie kann ich wissen, daß diese Wohnung Ihnen gehörte, Ganz einfach, sagte die Frau des ersten Blinden, ich beschreibe Ihnen alles, was es da drinnen gibt. Der andere schwieg für ein paar Sekunden, dann sagte er, Kommen Sie herein. Die Frau des Arztes ging hinterher, hier brauchte niemand einen Führer. Der Blinde sagte, Ich bin allein, meine Leute haben sich auf die Suche nach Essen gemacht, vielleicht hätte ich sagen sollen, meine Frauen, aber ich glaube nicht, daß das richtig ist, er machte eine Pause und fügte dann hinzu, Obwohl ich es eigentlich wissen müßte, Was wollen Sie damit sagen, fragte die Frau des Arztes, Meine Leute, von denen ich sprach, das sind meine Frau und meine beiden Töchter, Und warum müßten Sie so genau wissen, wie Sie sie nennen sollen, Ich bin Schriftsteller, man möchte meinen, daß wir diese Dinge wissen sollten. Der erste Blinde fühlte sich geschmeichelt, man stelle sich vor, ein Schriftsteller in meiner Wohnung, dann überkamen ihn Zweifel, ob es wohl höflich wäre, den anderen nach seinem Namen zu fragen, wahrscheinlich kannte er ihn sogar, es konnte ja sein, und vielleicht hatte er sogar etwas von ihm gelesen, er überlegte, hin und her gerissen zwischen Neugier und Taktgefühl, als seine Frau direkt fragte, Wie heißen Sie, Blinde brauchen keine Namen, ich bin diese Stimme, die ich habe, der Rest ist nicht wichtig, Aber Sie haben Bücher geschrieben, und diese Bücher tragen Ihren Namen, sagte die Frau des Arztes, Jetzt kann sie niemand mehr lesen, also ist es, als existierten sie nicht. Der erste Blinde fand, daß die Unterhaltung sich zu sehr von der Frage entfernte, die ihn am meisten interessierte, Und wie sind Sie in meine Wohnung gekommen, fragte er, Wie viele andere, die nicht mehr dort leben, wo sie vorher gewohnt haben, habe ich meine Wohnung belegt vorgefunden, von Menschen, die nicht lange diskutieren wollten, man kann sagen, wir wurden die Treppe hinuntergeworfen, Ist Ihre Wohnung weit von hier, Nein, Haben Sie irgendeinen Versuch unternommen, sie wiederzubekommen, fragte die Frau des Arztes, es ist häufig so, daß die Menschen jetzt von einer Wohnung zur anderen gehen, Ich habe es zweimal versucht, Und sie waren immer noch da, Ja. Und was wollen Sie nun tun, nachdem Sie wissen, daß dies unsere Wohnung ist, wollte der erste Blinde wissen, werden Sie uns hinauswerfen, wie die anderen es mit Ihnen getan haben, Ich habe weder das Alter noch die Kraft zu so etwas, und selbst wenn ich sie hätte, glaube ich nicht, daß ich fähig wäre, auf solch abrupte Methoden zurückzugreifen, ein Schriftsteller erlangt im Leben schließlich die Geduld, die er braucht, um zu schreiben, Sie werden uns also die Wohnung überlassen, Ja, wenn wir keine andere Lösung finden, Ich weiß nicht, welche andere Lösung wir finden sollten. Die Frau des Arztes hatte schon geahnt, was der Schriftsteller antworten würde, Sie und Ihre Frau und die Freundin, die Sie begleitet, leben doch in einer Wohnung, vermute ich, Ja, genaugenommen in ihrer Wohnung, Ist sie weit weg, Nicht weit weg, kann man nicht sagen, Dann, wenn Sie gestatten, mache ich Ihnen einen Vorschlag, Ja bitte, Lassen Sie uns so weitermachen wie bisher, in diesem Augenblick haben beide Seiten eine Wohnung, in der wir leben können, ich werde aufmerksam verfolgen, was mit meiner geschieht, und wenn sie eines Tages frei ist, dann ziehe ich sofort wieder dorthin, und Sie werden das gleiche tun, Sie werden regelmäßig herkommen, und wenn Sie die Wohnung leer vorfinden, ziehen Sie wieder ein, Ich bin nicht sicher, ob ich diese Idee gut finde, Das dachte ich mir, aber ich möchte bezweifeln, ob die einzig andere Alternative, die Ihnen bleibt, angenehmer ist, Und die wäre, Genau in diesem Augenblick die Wohnung zurückzugewinnen, die Ihnen gehört, Und dann, Genau, dann werden wir irgendwo anders hingehen, Nein, kommt nicht in Frage, sagte die Frau des ersten Blinden, wir lassen die Dinge so, wie sie sind, und es wird sich schon alles finden, Mir ist gerade eingefallen, daß es noch eine andere Lösung gibt, sagte der Schriftsteller, Und die wäre, fragte der erste Blinde, Wir könnten hier als Ihre Gäste leben, die Wohnung wäre für alle groß genug, Nein, sagte die Frau des ersten Blinden, wir machen so weiter wie bisher, wir werden bei unserer Freundin hier wohnen, ich brauche dich nicht zu fragen, fügte sie hinzu, an die Frau des Arztes gewandt, Und ich brauche dir gar nicht zu antworten,

Ich danke Ihnen allen, sagte der Schriftsteller, in Wahrheit haben wir die ganze Zeit darauf gewartet, daß man die Wohnung zurückfordert, Sich mit dem zufriedenzugeben, was man hat, ist das Selbstverständlichste, wenn man blind ist, sagte die Frau des Arztes, Wie haben Sie denn seit dem Beginn der Epidemie gelebt, Wir sind vor drei Tagen aus der Internierung gekommen, Oh, Sie gehören zu denen, die in Quarantäne waren, Ja, Das war hart, Das ist sehr milde ausgedrückt, Entsetzlich, Sie sind Schriftsteller, Sie müssen, wie Sie gerade noch gesagt haben, sich mit den Wörtern auskennen, also wissen Sie auch, daß Adjektive nichts nützen, wenn ein Mensch einen anderen tötet, wäre es zum Beispiel besser, dies einfach auszusprechen und darauf zu vertrauen, daß das Entsetzliche dieser Tat an sich schockierend genug ist, so daß wir nicht noch zu sagen brauchen, es war schrecklich, Wollen Sie damit sagen, daß wir zu viele Wörter haben, Ich wollte damit sagen, daß wir zuwenig Gefühle haben, Oder wir haben sie, aber wir benutzen die Wörter nicht, die sie ausdrücken, Und deshalb verlieren wir sie, Ich würde gerne von Ihnen hören, wie Sie in der Quarantäne gelebt haben, Warum, Ich bin Schriftsteller, Man muß dort gewesen sein, Ein Schriftsteller ist wie jeder andere Mensch auch, er kann nicht alles wissen und auch nicht alles erleben, er muß fragen und sich dann etwas vorstellen, Eines Tages erzähle ich Ihnen vielleicht, wie es war, dann können Sie ein Buch schreiben, Das schreibe ich schon, Wie denn, wenn Sie blind sind, Auch Blinde können schreiben, Heißt das, daß Sie Zeit hatten, die Brailleschrift zu lernen, Ich kenne die Brailleschrift nicht, Wie können Sie denn dann schreiben, fragte der erste Blinde, Das werde ich Ihnen zeigen. Er erhob sich vom Stuhl, ging hinaus, kam nach einer

Minute zurück und hielt ein Blatt Papier und einen Kugelschreiber in der Hand, Das ist die letzte vollständige Seite, die ich geschrieben habe, Wir können sie aber nicht sehen, sagte die Frau des ersten Blinden, Ich auch nicht, sagte der Schriftsteller, Und wie können Sie dann schreiben, fragte die Frau des Arztes und betrachtete das Blatt Papier, auf dem man im Dämmerlicht des Wohnzimmers eng geschriebene Zeilen erkennen konnte, die sich an dem einen oder anderen Punkt überschnitten, Durch den Tastsinn, antwortete der Schriftsteller lächelnd, das ist nicht schwer, man legt das Blatt Papier auf etwas Weiches wie zum Beispiel andere Blätter, und dann braucht man nur zu schreiben, Aber wenn Sie nichts sehen, sagte der erste Blinde, Der Kugelschreiber ist ein sehr gutes Arbeitsinstrument für blinde Schriftsteller, er hilft ihnen nicht, das zu lesen, was sie geschrieben haben, aber er hilft ihnen zu wissen, wo sie geschrieben haben, Sie brauchen mit dem Finger nur den Abdruck der letzten geschriebenen Zeile zu ertasten, und so können Sie wieder an den Rand des Blattes gehen und den Abstand zur neuen Zeile abschätzen, die Sie schreiben wollen, das ist ganz leicht, Mir fällt auf, daß die Linien sich manchmal überschneiden, sagte die Frau des Arztes und nahm ihm vorsichtig das Blatt Papier aus der Hand, Woher wissen Sie das, Ich kann sehen, Sie können sehen, haben Sie das Augenlicht wiedergewonnen, wie denn, wann, fragte der Schriftsteller nervös, Ich vermute, ich bin der einzige Mensch, der das Augenlicht nie verloren hat, Und warum, welche Erklärung gibt es dafür, Ich habe keine Erklärung dafür, wahrscheinlich gibt es keine, Das bedeutet, daß Sie alles gesehen haben, was passiert ist, Ich habe gesehen, was ich gesehen habe, ich hatte keine andere Wahl, Wie viele Menschen waren in dieser Quarantäne, Ungefähr dreihundert, Seit wann, Von Anfang an, wir sind erst vor drei Tagen herausgekommen, wie ich Ihnen schon gesagt habe, Ich glaube, ich war der erste, der erblindete, sagte der erste Blinde, Das muß entsetzlich gewesen sein, Schon wieder dieses Wort, sagte die Frau des Arztes, Entschuldigen Sie, plötzlich erscheint es mir lächerlich, alles, was ich aufgeschrieben habe, seit wir erblindet sind, meine Familie und ich, Worüber denn, Über das, was wir durchgemacht haben, über unser Leben, Jeder soll über das sprechen, was er weiß, und das, was er nicht weiß, erfragt er, Ich frage Sie, Und ich werde Ihnen antworten, ich weiß nicht wann, eines Tages. Die Frau des Arztes berührte mit dem Blatt Papier die Hand des Schriftstellers, Macht es Ihnen etwas aus, mir zu zeigen, wo Sie arbeiten und was Sie gerade schreiben, Im Gegenteil, kommen Sie mit, Können wir auch mitkommen, fragte die Frau des ersten Blinden, Es ist Ihre Wohnung, sagte der Schriftsteller, ich bin hier nur vorübergehend, Im Schlafzimmer gab es einen kleinen Tisch, und darauf stand ein Leuchter. Das dämmrige Licht, das durch das Fenster hereinfiel, ließ links einige weiße Blätter erkennen und rechts einige, die beschrieben waren, in der Mitte eine halbvolle Seite. Neben dem Leuchter lagen zwei neue Kugelschreiber. Hier ist es, sagte der Schriftsteller. Die Frau des Arztes fragte, Darf ich, und ohne die Antwort abzuwarten, nahm sie die beschriebenen Blätter in die Hand, es mußten etwa zwanzig sein, fuhr mit den Augen über die kleine Schrift, über die Linien, die auf und ab gingen, über die Wörter, die auf dem Weiß des Papiers eingeschrieben waren, eingraviert in die Blindheit, Ich bin nur vorübergehend hier, hatte der Schriftsteller gesagt, und das waren die Zeichen, die er im Vorübergehen hinterließ. Die Frau des Arztes legte ihre Hand auf seine Schulter, und er suchte sie mit seinen beiden Händen, führte sie langsam zu den Lippen, Verlieren Sie sich nicht, lassen Sie sich nicht unterkriegen, sagte sie, und es waren unverhoffte Worte, rätselhaft, sie schienen einfach dahingesprochen.

Als sie in die Wohnung zurückkehrten, beladen mit ausreichend Lebensmitteln für drei Tage, erzählte die Frau des Arztes, unterbrochen von aufgeregten Bemerkungen des ersten Blinden und seiner Frau, was sich zugetragen hatte. Und abends las sie wieder einige Seiten aus dem Buch vor, das sie aus der Bibliothek geholt hatte. Das Thema interessierte den kleinen schielenden Jungen nicht, er war in kurzer Zeit eingeschlafen, den Kopf auf dem Schoß der jungen Frau mit der dunklen Brille und die Füße auf den Beinen des alten Mannes mit der schwarzen Augenklappe.

Nach zwei Tagen sagte der Arzt, Ich würde gern wissen, was aus der Praxis geworden ist, wir sind jetzt zu überhaupt nichts mehr zu gebrauchen, weder die Praxis noch ich, aber vielleicht haben die Menschen eines Tages ihr Augenlicht wieder, die Apparate müssen noch da stehen und warten, Wir gehen hin, wann du willst, sagte seine Frau, Jetzt gleich, Und wir könnten den Weg dazu nutzen, um bei meiner Wohnung vorbeizugehen, wenn es Ihnen nichts ausmacht, sagte die junge Frau mit der dunklen Brille, ich glaube zwar nicht, daß meine Eltern zurückgekehrt sind, es ist nur, um mein Gewissen zu beruhigen, Gut, dann gehen wir auch zu deiner Wohnung, sagte die Frau des Arztes. Sonst wollte sich niemand mehr dem Wohnungserkundungsgang anschließen, weder der erste Blinde und seine Frau, weil sie schon wußten, was sie erwartete, der Alte mit der schwarzen Augenklappe wußte es ebenfalls, wenngleich nicht aus denselben Gründen, noch der kleine schielende Junge, weil er sich nicht an den Namen der Straße erinnern konnte, in der er gewohnt hatte. Das Wetter war klar, es sah aus, als hätte der Regen ganz aufgehört, und man spürte nun, wenn auch noch blaß, die Sonne auf der Haut, Ich weiß nicht, wie wir weiterleben sollen, wenn die Hitze wirklich zunimmt, sagte der Arzt, dieser ganze Müll, der hier verfault, die toten Tiere, vielleicht sogar tote Menschen, es muß Tote in den Häusern geben, das Schlimme ist, daß wir nicht organisiert sind, es müßte eine Organisation in jedem Gebäude geben, in jeder

Straße, in jedem Viertel, Eine Regierung, sagte seine Frau, Eine Organisation, auch der Körper ist ein organisiertes System, er ist lebendig, solange er organisiert ist, und der Tod ist nichts anderes als die Auswirkung einer Desorganisation, Und wie kann eine Gesellschaft von Blinden sich organisieren, damit sie lebt, Indem sie sich organisiert, sich organisieren heißt in gewisser Weise schon, Augen zu haben, Du hast recht, vielleicht, aber die Erfahrung dieser Blindheit hat uns nur Tod und Elend gebracht, meine Augen ebenso wie deine Praxis waren zu nichts nutze, Dank deiner Augen sind wir am Leben, sagte die junge Frau mit der dunklen Brille, Wir wären es auch, wenn ich blind wäre, die Welt ist voller lebender Blinder, Ich glaube, wir werden alle sterben, es ist eine Frage der Zeit, Sterben war immer eine Frage der Zeit, sagte der Arzt, Aber zu sterben, nur weil man blind ist, es kann keine schlimmere Art zu sterben geben, Wir sterben an Krankheiten, durch Unfälle, durch Zufälle, Und jetzt werden wir auch noch sterben, weil wir blind sind, ich meine, wir werden an Blindheit und Krebs sterben, an Blindheit und Tuberkulose, an Blindheit und Aids, an Blindheit und Herzinfarkt, die Krankheiten werden von Mensch zu Mensch verschieden sein, aber was uns jetzt wirklich umbringen kann, ist die Blindheit, wir sind nicht unsterblich, wir können dem Tod nicht entgehen, aber wenigstens sollten wir nicht blind sein, sagte die Frau des Arztes, Wie denn, wenn diese Blindheit doch konkret und wirklich ist, sagte der Arzt, Ich bin nicht sicher, sagte seine Frau, Ich auch nicht, sagte die junge Frau mit der dunklen Brille.

Sie brauchten die Tür nicht aufzubrechen, sie konnten sie normal öffnen, der Schlüssel hing am persönlichen Schlüsselbund des Arztes, das in der Wohnung geblieben war, als sie in die Quarantäne gebracht wurden. Hier ist das Wartezimmer, sagte die Frau des Arztes, Der Raum, in dem ich war, sagte die junge Frau mit der dunklen Brille, der Traum geht weiter, aber ich weiß nicht, was für ein Traum das ist, ob es der Traum ist, daß ich träume, an jenem Tag hier gewesen zu sein, träumend, daß ich blind bin, oder der Traum, daß ich immer blind gewesen und träumend in die Praxis gekommen bin, um mich von einer Entzündung an den Augen heilen zu lassen, die keinerlei Risiko einer Blindheit barg, Die Quarantäne war kein Traum, sagte die Frau des Arztes, Nein, das war sie nicht, und ebensowenig war es ein Traum, daß wir vergewaltigt wurden, Und ebensowenig, daß ich einen Mann erstochen habe, Führ mich in mein Sprechzimmer, ich kann zwar alleine hinfinden, aber führe du mich, sagte der Arzt. Die Tür war offen. Die Frau des Arztes sagte, Es ist alles durcheinander, Papiere am Boden, die Schubladen mit der Kartei sind weg, Das müssen die vom Ministerium gewesen sein, um keine Zeit mit dem Suchen zu verlieren, Wahrscheinlich, Und die Apparate, Wie es scheint, ist alles in Ordnung, Wenigstens das, sagte der Arzt. Er ging alleine weiter, mit ausgestreckten Armen, berührte den Kasten mit den Gläsern, das Ophthalmoskop, den Schreibtisch, dann sagte er, an die junge Frau mit der dunklen Brille gewandt, Ich verstehe, was du sagen willst, wenn du davon sprichst, einen Traum zu erleben. Er setzte sich an seinen Schreibtisch, legte die Hände auf die staubbedeckte Glasplatte, dann sagte er mit einem traurigen, ironischen Lächeln, als wandte er sich an jemanden, der vor ihm stand, Nun gut, Herr Doktor, es tut mir außerordentlich leid, aber für Ihren Fall gibt es kein Heilmittel, wenn Sie einen letzten guten Rat wollen, dann halten Sie sich an das alte Sprichwort, Die beste Arznei ist die Geduld, Nicht doch, du quälst uns, sagte seine Frau, Entschuldige, entschuldige auch du mich, wir sind an einem Ort, wo man früher Wunder tun konnte, jetzt habe ich nicht einmal mehr den Beweis meiner magischen Kräfte, sie haben alles mitgenommen, Das einzige Wunder, das wir tun können, ist weiterzuleben, sagte die Frau, die Zerbrechlichkeit des Lebens Tag für Tag in Schutz zu nehmen, als sei das Leben blind, als wüßte es nicht, wohin, vielleicht ist es ja auch so, vielleicht weiß es das wirklich nicht, es hat sich uns überlassen, nachdem es uns mit Intelligenz versehen hat, und bis hierher haben wir es geführt, Du sprichst, als seist auch du blind, sagte die junge Frau mit der dunklen Brille, In gewisser Weise stimmt das, ich bin blind von eurer Blindheit, vielleicht könnte ich besser sehen, wenn die, die sehen können, zahlreicher wären, Ich fürchte, du bist wie der Zeuge auf der Suche nach einem Tribunal, der nicht weiß, wer ihn dorthin zitiert hat, und auch nicht weiß, was er dort aussagen soll, sagte der Arzt, Die Zeit geht zu Ende, die Fäulnis breitet sich aus, die Krankheiten finden Tür und Tor offen, das Wasser versiegt, das Essen ist zu Gift geworden, das wäre meine erste Aussage, sagte die Frau des Arztes, Und die zweite, fragte die junge Frau mit der dunklen Brille, Öffnen wir die Augen, Das können wir nicht, wir sind blind, sagte der Arzt, Es ist eine große Wahrheit, die da sagt, daß der ärgste Blinde jener war, der nicht sehen wollte, Aber ich will sehen, sagte die junge Frau mit der dunklen Brille, Deshalb wirst du nicht sehen können, der einzige Unterschied wäre, daß du nicht mehr die ärgste Blinde wärst, und jetzt gehen wir, hier gibt es nichts mehr zu sehen, sagte der Arzt.

Auf dem Weg zur Wohnung der jungen Frau mit der dunklen Brille überquerten sie einen großen Platz, auf dem Gruppen von Blinden standen, die sich anhörten, was andere Blinde zu sagen hatten, zunächst schienen weder die einen noch die anderen blind zu sein, die, die sprachen, hatten voller Leidenschaft das Gesicht denen zugewandt, die ihnen zuhörten, und die, die zuhörten, hatten ihr Gesicht aufmerksam auf die gerichtet, die sprachen. Da wurde das Ende der Welt verkündet, die rettende Buße, die Vision vom Siebten Tag, die Ankunft des Engels, die kosmische Kollision, das Erlöschen der Sonne, der Geist des Stammes, der Saft der Alraunwurzel oder der Balsam des Tigers, die Kraft des Zeichens, die Disziplin des Windes, der Duft des Mondes, die Forderung der Finsternis, die Kraft des Fluches, die Spuren der Ferse, die Kreuzigung der Rosen, die Reinheit der Nymphe, das Blut des schwarzen Katers, der schlafende Schatten, der Aufruhr der Gezeiten, die Logik der Anthropophagie, die schmerzlose Kastration, die göttliche Tätowierung, die freiwillige Blindheit, das konvexe, konkave, ebene, vertikale, schräge, abschüssige, verstreute, entflohene Denken, die Entfernung der Stimmbänder, der Tod des Wortes, Hier redet niemand von Organisation, sagte die Frau des Arztes zu ihrem Mann, Vielleicht findet die Organisation woanders statt, antwortete er. Sie liefen weiter. Kurz darauf sagte die Frau des Arztes, Es liegen mehr Tote auf dem Weg als sonst, Unsere Widerstandskraft geht zu Ende, die Zeit läuft ab, das Wasser versiegt, die Krankheiten nehmen zu, das Essen wird zu Gift, das hast du vorhin gesagt, erinnerte sie der Arzt, Wer weiß, vielleicht sind unter diesen Toten auch meine Eltern, sagte die junge Frau mit der dunklen Brille, und ich gehe hier an ihnen vorüber und sehe sie nicht, Es ist eine alte Gewohnheit der Menschen, an den Toten vorbeizugehen und sie nicht zu sehen, sagte die Frau des Arztes.

Die Straße, in der die junge Frau mit der dunklen Brille gewohnt hatte, schien noch verlassener. An der Eingangstür lag die Leiche einer Frau. Sie war angefressen von herumstreunenden Tieren, zum Glück hatte der Hund der Tränen nicht mitkommen wollen, man hätte ihn davon abhalten müssen, seine Zähne in diese Leiche zu graben. Das ist die Nachbarin aus dem ersten Stock, sagte die Frau des Arztes, Wer, wo, fragte ihr Mann, Gleich hier, die Nachbarin aus dem ersten Stock, man riecht den Gestank, Die Ärmste, sagte die junge Frau mit der dunklen Brille, warum ist sie nur auf die Straße gegangen, sonst ist sie doch nie hinausgegangen, Vielleicht hat sie gemerkt, daß der Tod nah war, vielleicht konnte sie die Vorstellung nicht ertragen, allein zu Hause zu sein, dort zu verfaulen, sagte der Arzt, Und jetzt können wir nicht hinein, ich habe keine Schlüssel, Es kann sein, daß deine Eltern zurückgekommen sind, daß sie zu Hause auf dich warten, sagte der Arzt, Das glaube ich nicht, Recht hast du, sagte die Frau des Arztes, hier sind die Schlüssel. In der toten, halbgeöffneten Hand, die auf dem Boden lag, erschienen glänzend und leuchtend einige Schlüssel. Vielleicht sind es ihre, sagte die junge Frau mit der dunklen Brille, Ich glaube nicht, sie hatte keinen Grund, ihre Schlüssel dorthin mitzunehmen, wo sie sterben wollte, Aber ich hätte sie doch gar nicht sehen können, weil ich blind bin, wenn sie daran gedacht hat, sie mir zurückzugeben, damit ich in die Wohnung kann, Wir wissen nicht, woran sie gedacht hat, als sie die Schlüssel mitnahm, vielleicht hat sie sich vorgestellt, daß du eines Tages wieder sehen kannst, vielleicht traute sie uns einfach nicht, weil ihr irgend etwas zu selbstverständlich vorkam, zu leicht, wie wir uns bewegt haben, als wir hier waren, vielleicht hat sie mich gehört, als ich gesagt habe, wie dunkel es auf der Treppe sei, daß man kaum sehen konnte, daß ich sie kaum sehen konnte, oder vielleicht nichts von alldem, einfach ein Delirium, ein Wahn, als ob sie den Verstand verloren hätte und nun die fixe Idee, daß sie dir die Schlüssel bringen müßte, wir wissen nur, daß ihr Leben zu Ende ging, als sie den Fuß vor die Tür setzte. Die Frau des Arztes nahm die Schlüssel an sich, übergab sie der jungen Frau mit der dunklen Brille und fragte sie, Und was tun wir jetzt, lassen wir sie hier, Wir können sie nicht auf der Straße beerdigen, wir haben nichts, womit wir die Steine aufbrechen könnten, sagte der Arzt, Aber da ist der Hof, Dann müssen wir sie in den zweiten Stock bringen und von dort über die Feuertreppe hinuntertragen, Das ist die einzige Möglichkeit, Haben wir Kraft genug, fragte die junge Frau mit der dunklen Brille, Die Frage ist nicht, ob wir Kraft haben oder nicht, die Frage ist, ob wir uns selbst gestatten werden, diese Frau hier liegen zu lassen, Nein, sagte der Arzt, Dann müssen wir die Kraft dafür aufbringen. Und das taten sie, doch es war eine Mordsarbeit, die Leiche die Stufen hinaufzutragen, nicht wegen ihres Gewichts, das von Natur aus schon unbeträchtlich war und jetzt noch geringer, nachdem Hunde und Katzen sich schon daran gütlich getan hatten, sondern weil der Körper steif war, erstarrt, und es schwer war, ihn um die Ecken der engen Treppe zu tragen, während dieses kurzen Aufstiegs mußten sie mehrmals ausruhen. Weder die Geräusche noch die Stimmen noch der Verwesungsgestank lockten andere Bewohner des Hauses in das Treppenhaus, Das dachte ich mir schon, meine Eltern sind nicht da, sagte die junge Frau mit der dunklen Brille. Als sie endlich die Tür erreichten, waren sie erschöpft, und sie mußten noch durch die Wohnung nach hinten gehen, die Feuertreppe hinuntersteigen, nun aber mit der Hilfe aller Heiligen, und da es abwärts ging, war die Last schon leichter zu ertragen, es war auch einfacher, um die Ecken zu kommen, da die Treppe im Freien lag, man mußte nur achtgeben, daß die Leiche des armen Geschöpfes ihnen nicht aus der Hand glitt, wenn sie hinunterfiele, gäbe es keine Abhilfe mehr, ganz zu schweigen von den Schmerzen, die nach dem Tod noch schlimmer sind.

Der Hof war wie ein unerschlossener Urwald, die letzten Regenfälle hatten das Gras und die wilden, vom Wind hereingewehten Pflanzen kräftig wachsen lassen, für die Hasen, die dort herumhüpften, würde es nicht an frischem Futter fehlen, die Hennen kommen auch mit wenig zurecht. Sie saßen keuchend auf dem Boden, die Anstrengung hatte sie ausgelaugt, jetzt saßen sie neben der Leiche, die ausruhte wie sie, beschützt von der Frau des Arztes, die die Hennen und Hasen verscheuchte, die Hasen neugierig, mit zitterndem Maul, die Hennen angriffsbereit, mit erhobenem Schnabel, zu allem fähig. Die Frau des Arztes sagte, Bevor sie auf die Straße gegangen ist, hat sie noch daran gedacht, die Tür zum Hasenstall zu öffnen, sie wollte nicht, daß die Hasen vor Hunger sterben, Es stimmt schon, daß die Schwierigkeit nicht darin liegt, mit den Menschen zu leben, sondern darin, sie zu verstehen, sagte der Arzt. Die junge Frau mit der dunklen Brille machte die Hände an einem Grasbüschel sauber, das sie ausgerissen hatte, sie war schuld, sie hatte die Leiche dort angefaßt, wo sie es nicht hätte tun sollen, so ist das, wenn man keine Augen hat. Der Arzt sagte, Wir brauchen eine Schaufel oder eine Hacke, hier sehen wir, daß die ewige wahre Wiederkehr die der Wörter ist, jetzt kehren diese hier zurück, ausgesprochen aus demselben Grund, zuerst war es der Mann, der das Auto gestohlen hatte, jetzt wird es die Alte sein, die die Schlüssel zurückgegeben hat, nachdem beide beerdigt sind, wird man keinen Unterschied feststellen, es sei denn, es gebe einen in der Erinnerung. Die Frau des Arztes ging in die Wohnung der jungen Frau mit der dunklen Brille hinauf, um ein sauberes Laken zu holen, sie suchte unter den weniger verschmutzten eines aus, als sie hinunterkam, war es ein Fest für die Hennen, die Hasen wühlten nur in dem frischen Gras herum. Nachdem die Leiche eingewickelt war, suchte die Frau nach einer Schaufel oder Hacke. Sie fand beides in einem kleinen Schuppen mit anderem Werkzeug. Ich kümmere mich darum, sagte sie, die Erde ist feucht, es läßt sich gut graben, ruht ihr euch aus. Sie suchte eine Stelle ohne Wurzeln, die man nicht mit der Hacke durchschlagen mußte, und man glaube nicht, daß dies eine leichte Aufgabe ist, die Wurzeln haben ihre Eigenheiten, sie wissen die weiche Erde zu nutzen, um den Schlägen auszuweichen und die tödliche Wirkung der Guillotine zu dämpfen. Weder die Frau des Arztes noch ihr Mann noch die junge Frau mit der dunklen Brille, erstere, weil sie beschäftigt war, die beiden anderen, weil ihre Augen zu nichts nutze waren, bemerkten die Blinden, die auf den Balkons rundherum erschienen waren, nicht viele, nicht auf allen Balkons, das Geräusch der Hacke mußte sie angezogen haben, selbst wenn die Erde weich ist, trifft man unvermeidlich auf einen verborgenen Stein, der klingend auf einen Schlag antwortet. Es waren Männer und Frauen, die schwebend wie

Gespenster wirkten, es konnten Gespenster sein, die aus Neugier einer Beerdigung beiwohnten, nur um sich daran zu erinnern, wie es in ihrem Fall gewesen war. Die Frau des Arztes sah sie schließlich, als sie, nachdem sie das Grab ausgehoben hatte, über ihre schmerzenden Nieren strich und sich mit dem Unterarm über die Stirn fuhr, um sich den Schweiß abzuwischen. Von einem unwiderstehlichen Impuls getrieben, ohne nachzudenken, rief sie jenen Blinden und allen Blinden der Welt zu, Sie wird wiederkommen, man bemerke, daß sie nicht sagte, Sie wird wiederauferstehen, soweit war es nicht, obwohl es ein Wörterbuch gibt, das bestätigt, verspricht oder andeutet, daß es sich um vollkommene und genaue Synonyme handelt. Die Blinden erschraken und gingen in ihre Wohnungen zurück, sie verstanden nicht, warum dieses Wort ausgesprochen worden war, außerdem waren sie sicher nicht auf eine solche Offenbarung vorbereitet, man konnte sehen, daß sie nicht daran gewöhnt waren, auf dem Platz magischen Verkündigungen zuzuhören, zu deren Vervollständigung nur noch der Kopf der Gottesanbeterin und der Selbstmord des Skorpions fehlten. Der Arzt fragte, Warum hast du gesagt, sie wird wiederkommen, zu wem hast du gesprochen, Zu ein paar Blinden, die auf den Balkons aufgetaucht sind, ich bin erschrocken und habe sie wohl auch erschreckt, Und warum dieses Wort, Ich weiß es nicht, es ist mir eingefallen, und ich habe es ausgesprochen, Fehlt nur noch, daß du predigen gehst auf dem Platz, über den wir gerade gekommen sind, Ja, eine Predigt über einen Hasenzahn und einen Hennenschnabel, jetzt hilf mir hier, ja, so, nimm sie an den Füßen, ich hebe sie an dieser Seite hoch, Vorsicht, nicht daß du mir ins Grab rutschst, ja, so, laß sie langsam hinab, weiter, weiter, ich habe das Grab ein bißchen tiefer gegraben, wegen der Hühner, wenn sie anfangen zu scharren, weiß man nie, wie weit sie kommen, ja, so ist es gut. Sie nahm die Schaufel, um das Grab aufzufüllen, klopfte die Erde glatt, häufte einen kleinen Hügel auf, aus Erde, die immer übrig ist von der Erde, die wieder zur Erde zurückkehrt, als hätte sie nie im Leben etwas anderes getan. Dann riß sie einen Zweig von einem Rosenstrauch ab, der in einer Ecke des Hofes wuchs, und pflanzte ihn an den Hügel, dort, wo der Kopf war. Wird sie wiederkommen, fragte die junge Frau mit der dunklen Brille, Sie nicht, antwortete die Frau des Arztes, wichtiger wäre es für die, die am Leben sind, aus sich selbst heraus wiederzukommen, aber sie tun es nicht, Wir sind alle schon halb tot, sagte der Arzt, Wir sind alle noch halb am Leben, antwortete seine Frau. Sie ging die Schaufel und die Hacke im Schuppen verstauen, warf noch einmal einen Blick auf den Hof, um sich zu vergewissern, daß alles in Ordnung war, Welche Ordnung, fragte sie sich selbst und gab sich auch selbst eine Antwort, Eine Ordnung, in der die Toten dort sind, wo Tote hingehören, und Lebende dort, wo Lebende hingehören, während die Hühner und die Hasen die einen ernähren und sich von den anderen ernähren, Ich würde gerne etwas für meine Eltern hinterlassen, sagte die junge Frau mit der dunklen Brille, nur damit sie wissen, daß ich am Leben bin, Ich will dir deine Illusionen nicht nehmen, sagte der Arzt, aber zunächst müßten sie die Wohnung wiederfinden, und das ist nicht sehr wahrscheinlich, denk dran, daß wir niemals hierhergefunden hätten, wenn wir nicht jemanden hätten, der uns führt, Sie haben recht, und ich weiß nicht einmal, ob sie noch am Leben sind, aber wenn ich nicht einmal ein Zeichen hinterlasse, irgend etwas, dann kommt es mir vor, als hätte ich sie verlassen, Also gut, sagte die Frau des Arztes, Irgend etwas, was sie ertasten können, sagte die junge Frau mit der dunklen Brille, das Problem ist, daß ich nichts mehr von früher am Körper trage. Die Frau des Arztes betrachtete sie, sie saß auf der ersten Stufe der Feuertreppe, ihre Hände lagen selbstvergessen auf den Knien, das hübsche Gesicht voller Angst, die Haare über die Schultern ausgebreitet, Ich weiß schon, welches Zeichen du ihnen hinterlassen kannst, sagte sie. Schnell stieg sie die Treppe zur Wohnung hinauf und kehrte mit einer Schere und einem Stück Schnur zurück, Was hast du vor, fragte die junge Frau mit der dunklen Brille unruhig, als sie das Quietschen der Schere hörte, die ihre Haare abschnitt, Wenn deine Eltern zurückkommen, werden sie an der Türklinke eine Haarsträhne vorfinden, die nur von ihrer Tochter sein kann, sagte die Frau des Arztes, Mir ist zum Weinen, sagte die junge Frau mit der dunklen Brille, und kaum gesagt, schon getan, ihr Kopf sank auf die über den Knien verschränkten Arme, sie ließ ihrem Kummer freien Lauf und ihrer Sehnsucht, die Geste der Frau des Arztes berührte sie, und ohne recht zu wissen, welche Wege des Gefühls sie dorthin geführt hatten, wurde ihr bewußt, daß sie auch um die Alte aus dem ersten Stock weinte, die rohes Fleisch gegessen hatte, die gräßliche Hexe, die in der toten Hand noch die Schlüssel zu ihrer Wohnung für sie bereitgehalten hatte. Und da sagte die Frau des Arztes, Was sind das für Zeiten, die Ordnung der Dinge ist verkehrt, ein Symbol, das fast immer ein Zeichen des Todes war, ist zu einem Zeichen des Lebens geworden, Es gibt Hände, die dieses oder größerer Wunder fähig sind, sagte der Arzt, Die Not vermag viel, mein Lieber, sagte seine Frau, und jetzt genug des Philosophierens und Wunderheilens, geben wir uns die Hand und gehen wir ins Leben. Die junge Frau mit der dunklen Brille hängte selbst die Haarsträhne an die Türklinke, Meinst du, daß meine Eltern sie bemerken, Die Türklinke ist die ausgestreckte Hand einer Wohnung, antwortete die Frau des Arztes, und mit diesem bildhaften Ausdruck war der Besuch für sie beendet.

An diesem Abend wurde wieder vorgelesen, sie hatten keine andere Möglichkeit, sich zu zerstreuen, bedauerlich, daß der Arzt nicht zum Beispiel ein Hobbygeiger war, welche sanften Serenaden hätte man dann in diesem fünften Stock hören können, die neidischen Nachbarn hätten sagen können, Denen da geht es entweder zu gut, oder sie wissen gar nicht, was los ist, und glauben, sie können dem Unglück entfliehen, indem sie über das Unglück der anderen lachen. Jetzt gibt es nur die Musik der Wörter, und diese, vor allem die, die in den Büchern stehen, sind diskret, selbst wenn die Neugier jemanden aus dem Haus an die Tür getrieben hätte, um zuzuhören, er hätte nicht mehr vernommen als ein einsames Murmeln, einen langen Tonfaden, der sich endlos verlängern kann, denn die Bücher der Welt sind, alle zusammengenommen, wie man vom Weltall sagt, unendlich. Als das Vorlesen spät in der Nacht beendet war, sagte der Alte mit der schwarzen Augenklappe, Darauf sind wir nun reduziert, auf das Lesen hören, Ich beklage mich nicht, es könnte immer so bleiben, sagte die junge Frau mit der dunklen Brille, Auch ich beklage mich nicht, ich sage bloß, daß wir nur noch dazu gut sind, einer Geschichte zuzuhören, die vorgelesen wird, über eine Menschheit, die vor uns existiert hat, wir nutzen den glücklichen Umstand, jemanden mit sehenden Augen unter uns zu haben, die letzten, die geblieben sind, wenn sie eines Tages erlöschen, daran möchte ich gar nicht denken, dann wird der Faden, der uns an die Menschheit bindet, zerreißen, es wird sein, als würden wir uns einer vom anderen im Weltraum entfernen, für immer, und die anderen werden so blind sein wie wir, Solange ich kann, sagte die junge Frau mit der dunklen Brille, werde ich die Hoffnung nicht aufgeben, die Hoffnung, meine Eltern wiederzufinden, die Hoffnung, daß die Mutter dieses Jungen erscheint, Du hast vergessen, von der Hoffnung aller zu sprechen, Welche, Das Augenlicht wiederzugewinnen, Es gibt Hoffnungen, die wahnwitzig sind, Aber ich sage dir, ich hätte das Leben schon aufgegeben, wenn es die nicht gäbe, Nenn mir ein Beispiel, Wieder sehen zu können, Das haben wir schon gehört, nenn mir ein anderes, Nein, Warum, Weil es dich nicht interessiert, Und woher willst du wissen, daß es mich nicht interessiert, wieso glaubst du, mich so gut zu kennen, daß du einfach für dich entscheidest, was mich interessiert und was nicht, Sei nicht böse, ich wollte dich nicht ärgern, Die Männer sind doch alle gleich, sie denken, man braucht nur aus dem Bauch einer Frau geboren worden zu sein, um alles über Frauen zu wissen, Über Frauen weiß ich wenig, und über dich gar nichts, und was die Männer angeht, mich im besonderen, bin ich ein alter Mann und einäugig und dazu noch blind, Hast du sonst noch was gegen dich vorzubringen, Noch viel mehr, du kannst dir gar nicht vorstellen, wie lang die Liste der Selbstbezichtigungen ist, und sie wird immer länger im Verlauf der Jahre, Ich bin jung, und ich habe auch schon mein Päckchen, Du hast noch nichts wirklich Schlimmes getan, Woher willst du das wissen, wenn du nie mit mir zusammengelebt hast, Stimmt, ich habe nie mit dir zusammengelebt, Warum hast du meine Worte in diesem Ton wiederholt, In welchem Ton, In diesem, Ich habe nur gesagt, daß ich nie mit dir zusammengelebt habe, Der Ton, der Ton, tu nicht so, als würdest du nicht verstehen, Hör auf, ich bitte dich, Nein, ich muß es wissen, Kehren wir zur Hoffnung zurück, Also gut, Hier ein anderes Beispiel von Hoffnung, das ich nicht nennen wollte, Welches, Die letzte Selbstbezichtigung auf meiner Liste, Erklär mir das bitte, ich verstehe keine Rätsel, Der monströse Wunsch, daß wir unser Augenlicht nicht wiedergewinnen mögen, Warum, Damit wir so weiterleben, Willst du damit sagen, alle zusammen, oder du mit mir, Zwing mich nicht zu antworten, Wenn du nur ein Mann wärst, könntest du vor der Antwort fliehen, wie es alle tun, du selbst hast gesagt, daß du alt bist, und wenn es einen Sinn haben sollte, daß ein älterer Mensch soviel erlebt hat, dann sollte er nicht das Gesicht von der Wahrheit abwenden, also antworte, Ich mit dir, Und warum willst du mit mir zusammenleben, Erwartest du, daß ich das hier vor all den andern sage, Wir haben alle voreinander ganz schmutzige, häßliche, abstoßende Dinge getan, und sicher ist das, was du mir sagen willst, nicht schlimmer, Nun gut, wenn du es willst, so sei es, weil der Mann, der ich immer noch bin, die Frau mag, die du bist, War es so schwer, diese Liebeserklärung abzugeben, In meinem Alter hat man Angst, sich lächerlich zu machen, Du warst nicht lächerlich, Vergessen wir das, bitte, Nein, ich möchte nicht, daß das vergessen wird, Das ist doch Unsinn, du hast mich gezwungen zu sprechen, und jetzt, Und jetzt bin ich dran, Sag nichts, was du bereuen könntest, denke an die schwarze Liste, Wenn ich heute ehrlich bin, was macht es dann, wenn ich es morgen bereuen sollte, Sei still, Du willst mit mir, und ich will mit dir zusammenleben, Du bist verrückt, Wir werden hier wie ein Paar zusammenleben, und zusammen werden wir auch leben, wenn wir uns von unseren Freunden trennen müssen, zwei Blinde müssen doch mehr sehen als einer, Das ist verrückt, du magst mich nicht, Was heißt das, mögen, ich habe nie jemanden gemocht, ich bin nur mit Männern ins Bett gegangen, Dann gibst du mir recht, Nein, tue ich nicht, Du hast von Aufrichtigkeit gesprochen, dann sag mir, ob es wirklich stimmt, daß du mich magst, Ich mag dich so, daß ich mit dir zusammensein möchte, und das sage ich zum ersten Mal zu einem Mann, Du hättest es mir auch nicht gesagt, wenn du mich vorher irgendwo getroffen hättest, einen älteren Mann, halbe Glatze, weißes Haar, mit einer Klappe auf dem einen Auge und dem Star auf dem anderen, Die Frau, die ich damals war, hätte es nicht gesagt, das gebe ich zu, aber gesagt hat es die Frau, die ich heute bin, Dann werden wir sehen, was die Frau sagen wird, die du morgen bist, Du stellst mich auf die Probe, Ach was, wer bin ich denn, um dich auf die Probe zu stellen, das Leben bestimmt solche Dinge, Und eines hat es schon bestimmt.

Diese Unterhaltung führten sie von Angesicht zu Angesicht, mit blinden Augen blickten sie sich an, ihre Gesichter waren gerötet und erregt, und nachdem einer von ihnen es gesagt hatte und beide es wollten, sie sich einig waren, daß das Leben über ihr Zusammensein entschieden hatte, streckte die junge Frau mit der dunklen Brille die Hände aus, einfach um sie ihm zu reichen, nicht um zu wissen, wo sie entlangging, sie berührte die Hände des Alten mit der schwarzen Augenklappe, der sie sanft an sich zog, und so blieben die beiden sitzen, es war natürlich nicht das erste Mal, aber jetzt hatten sie diese Worte des Willkommens gesprochen. Keiner der anderen sagte etwas dazu, niemand gratulierte ihnen, niemand sprach Wünsche für ein ewiges Glück aus, in Wahrheit war dies nicht die Zeit für Feste und Illusionen, und wenn Entscheidungen so schwerwiegend sind, wie diese es gewesen zu sein scheint, dann würde es nicht überraschen, wenn jemand glaubte, für solches Verhalten sei es notwendig, blind zu sein, das Schweigen ist noch immer der beste Applaus. Die Frau des Arztes legte nun im Flur einige Sofakissen zurecht, so viele, daß sie bequem ein Bett abgaben, dann führte sie den kleinen schielenden Jungen dorthin und sagte, Ab heute schläfst du hier. Was die Geschehnisse im Wohnzimmer betrifft, weist alles darauf hin, daß in dieser ersten Nacht endlich der Fall der geheimnisvollen Hand erklärt wurde, die den Rücken des Alten mit der schwarzen Augenklappe an jenem Morgen wusch, an dem soviel Wasser geflossen war, leuchtendes Wasser.

Am folgenden Tag, noch im Bett, sagte die Frau des Arztes zu ihrem Mann, Wir haben wenig Essen im Haus, wir müssen hinausgehen, erinnere mich daran, daß ich heute in das unterirdische Lager des Supermarktes gehe, dort, wo ich am ersten Tag war, wenn es bis jetzt niemand entdeckt hat, können wir uns dort für ein oder zwei Wochen versorgen, Ich gehe mit, und wir sagen einem oder zweien von ihnen, daß sie auch mitkommen sollen, Mir wäre es lieber, wenn nur wir gehen, das ist einfacher, und wir laufen nicht Gefahr, uns zu verirren, Wie lange wirst du wohl noch die Last von sechs Menschen aushalten, die sich nicht zu helfen wissen, Solange ich kann, aber es ist wahr, daß meine Kräfte schon schwinden, manchmal ertappe ich mich dabei, daß ich gerne blind sein möchte, um wie die anderen zu sein, um nicht mehr Verpflichtungen als sie zu haben, Wir haben uns daran gewöhnt, von dir abzuhängen, wenn du uns fehltest, wäre es dasselbe, als hätte uns eine zweite Blindheit getroffen, dank deiner Augen sind wir ein bißchen weniger blind, Ich werde so lange weitermachen, wie ich kann, mehr kann ich nicht versprechen, Eines Tages, wenn wir begreifen, daß wir nichts Gutes und Nützliches mehr für die Welt tun können, sollten wir den Mut haben, einfach aus dem Leben zu scheiden, wie er gesagt hat, Wer, er, Der Glückliche von gestern, Ich bin sicher, daß er das heute nicht sagen würde, nichts ist besser als eine feste Hoffnung, um eine Meinung zu ändern, Da hat er sie schon, hoffentlich hält sie an, In deiner Stimme klingt so etwas wie

Ärger mit, Ärger, warum, Als hätte man dir etwas genommen, was dir gehört, Meinst du das, was mit der jungen Frau geschehen ist, als wir an dem schrecklichen Ort waren, Ja, Denk daran, daß sie es war, die zu mir gekommen ist, Dein Gedächtnis täuscht dich, du bist zu ihr gegangen, Bist du sicher, Ich war nicht blind, Aber ich könnte schwören, Dann würdest du etwas Falsches schwören, Seltsam, daß das Gedächtnis uns so täuschen kann, In diesem Fall ist es einfach zu verstehen, uns gehört mehr das, was sich uns angeboten hat, als das, was wir uns erobern mußten, Aber sie ist danach nicht mehr zu mir gekommen, und ich nicht zu ihr, Wenn ihr wollt, trefft ihr euch in der Erinnerung, dafür ist sie da, Du bist eifersüchtig, Nein, nein, ich bin nicht eifersüchtig, ich war es nicht einmal an jenem Tag, ihr habt mir leid getan, du und sie, und auch ich tat mir leid, weil ich euch nicht helfen konnte, Wie steht es mit dem Wasser, Schlecht. Nach der nicht gerade üppigen Morgenmahlzeit, schließlich aufgeheitert durch einige diskrete, lächelnde Anspielungen auf die Geschehnisse der vergangenen Nacht, in vorsichtigen Worten aus Rücksicht auf die Anwesenheit eines Kindes, eine vergebliche Vorsicht, wenn wir an die skandalösen Szenen denken, deren Zeuge der Junge in der Quarantäne war, gingen die Frau des Arztes und ihr Mann an die Arbeit, diesmal begleitet von dem Hund der Tränen, der nicht in der Wohnung bleiben wollte.

Auf den Straßen sah es mit jeder Stunde, die verstrich, schlimmer aus. Der Müll schien sich über Nacht zu vermehren, es war, als kämen von außen aus einem unbekannten Land, wo es noch ein normales Leben gab, heimlich Menschen her, um Behälter auszukippen, und wenn wir nicht in einem Land der Blinden wären, würden wir in dieser weißen Dunkelheit Wagen und gespenstische Laster sehen, beladen mit Abfällen, Resten, Trümmern, chemischem Abfall, Asche, verbranntem Öl, Knochen, Flaschen, Innereien, verbrauchten Batterien, Plastik, Papierbergen, nur bringen sie keine Essensreste, nicht einmal Schalen von Früchten, mit denen wir den Hunger betäuben könnten, in Erwartung besserer Tage, die immer kommen werden. Es ist noch frühmorgens, aber man spürt die Wärme schon. Der Gestank steigt von den riesigen Müllhaufen auf wie eine Wolke aus giftigem Gas, Es wird nicht lange dauern, und es werden sich Epidemien ausbreiten, sagte der Arzt wieder, niemand wird dem entkommen, wir sind völlig schutzlos, Wenn es nicht regnet, weht ein Wind, sagte die Frau, Nicht einmal das, der Regen wäre noch gut gegen unseren Durst, und der Wind würde uns ein wenig von diesem Gestank erlösen. Der Hund der Tränen schnüffelt unruhig umher, er bleibt länger an einem Müllhaufen stehen, wahrscheinlich ist darin ein köstlicher Leckerbissen verborgen, den er nicht gleich finden kann, wenn er alleine wäre, würde er sich nicht von der Stelle rühren, aber die Frau des Arztes, die geweint hatte, ist schon weiter vorn, es ist seine Pflicht, ihr zu folgen, man kann nie wissen, ob er nicht noch einmal Tränen trocknen muß. Man kommt nur schwer voran. Auf einigen Straßen, vor allem auf den abschüssigen, hat das Regenwasser sich in einen Strom verwandelt, Autos gegen andere Autos geschwemmt oder gegen die Gebäude, hat Türen eingerissen, Schaufenster eingeschlagen, der Boden ist bedeckt mit Scherben aus dickem Glas. Zwischen zwei Autos eingeklemmt vermodert die Leiche eines Mannes. Die Frau des Arztes wendet den Blick ab. Der Hund der

Tränen nähert sich, aber der Tod schüchtert ihn ein, er tut noch zwei Schritte, plötzlich sträubt sich sein Fell, ein schrilles Jaulen entfährt seiner Kehle, dieser Hund ist den Menschen so nahe gekommen, daß er noch genau so leiden wird wie sie. Sie hatten einen Platz überquert, auf dem Gruppen von Blinden den Reden anderer Blinder zuhörten, auf den ersten Blick schienen weder die einen noch die anderen blind zu sein, die, die sprachen, hatten voller Leidenschaft das Gesicht denen zugewandt, die zuhörten, und diese hatten ihr Gesicht aufmerksam auf die gerichtet, die sprachen. Es wurden die grundlegenden Prinzipien großer organisierter Systeme vorgetragen, das Privateigentum, die freie Währung, der Markt, die Börse, das Steuersystem, die Zinsen, die Aneignung und die Enteignung, die Produktion, die Umverteilung, der Konsum, Versorgung und Entsorgung, Reichtum und Armut, Kommunikation, Repression, Verbrechen, Lotterie, Gefängnisgebäude, Strafrecht, Zivilrecht, Verkehrsregeln, Wörterbuch, Telefonbuch, das Netz der Prostitution, Rüstungsfabriken, die Armee, Friedhöfe, Polizei, Schmuggel, Drogen, unerlaubter, dennoch zugelassener Handel, pharmazeutische Forschung, das Glücksspiel, der Preis für Priester und Beerdigungen, Gerechtigkeit, Anleihen, politische Parteien, Wahlen, Parlamente, Regierungen, das konvexe, konkave, ebene, vertikale, schräge, konzentrierte, verstreute, entflohene Denken, die Entfernung der Stimmbänder, der Tod des Wortes. Hier wird von Organisation gesprochen, sagte die Frau des Arztes zu ihrem Mann, Habe ich schon bemerkt, antwortete er und schwieg. Sie liefen weiter, die Frau des Arztes sah auf einen Stadtplan, der an einer Ecke stand wie ein altes Kreuz am Weg, sie waren schon nah am Supermarkt, an einer Ecke hier hatte sie sich an jenem Tag, als sie sich verlaufen hatte, fallenlassen und geweint, auf groteske Weise erdrückt von dem Gewicht der Plastiktüten, die glücklicherweise gefüllt waren, da war ein Hund gekommen, um sie in ihrer Verlorenheit und Angst zu trösten, eben dieser Hund, der jetzt die Rudel anknurrt, die zu nahe herankommen, als wollte er sie warnen, Mich täuscht ihr nicht, haut ab. Eine Straße links und dann rechts, und da ist die Tür des Supermarktes. Nur die Tür, das heißt, da ist die Tür, da ist das ganze Gebäude, aber man sieht keine Menschen hineingehen und herauskommen, diesen Ameisenhaufen aus Menschen, die man sonst zu jeder Tageszeit in derlei Gebäuden sieht, die vom Zulauf großer Menschenmengen leben. Die Frau des Arztes befürchtete das Schlimmste und sagte dies auch zu ihrem Mann, Wir sind zu spät gekommen, da drin gibt es wahrscheinlich keinen Krümel mehr, Warum sagst du das, Ich sehe niemanden hineingehen oder herauskommen, Vielleicht haben sie den Keller noch nicht entdeckt, Das hoffe ich. Sie hatten auf dem Bürgersteig vor dem Supermarkt angehalten, als sie diese Sätze austauschten, neben ihnen, als warteten sie darauf, daß die Ampel auf Grün sprang, standen drei Blinde, die Frau des Arztes achtete nicht auf das Gesicht, das sie machten, beunruhigt, überrascht, wie von Angst verwirrt, sie sah nicht, daß der Mund eines Mannes sich öffnete, um etwas zu sagen, sich dann gleich wieder schloß, sie bemerkte auch nicht das rasche Schulterzucken, Du wirst es früh genug erfahren, hat dieser Blinde vermutlich gedacht. Als sie schon mitten auf der Straße waren, die sie überquerten, konnten die Frau des Arztes und ihr Mann die Bemerkung des zweiten Blinden nicht hören, Warum hat sie gesagt, daß sie niemanden hineingehen und herauskommen sieht, und die Antwort des dritten Blinden war, Das sagt man so, noch vor kurzem, als ich gestolpert bin, hast du mich gefragt, ob ich denn nicht sehe, wo ich hintrete, das ist das gleiche, wir haben die Angewohnheit zu sehen noch nicht verlernt, Mein Gott, wie oft habe ich das schon gehört, rief der erste Blinde aus.

Die Helligkeit des Tages leuchtete bis hinten hin den großen Raum des Supermarktes aus. Fast alle Regale waren umgestürzt, es gab nichts als Müll, zerbrochenes Glas, leere Verpackungen, Es ist seltsam, sagte die Frau des Arztes, selbst wenn es kein Essen mehr gibt, verstehe ich nicht, warum hier keine Menschen leben. Der Arzt sagte, Ja, da stimmt etwas nicht. Der Hund der Tränen jaulte leise. Wieder sträubte sich ihm das Fell. Die Frau des Arztes sagte, Hier riecht irgend etwas, Es riecht immer etwas, sagte ihr Mann, Nein, das ist es nicht, es ist ein anderer Geruch, nach Verwesung, Hier liegt sicher irgendwo eine Leiche, Ich sehe keine, Dann ist es nur dein Eindruck. Der Hund jaulte wieder. Was hat der Hund, fragte der Arzt, Er ist nervös, Was machen wir, Wir werden sehen, wenn hier eine Leiche liegt, gehen wir daran vorbei, jetzt machen uns die Toten keine Angst mehr, Für mich ist es leichter, ich sehe sie nicht. Sie durchquerten den Supermarkt bis zu der Tür, die in den Gang führte, durch den man zum Kellerlager kam. Der Hund der Tränen folgte ihnen, doch hin und wieder hielt er an, jaulte, um sie zu rufen, dann jedoch rief ihn die Pflicht, und er folgte ihnen. Als die Frau des Arztes die Tür öffnete, wurde der Geruch stärker, Es riecht wirklich schlecht, sagte ihr Mann, Bleib du hier, ich bin gleich zurück. Sie ging weiter durch den Gang, der immer dunkler wurde, und der Hund der Tränen folgte ihr, als würde er hinterhergezogen. Die Luft, getränkt mit dem Verwesungsgestank, war dicht wie eine Paste. Auf halbem Weg übergab sich die Frau des Arztes, Was ist hier nur geschehen, dachte sie zwischen zwei Krämpfen und murmelte dies wieder und wieder, während sie sich der Metalltür näherte, die zum Keller führte. Von der Übelkeit leicht beeinträchtigt, hatte sie vorher nicht bemerkt, daß hinten am Ende ein verschwommenes Licht flimmerte. Jetzt wußte sie, was das war. Kleine Flammen züngelten zwischen den beiden Türen hervor, an der Treppe und am Lastenaufzug. Erneut würgte sie und mußte sich übergeben, es schüttelte sie so heftig, daß sie zu Boden fiel. Der Hund der Tränen jaulte lang auf, mit einem Heulen, das nie aufzuhören schien, ein Trauergeheul, das im Flur widerhallte wie die letzte Stimme der Toten, die sich im Keller befanden. Der Arzt hörte das Erbrechen, das Würgen, den Husten, er rannte, so gut er konnte, stolperte und fiel hin, erhob sich, fiel hin, bis er schließlich seine Frau in die Arme nahm, Was ist geschehen, fragte er zitternd, sie sagte nur, Bring mich von hier fort, bring mich von hier fort, bitte, zum ersten Mal seit der Blindheit war er es, der seine Frau führte, er führte sie, ohne zu wissen, wohin, irgendwohin, weit weg von diesen Türen und den Flammen, die er nicht sehen konnte. Als sie aus dem Gang traten, war sie mit ihren Nerven am Ende und brach in Schluchzen aus, solche Tränen kann man nicht trocknen, nur die Zeit und die Erschöpfung können sie versiegen lassen, deshalb näherte der Hund sich nicht, er suchte nur eine Hand, um sie zu lecken. Was ist los, fragte der Arzt noch einmal, was hast du gesehen, Sie sind tot, brachte sie unter Schluchzen heraus, Wer ist tot, Sie, und sie konnte nicht fortfahren, Beruhige dich, laß dir Zeit. Nach einigen

Minuten sagte sie, Sie sind tot, Hast du irgend etwas gesehen, hast du die Tür geöffnet, fragte ihr Mann, Nein, ich habe nur die Flämmchen an den Türritzen gesehen, sie tanzten dort entlang, unaufhörlich, Phosphoresziertes Hydrogenium aus der Verwesung, Ich glaube, ja, Was ist wohl geschehen, Sie müssen den Keller entdeckt, sich die Treppe hinuntergestürzt haben, auf der Suche nach Essen, ich kann mich erinnern, wie leicht man ausrutschen und auf den Stufen stürzen konnte, und wenn einer stürzt, sind alle gestürzt, wahrscheinlich sind sie nicht einmal so weit gekommen, wie sie wollten, oder doch, aber weil die Treppe verstopft war, konnten sie nicht zurück, Du hast doch gesagt, daß die Tür geschlossen war, Sicher haben die anderen Blinden sie geschlossen, sie haben den Keller in ein riesiges Grab verwandelt, und ich bin schuld an dem, was geschehen ist, als ich mit den Tüten von hier fort bin, haben die anderen vermutet, daß es sich um Essen handelte, und sich auf die Suche gemacht, In gewisser Weise ist alles, was wir essen, vom Mund der anderen geraubt, und wenn wir ihnen zu viel wegnehmen, dann verursachen wir ihren Tod, im Grunde sind wir alle mehr oder weniger Mörder, Ein schwacher Trost, Ich möchte nur nicht, daß du dich selbst mit imaginärer Schuld überhäufst, wo du jetzt schon kaum mehr die Verantwortung tragen kannst, sechs vorhandene, nutzlose Münder zu ernähren, Ohne deinen nutzlosen Mund, wie würde ich denn da leben, Du würdest weiterleben, um die anderen fünf, die da sind, durchzubringen, Es fragt sich nur, für wie lange. Nicht sehr viel länger, wenn alles zu Ende ist, werden wir über die Felder gehen müssen, auf der Suche nach Essen, wir werden alle Früchte von den Bäumen reißen, alle Tiere töten, die wir irgendwie zu fassen bekommen, wenn nicht unterdessen die Hunde und Katzen hier schon begonnen haben, uns zu verschlingen. Der Hund der Tränen blieb ungerührt, dieses Thema betraf ihn nicht, es kam ihm zugute, daß er sich in der letzten Zeit in den Hund der Tränen verwandelt hatte.

Die Frau des Arztes konnte kaum einen Fuß vor den anderen setzen. Die Erschütterung hatte ihr alle Kräfte geraubt. Als sie aus dem Supermarkt heraustraten, sie völlig geschwächt, er blind, hätte niemand sagen können, wer von beiden den anderen stützte. Vielleicht wurde ihr wegen des intensiven Lichtes schwindlig, sie glaubte, das Sehvermögen zu verlieren, erschrak aber nicht, es war nur eine Ohnmacht. Sie fiel nicht einmal hin und verlor nicht völlig das Bewußtsein. Sie mußte sich hinlegen, die Augen schließen, tief einatmen, wenn sie ein paar Minuten ruhig daliegen könnte, so glaubte sie, würden bestimmt ihre Kräfte wiederkehren, und es war wichtig, daß sie wiederkehrten, die Plastiktüten waren noch immer leer. Sie wollte sich nicht auf den völlig verschmutzten Bürgersteig legen, und in den Supermarkt würde sie keine Macht der Welt mehr zurückbringen. Sie blickte sich um. Auf der anderen Straßenseite, ein bißchen weiter vorn, stand eine Kirche. Dort gab es sicher Menschen wie überall, aber es wäre wohl auch ein guter Ort, um auszuruhen, wenigstens war das früher so. Sie sagte zu ihrem Mann, Ich muß wieder zu Kräften kommen, bring mich dorthin, Wo dort, Entschuldige, halt mich fest, ich sage es dir, Was ist es denn, Eine Kirche, wenn ich mich ein wenig hinlegen könnte, wäre ich wie ausgewechselt, Gehen wir. Sechs Stufen führten in die Kirche, sechs Stufen wohlgemerkt, die die Frau des Arztes nur mit großer Mühe bewältigte, um so mehr, als sie auch ihren Mann führen mußte. Die Türen waren weit geöffnet, eine große Hilfe, denn selbst der einfachste Windfang wäre in diesem Fall ein schwieriges Hindernis gewesen. Der Hund der Tränen hielt unentschieden an der Schwelle inne. Trotz der Bewegungsfreiheit, die die Hunde in den vergangenen Monaten genossen hatten, hielt sich in ihrem Hirn, genetisch festgeschrieben, das eines Tages in ferner Zeit für ihre Spezies ausgesprochene Verbot, Kirchen zu betreten, wahrscheinlich war daran jener andere genetische Code schuld, der ihnen befiehlt, ihr Territorium, wo immer sie sind, zu markieren. Umsonst waren die guten und loyalen Dienste, die die Vorfahren des Hundes der Tränen geleistet hatten, als sie die ekelerregenden Wunden der Heiligen leckten, bevor diese zu solchen gemacht und erklärt worden waren, Mitleid also ohne jeden Eigennutz, denn wir wissen sehr wohl, daß nicht irgendein Bettler zur Heiligkeit aufsteigt, und wenn er noch so viele Wunden am Körper trägt und an der Seele, wohin die Zunge der Hunde nicht reicht. Dieser wagte es jetzt, die geheiligte Halle zu betreten, die Tür stand offen, einen Türsteher gab es nicht, und der schwerwiegendste Grund von allen, die Frau der Tränen war schon eingetreten, ich weiß nicht, wie sie sich hineingeschleppt hat, sie murmelte ihrem Mann nur zu, Halt mich fest, die Kirche ist voll, es gibt kaum eine Handbreit freien Boden, in Wahrheit könnte man sagen, daß es hier keinen Stein gab, auf dem man sein Haupt ausruhen konnte, erneut war der Hund der Tränen von Nutzen, mit zweimaligem Knurren und zwei Vorstößen, alles ohne bösen Willen, machte er einen Platz frei, auf dem die Frau des Arztes sich niederließ, der Ohnmacht ihres Körpers nachgab und endlich die Augen schloß. Ihr Mann fühlte ihren Puls, er pochte fest und regelmäßig, nur ein bißchen weit weg, dann versuchte er, sie aufzurichten, denn diese Lage war nicht gut, das Blut mußte schnell ins Gehirn zurückkehren, die Durchblutung im Gehirn muß verstärkt werden, am besten wäre es, sie hinzusetzen, ihren Kopf zwischen die Knie zu legen und auf die Natur und die Schwerkraft zu vertrauen. Schließlich, nach einigen Versuchen, gelang es ihm, sie aufzurichten, Minuten später seufzte die Frau des Arztes tief auf, bewegte sich kaum merklich, kam zu sich. Steh noch nicht auf, sagte ihr Mann, bleib noch ein bißchen mit dem Kopf nach unten sitzen, doch sie fühlte sich gut, kein Anzeichen von Schwindel mehr, ihre Augen konnten nun schon die Bodenfliesen erkennen, die der Hund der Tränen dreimal energisch freigekratzt und so einigermaßen saubergemacht hatte, da er sich selbst hinlegen wollte. Sie hob den Kopf zu den schlanken Säulen hinauf, in das hohe Gewölbe, um die Sicherheit und Stabilität des Kreislaufs zu prüfen, dann sagte sie, Ich fühle mich schon gut, aber im selben Augenblick glaubte sie, sie sei verrückt geworden oder litte, nachdem der Schwindel vergangen war, an Halluzinationen, es konnte nicht wahr sein, was ihre Augen ihr zeigten, jenen Mann, der ans Kreuz geschlagen war, mit einer weißen Binde über den Augen, und neben ihm eine Frau mit einem von sieben Dolchen durchbohrten Herzen, sie hatte ebenfalls die Augen durch ein weißes Stück Stoff verbunden, und es waren nicht nur dieser Mann und diese Frau, sondern alle Bildnisse in der Kirche hatten die Augen verbunden, die Skulpturen mit einem weißen Tuch um den Kopf, die Gemälde mit einem dicken weißen Pinselstrich, und außerdem war da eine Frau, die ihrer Tochter das Lesen beibrachte, beide hatten die Augen verbunden, und ein Mann mit einem offenen Buch vor sich, auf dem ein kleiner Junge saß, und beiden waren die Augen verbunden, und ein Alter mit langem Bart, mit drei Schlüsseln in der Hand, auch seine Augen waren verbunden, und ein anderer Mann mit einem von Pfeilen durchbohrten Körper, und eine Frau, die eine leuchtende Laterne in der Hand trug, ihre Augen waren verbunden, und ein Mann mit Wunden an Händen und Füßen und der Brust, und seine Augen waren verbunden, und ein anderer Mann mit einem Löwen, beiden waren die Augen verbunden, und ein Mann mit einem Lamm, beiden waren die Augen verbunden, und ein anderer Mann mit einem Adler, beiden waren die Augen verbunden, und ein anderer Mann mit einer Lanze, der über einem gestürzten Mann mit Hörnern und Bocksfüßen stand, und beiden waren die Augen verbunden, und ein anderer Mann mit einer Waage, und seine Augen waren verbunden, und ein alter kahler Mann, der eine weiße Lilie hielt, und seine Augen waren verbunden, und ein anderer alter Mann, der auf ein gezogenes Schwert gestützt war, seine Augen waren verbunden, und eine Frau mit einer Taube, beiden waren die Augen verbunden, und ein Mann mit zwei Raben, und allen dreien waren die Augen verbunden, es gab nur noch eine Frau, deren Augen nicht verbunden waren, weil sie sie schon herausgerissen auf einem Silbertablett vor sich hertrug. Die Frau des Arztes sagte zu ihrem Mann, Du wirst mir nicht glauben, wenn ich dir sage, was ich vor mir habe, alle Bildnisse in der Kirche haben die Augen verbunden, Wie seltsam, warum wohl, Wie soll ich das wissen, irgend jemand, der am Glauben verzweifelt ist, muß das getan haben, als er begriff, daß er erblinden würde wie alle anderen, vielleicht war es der Priester hier, vielleicht hat er gedacht, wenn die Blinden die

Bildnisse nicht mehr sehen können, dann sollen auch die Bildnisse die Blinden nicht mehr sehen, Bildnisse sehen nicht, Du irrst dich, die Bilder und Figuren sehen mit den Augen, die sie betrachten, erst jetzt ist die Blindheit das Los aller, Aber du siehst noch, Ich werde immer weniger sehen, auch wenn ich das Augenlicht nicht verliere, werde ich immer blinder, mit jedem Tag, weil ich niemanden habe, der mich sehen kann, Wenn wirklich der Priester die Augen der Statuen verbunden hat, Das war nur so ein Gedanke von mir, Es ist die einzige Hypothese, die wirklich einen Sinn ergibt, die einzige, die unserem Elend Größe verleihen kann, ich stelle mir diesen Mann vor, wie er hier hereintritt, aus der Welt der Blinden, in die er später zurückkehren müßte, um ebenfalls zu erblinden, ich stelle mir die verschlossenen Türen vor, die verlassene Kirche, die Stille, ich stelle mir die Statuen und die Bilder vor, ich sehe, wie er von einer zur anderen geht, auf die Altäre steigt und ihnen mit den Tüchern die Augen verbindet, mit zwei Knoten, damit sie nicht aufgehen und herabfallen, zweimal mit weißer Farbe über die Gemälde streicht, um die weiße Nacht, die sie betreten haben, noch dichter zu machen, dieser Priester muß der größte Heiligenschänder aller Zeiten und aller Religionen sein, der gerechteste, der radikal menschlichste, hergekommen, um endlich zu erklären, daß Gott es nicht verdient zu sehen. Die Frau des Arztes kam nicht dazu, ihm zu antworten, jemand neben ihnen kam ihr zuvor, Was ist denn das für ein Gespräch, wer seid ihr, Blinde wie du, sagte sie, Aber ich habe gehört, daß du gesagt hast, du kannst sehen, Das sagt man so, man wird das nicht so leicht los, wie oft muß ich das wohl noch sagen, Und was ist das mit den Statuen, deren Augen verbunden sind, Das stimmt, Und woher weißt du das, wenn du blind bist, Auch du wirst es wissen, wenn du das gleiche tust wie ich, geh hin und berühre sie mit den Händen, die Hände sind die Augen der Blinden, Und warum hast du das getan, Ich habe gedacht, um so weit zu kommen, wie wir gekommen sind, muß noch jemand anderes blind sein, Und diese Geschichte, daß es der Priester der Kirche gewesen sein soll, der die Augen der Statuen verbunden hat, ich habe ihn sehr gut gekannt, er wäre nicht in der Lage, so etwas zu tun, Man kann vorher nie wissen, wozu die Menschen fähig sind, man muß warten, der Zeit Zeit geben, die Zeit bestimmt, die Zeit ist der Partner, der auf der anderen Seite des Tisches spielt und alle Karten des Spiels in der Hand hält, an uns ist es, uns das Spiel des Lebens auszudenken, unseres Lebens, In einer Kirche von Spiel zu sprechen ist Sünde, Steh auf, benutze deine Hände, wenn du bezweifelst, was ich sage, Schwörst du mir, daß es stimmt, daß die Statuen die Augen verbunden haben, Welchen Schwur willst du hören? Schwöre bei deinen Augen, Ich schwöre zweimal bei den Augen, bei meinen und bei deinen, Es stimmt, es stimmt. Dieses Gespräch hatten die Blinden mitgehört, die in der Nähe waren, es erübrigt sich zu sagen, daß man nicht lange auf die Bestätigung des Schwurs zu warten brauchte, damit die Nachricht sich von Mund zu Mund verbreitete, in einem Gemurmel, dessen Ton sich allmählich wandelte, zunächst ungläubig, dann beunruhigt, dann wieder ungläubig, das Schlimme war, daß es in dieser Menge einige abergläubische und phantasievolle Menschen gab, die Vorstellung, daß die Heiligenfiguren blind waren, daß ihre mitleidvollen und leidenden Blicke nicht mehr als ihre eigene Blindheit betrachteten, wurde plötzlich unerträglich, es war, als hätten sie gesagt, sie seien von Untoten umgeben, es brauchte nur ein Schrei zu ertönen, dann noch einer und noch einer, da trieb die Angst alle Menschen auf die Beine, die Panik spülte sie der Tür entgegen, und es wiederholte sich, was man schon kennt, die Panik arbeitet schneller als die Beine, die sie tragen, die Füße des Flüchtlings stolpern auf der Flucht, viel eher noch, wenn er blind ist, und da liegt er plötzlich auf dem Boden, die Panik sagt, Steh auf, lauf, man kommt dich töten, er wäre gern aufgestanden, aber da kommen schon andere gerannt und fallen ebenfalls hin, man muß ein sehr gutes Herz haben, um nicht in Lachen auszubrechen angesichts dieses grotesken Wirrwarrs von Körpern auf der Suche nach Armen, die sich befreien, und Füßen, die fliehen wollen. Jene sechs Stufen draußen werden wie ein Abgrund sein, jedoch ist der Sturz nicht tief, wenn man daran gewöhnt ist zu stürzen, härtet das den Körper ab, und wenn man auf dem Boden gelandet ist, einfach so, ist das schon eine Erleichterung, Ich rühre mich nicht mehr vom Fleck, das ist der erste Gedanke, und manchmal, in tödlichen Fällen, der letzte. Es ist auch nicht hilfreich, wenn die einen die Not der anderen ausnützen, wie dies von Anbeginn der Welt die Kinder und Kindeskinder sehr wohl wissen. Die Menschen flohen verzweifelt und ließen ihre Habe zurück, doch wenn die Not die Angst besiegt hat und sie zurückkehren, werden sie außer dem schwierigen Problem, auf befriedigende Weise zu klären, was war meins und was war deins, bemerken, daß ein Teil ihrer dürftigen Essensvorräte verschwunden ist, vielleicht war das alles ein zynischer Kunstgriff dieser Frau, die sagte, daß die Augen der Statuen verbunden seien, die Bosheit bestimmter Menschen kennt keine Grenzen, sie erfinden derlei Schwindel nur, um den armen Menschen einige undefinierbare Essensreste zu rauben. Nun, die Schuld hatte jedoch der Hund der Tränen, als er sah, daß alles frei war, schnupperte er herum, holte sich die Belohnung für seine Arbeit, wie es gerecht und selbstverständlich war, doch er zeigte gewissermaßen auch den Eingang zur Schatzkammer, so daß die Frau des Arztes und ihr Mann ohne Gewissensbisse ob des Diebstahls die Kirche mit halbgefüllten Beuteln verließen. Wenn sie auch nur die Hälfte nutzen konnten von dem, was sie eingesammelt hatten, könnten sie zufrieden sein, angesichts der anderen Hälfte werden sie sagen, Ich weiß nicht, wie die Menschen das haben essen können, selbst wenn das Unglück allen gemeinsam ist, es gibt immer welche, denen es noch schlechter geht als anderen.

Der Bericht eines jeden dieser Vorkommnisse in seiner Art verblüffte und erstaunte die Mitbewohner, es sei jedoch angemerkt, daß die Frau des Arztes, vielleicht, weil ihr die Worte dafür fehlten, ihnen nicht das ganze Ausmaß des Horrors schildern konnte, den sie vor der Tür zu dem unterirdischen Lager empfunden hatte, vor jenem Rechteck, das umzüngelt war von blassen, flimmernden Lichtern, die die Treppe hinunterführten in eine andere Welt. Die Statuen mit den verbundenen Augen beschäftigten die Phantasie aller zutiefst, wenn auch auf unterschiedliche Weise, bei dem ersten Blinden und seiner Frau bemerkte man zum Beispiel ein gewisses Unbehagen, für sie war es vor allem ein unentschuldbarer Mangel an Respekt. Daß sie alle, die Menschen, blind waren, daran war niemand schuld, ein Verhängnis, dem keiner entkommt, ein Unglück, das jedem zustoßen kann, aber nur deshalb den Heiligenfiguren die Augen zu verbinden, das schien ihnen wie ein unverzeihliches Attentat, und wenn der Priester der Kirche es begangen hatte, um so schlimmer. Der Kommentar des Alten mit der schwarzen Augenklappe war anders, Ich kann mir den Schock vorstellen, den das bei dir ausgelöst hat, ich stelle mir gerade eine ganze Galerie in einem Museum vor, alle Skulpturen haben die Augen verbunden, nicht weil der Bildhauer den Stein nicht hätte behauen wollen, als er an die Stelle der Augen kam, sondern so bedeckt, wie du gesagt hast, mit diesen verknoteten Tüchern, als sei eine Blindheit nicht genug, es ist seltsam, daß eine solche Binde wie die meine nicht denselben Eindruck hinterläßt, manchmal gibt sie den Menschen sogar etwas Romantisches, und er lachte über das, was er gesagt hatte, und über sich selbst. Die junge Frau mit der dunklen Brille begnügte sich damit zu sagen, daß sie hoffte, nicht einmal im Traum diese verfluchte Galerie sehen zu müssen, sie hätte schon genug Alpträume. Sie aßen, was es gab, es war das Beste, was sie hatten, die Frau des Arztes sagte, es werde immer schwieriger, Nahrung zu finden, daß sie vielleicht die Stadt verlassen und auf dem Land leben müßten, dort wären wenigstens die Lebensmittel, die sie finden würden, gesünder, und es mußte ja auch Ziegen und Kühe geben, die frei herumliefen, wir könnten sie melken, dann haben wir Milch, und es gibt Wasser in den Brunnen, wir könnten kochen, was wir wollen, es geht nur darum, einen guten Ort zu finden, jeder gab dann seine Meinung dazu ab, einige begeisterter als die anderen, aber allen war klar, daß sie dringend eine Entscheidung treffen mußten, wer ohne Zögern seine Zufriedenheit darüber äußerte, war der kleine schielende Junge, wahrscheinlich, weil er schöne Ferienerinnerungen hatte. Nachdem sie alle gegessen hatten, legten sie sich schlafen, das taten sie immer, schon zur Zeit der Quarantäne, als die Erfahrung sie gelehrt hatte, daß ein liegender Körper sehr viel Hunger aushält. Abends aßen sie nichts, nur der kleine schielende Junge, damit er etwas zum Kauen hatte und den Magen überlisten konnte, die anderen saßen da und hörten dem Buch zu, wenigstens konnte der Geist nicht gegen einen Mangel an Nahrung protestieren, nur führte die Schwäche des Körpers leider manchmal dazu, daß der Geist abschweifte, nicht aus Mangel an intellektuellem Interesse, nein, sondern weil das Hirn in einen Dämmerzustand hinüberglitt, wie ein Tier, das sich anschickt zu überwintern, Adieu Welt, deshalb kam es auch nicht selten vor, daß die Zuhörer sanft die Augenlider schlossen, und mit den Augen der Seele folgten sie dann dem Auf und Ab der Handlung, bis ein nachdrücklicheres Ereignis sie aus ihrer Benommenheit aufrüttelte, wenn es nicht einfach das Geräusch des gebundenen Buches war, das mit einem Knall geschlossen wurde, die Frau des Arztes gab solch feine Hinweise, sie wollte nicht durchblicken lassen, daß sie den Träumer schlafen sah.

Der erste Blinde schien sich in solch sanftem Schlaf zu wiegen, und doch war es nicht so, seine Augen waren zwar geschlossen, und er folgte der Lektüre nur vage, aber die Vorstellung, daß sie alle auf dem Land leben würden, hinderte ihn daran, wirklich einzuschlafen, es erschien ihm als ein schwerer Fehler, sich so weit von seiner Wohnung zu entfernen, auch wenn jener Schriftsteller noch so sympathisch war, mußte man ihn doch im Auge behalten und hin und wieder dort auftauchen. Er war also ganz wach, der erste Blinde, und wenn man noch einen anderen Beweis brauchte, dann war es das blendende Weiß seiner Augen, das wahrscheinlich nur während des Schlafes dunkel wurde, und selbst dessen konnte man sich nicht sicher sein, da niemand gleichzeitig schlafen und wachen kann. Der erste Blinde glaubte, diesen Zweifel endlich geklärt zu haben, als plötzlich das Innere seiner Augenlider dunkel wurde, Ich bin eingeschlafen, dachte er, aber nein, er war nicht eingeschlafen, er hörte weiterhin die Stimme der Frau des Arztes, der kleine schielende Junge hustete, da fuhr eine große Angst in seine Seele, er glaubte, er sei von einer Blindheit in die andere geglitten und werde nun, nachdem er die Blindheit des Lichtes erlebt hatte, die Blindheit der Finsternis erleben, der Schrecken ließ ihn erzittern, Was hast du, fragte ihn seine Frau, und er antwortete einfach, ohne die Augen zu öffnen, Ich bin blind, als sei das die letzte Neuigkeit der Welt, sie umarmte ihn liebevoll, Laß gut sein, wir sind doch alle blind, was sollen wir denn dagegen tun, Ich habe alles dunkel gesehen, ich dachte, ich sei eingeschlafen, und dann doch nicht, ich bin wach, Das solltest du aber tun, schlafen, nicht daran denken. Der Rat ärgerte ihn, da saß er mit seiner ganzen Angst, und seine Frau hatte nichts Besseres zu sagen, als daß er schlafen solle. Verstimmt und mit einer bitteren Antwort bereits auf der Zunge, öffnete er die Augen, und er sah. Er sah und rief, Ich sehe. Der erste Schrei klang noch ganz ungläubig, aber der zweite und der dritte und alle folgenden bestätigten es, Ich sehe, ich sehe, er umarmte seine Frau wie verrückt, dann lief er zur Frau des Arztes und umarmte auch sie, es war das erste Mal, daß er sie sah, aber er wußte, wer sie war, und den Arzt und die junge Frau mit der dunklen Brille und den Alten mit der schwarzen Augenklappe, da konnte es keinen Irrtum geben, und den kleinen schielenden Jungen, seine Frau ging hinter ihm, sie wollte ihn gar nicht loslassen, und er unterbrach die Umarmungen, um sie wieder zu umarmen, jetzt wandte er sich zum Arzt, Ich sehe, ich sehe, Herr Doktor, er sprach ihn nicht mit du an, wie es in dieser Gemeinschaft fast zur Regel geworden war, diese plötzliche Unterscheidung möge einer erklären, und der Arzt fragte, Können Sie wirklich gut sehen, so wie Sie früher gesehen haben, keine Spur von Weiß, Nein, nichts, gar nichts, ich glaube sogar, ich sehe besser als vorher, und das will etwas heißen, denn ich habe nie eine Brille getragen. Da sprach der Arzt aus, was alle dachten, jedoch nicht laut zu sagen wagten, Es ist möglich, daß diese Blindheit zu Ende ist, es ist möglich, daß wir jetzt alle unser Augenlicht wiedergewinnen, bei diesen Worten begann die Frau des Arztes zu weinen, sie hätte froh sein müssen und weinte, welch seltsame Reaktionen haben die Menschen, natürlich war sie glücklich, mein Gott, das ist doch auch leicht zu verstehen, sie weinte, weil mit einem Schlag all ihr geistiger Widerstand gebrochen war, erschöpft, sie war wie ein kleines Kind, das gerade geboren wurde, und dieses Weinen war sein erstes und noch unbewußtes Wimmern. Der Hund der Tränen kam zu ihr, er weiß immer, wann er gebraucht wird, deshalb hielt die Frau des Arztes sich an ihm fest, nicht daß sie ihren Mann nicht weiterhin liebte oder die anderen, die dort waren, immer noch mochte, aber in diesem Augenblick war der Eindruck ihrer Einsamkeit so unerträglich, so groß, daß er offenbar nur gestillt werden konnte durch den seltsamen Durst, mit dem der Hund ihre Tränen leckte.

Die allgemeine Freude machte nun der Aufregung Platz, Und jetzt, was sollen wir tun, hatte die junge Frau mit der dunklen Brille gefragt, ich werde nach dem, was vorgefallen ist, nicht mehr schlafen können, Niemand wird das, ich glaube, wir sollten hier bleiben, sagte der Alte mit der schwarzen Augenklappe, er unterbrach sich, als ob er zweifelte, und dann fügte er hinzu, Wir sollten warten. Sie warteten. Die drei Flammen der Öllampe beleuchteten die Gesichter im Kreis. Zu Beginn hatten sie sich noch angeregt unterhalten, sie wollten genau wissen, wie es geschehen war, ob die Veränderung sich nur in den Augen zugetragen hatte oder auch etwas im Gehirn zu spüren war, und dann, nach und nach, erstarben die Worte, in einem bestimmten Augenblick sagte der erste Blinde zu seiner Frau, daß sie am nächsten Tag nach Hause gehen würden, Aber ich bin doch noch blind, Das macht nichts, ich führe dich, und nur die, die dort waren und also selbst zugehört hatten, konnten begreifen, daß in solch einfachen Worten so unterschiedliche Gefühle Platz fanden wie Fürsorge, Stolz und Autorität. Die zweite, die das Augenlicht wiedererlangte, die Nacht war schon fortgeschritten und in der Öllampe kaum mehr Öl, war die junge Frau mit der dunklen Brille. Sie hatte die ganze Zeit die Augen offengehalten, als müßte das Augenlicht durch sie hereinkommen und nicht von innen heraus entstehen, und plötzlich sagte sie, Ich glaube, ich kann sehen, es war besser, vorsichtig zu sein, nicht alle Fälle gleichen sich, man pflegt sogar zu sagen, daß es keine Blindheit gibt, sondern Blinde, wobei die Erfahrung der Zeit nichts anderes getan hat, als uns zu lehren, daß es keine Blinden gibt, sondern Blindheiten. Nun sind es schon drei, die sehen, noch einer, und sie sind in der Mehrheit, aber auch wenn das Glück den anderen das Sehvermögen nicht wiedergäbe, so würde ihr Leben doch sehr viel einfacher werden und nicht diese Agonie bedeuten, die es bis heute war, man sehe sich nur an, in welchem Zustand sich diese Frau befindet, wie ein Strick, der zerrissen ist, wie eine Feder, die die Spannung nicht mehr ausgehalten hat, der sie ständig ausgesetzt war. Vielleicht ging die junge Frau mit der dunklen Brille deshalb zu ihr hin und umarmte sie als erste, da wußte der Hund der Tränen nicht, zu welcher von beiden er zuerst gehen sollte, weil die eine soviel weinte wie die andere. Die zweite Umarmung galt dem Alten mit der schwarzen Augenklappe, jetzt werden wir endlich erfahren, ob Worte wirklich etwas gelten, neulich hat uns der Dialog zwischen den beiden so bewegt, als sie das wunderbare Einverständnis aussprachen, daß sie zusammenleben würden, aber jetzt ist die Situation eine andere, die junge Frau mit der dunklen Brille hat vor sich einen alten Mann, den sie nun sehen kann, vorbei sind die Idealisierungen des Gefühls, die falsche Harmonie auf der einsamen Insel, Falten sind Falten, eine Glatze ist eine Glatze, es gibt keinen Unterschied zwischen einer schwarzen Augenklappe und einem blinden Auge, das ist das, was er ihr in anderen Worten gesagt hatte, Schau mich gut an, ich bin der Mensch, zu dem du gesagt hast, du würdest mit ihm zusammenleben, und sie antwortete, Ich kenne dich, du bist der Mensch, mit dem ich zusammenlebe, schließlich gibt es Wörter, die noch mehr zählen als das, was sie scheinen wollen, und so war auch diese Umarmung. Der dritte, der sein Augenlicht wiedergewann, als der Morgen zu dämmern begann, war der Arzt, jetzt konnte es schon keinen Zweifel mehr geben, daß die anderen ihre Sehkraft wiedererlangen würden, es war nur eine Frage der Zeit. Nach allen natürlichen und vorhersehbaren Erregungen, von denen hier schon ausreichend berichtet worden ist, erscheint es nicht mehr notwendig, alles zu wiederholen, auch wenn es sich um die Hauptfiguren dieses wahren Berichtes handelt, der Arzt stellte endlich die Frage, Was geht wohl da draußen vor, die Antwort kam aus dem Gebäude, in dem sie waren, im Stockwerk unter ihnen trat jemand in den Flur und rief, Ich sehe, ich sehe, und so wird die Sonne aufgehen über einer Stadt in Feststimmung.

Ein Festmahl war das Frühstück am Morgen. Was auf dem Tisch stand, außer daß es wenig war, hätte jeden normalen Appetit abgeschreckt, die Kraft der Gefühle, wie es in Augenblicken großen Jubels immer geschieht, hatte den Platz des Hungers eingenommen, aber die Freude half ihnen zu essen, niemand beklagte sich, auch die noch blind waren, lachten, als seien die Augen, die sahen, schon ihre eigenen. Als sie fertig waren, hatte die junge Frau mit der dunklen Brille eine Idee, Und wenn ich jetzt an meine Wohnungstür einen Zettel hänge, um zu sagen, daß ich hier bin, wenn meine Eltern kommen, können sie mich hier abholen, Nimm mich mit, ich will wissen, was da draußen los ist, sagte der Alte mit der schwarzen Augenklappe, Und auch wir werden gehen, sagte der, der zuerst erblindet war, zu seiner Frau, es kann sein, daß der Schriftsteller schon sieht und daran denkt, in seine eigene Wohnung zurückzukehren, auf dem Weg dorthin werde ich versuchen, etwas zu essen zu finden, Ich werde das gleiche tun, sagte die junge Frau mit der dunklen Brille. Minuten später, schon allein, setzte der Arzt sich neben seine Frau, der kleine schielende Junge schlief noch in einer Sofaecke, der Hund der Tränen lag mit der Schnauze auf den Vorderpfoten, öffnete und schloß ab und zu die Augen, um zu zeigen, daß er noch wachte, durch das offene Fenster, trotz der Höhe des Stockwerks, drangen veränderte Stimmen, die Straßen waren voller Menschen, die Menge schrie nur diese beiden Wörter,

Ich sehe, alle, die bereits ihr Augenlicht wiedergewonnen hatten, sagten es, und dann die, die es plötzlich wiedererlangten, Ich sehe, ich sehe, die Geschichte, in der es geheißen hatte, Ich bin blind, scheint wahrhaftig einer anderen Welt anzugehören. Der kleine schielende Junge murmelte etwas, wahrscheinlich träumte er gerade, vielleicht sah er seine Mutter und fragte sie, Kannst du mich sehen, kannst du mich schon sehen. Die Frau des Arztes fragte, Und sie, der Arzt sagte, Dieser hier ist wahrscheinlich geheilt, wenn er aufwacht, mit den übrigen wird es nicht anders sein, es ist sicher, daß sie jetzt alle ihr Augenlicht wiedererlangen, wer einen Schreck erleben wird, der Ärmste, ist unser Mann mit der schwarzen Augenklappe, Warum, Wegen des Stars, nach all dieser Zeit, seit ich ihn untersucht habe, muß es wie eine trübe Wolke sein, Wird er erblinden, Nein, wenn das Leben sich normalisiert hat und alles wieder funktioniert, werde ich ihn operieren, es ist eine Frage von Wochen, Warum sind wir erblindet, Das weiß ich nicht, vielleicht werden wir eines Tages den Grund dafür erfahren, Soll ich dir sagen, was ich denke, Ja, Ich glaube nicht, daß wir erblindet sind, ich glaube, wir sind blind, Blinde, die sehen, Blinde, die sehend nicht sehen.

Die Frau des Arztes stand auf und ging zum Fenster. Sie sah hinunter auf die mit Müll bedeckte Straße, auf die Menschen, die riefen und sangen. Dann hob sie den Kopf zum Himmel und sah alles weiß, Jetzt bin ich an der Reihe, dachte sie. Die plötzliche Angst ließ sie den Blick senken. Die Stadt dort unten war noch immer da.